AMOR, LIBERDADE E SOLITUDE

Osho

Amor, Liberdade e Solitude

Uma Nova Visão sobre os Relacionamentos

Tradução
LEONARDO FREIRE

Editora Cultrix
SÃO PAULO

Título original: *Love, Freedom, and Aloneness.*

2ª edição 2006 (catalogação na fonte).

12ª reimpressão 2022.

Texto criado a partir de excertos selecionados dos arquivos dos trabalhos originais do autor.

Dados Internacionais de Catalogação na Publicação (CIP)
(Câmara Brasileira do Livro, SP, Brasil)

Osho, 1931-1990.
Amor, Liberdade e Solitude : uma nova visão sobre os relacionamentos / Osho ; tradução Leonardo Freire. 2. ed. -- São Paulo : Cultrix, 2006.

Título original : Love, freedom, and aloneness : a new vision of relating.
ISBN 978-85-316-0913-8

1. Amor 2. Autoajuda – Técnicas 3. Liberdade 4. Relações interpessoais 5. Solidão 6. Vida espiritual – Fundação Rajneesh I. Título.

06-2505 CDD-299.93

Índices para catálogo sistemático:
1. Amor, liberdade e solitude : Ensinamentos de Osho : Religiões de natureza universal 299.93

Direitos de tradução para o Brasil adquiridos com exclusividade pela
EDITORA PENSAMENTO-CULTRIX LTDA, que se reserva a
propriedade literária desta tradução.
Rua Dr. Mário Vicente, 368 – 04270-000 – São Paulo, SP – Fone: (11) 2066-9000
http://www.editoracultrix.com.br
E-mail: atendimento@editoracultrix.com.br
Foi feito o depósito legal.

Sumário

Prefácio

No *Simpósio*, de Platão, Sócrates diz:

Uma pessoa que pratica os mistérios do amor estará em contato não com um reflexo, mas com a própria verdade. Para conhecer essa bênção da natureza humana, não se pode encontrar auxiliar melhor do que o amor.

Durante toda a minha vida, comentei sobre o amor de mil maneiras diferentes, mas a mensagem é a mesma. Apenas algo fundamental precisa ser lembrado: não se trata do amor que você acha que é amor. Nem Sócrates está falando desse amor nem eu estou.

O amor que você conhece nada mais é do que um impulso biológico; ele depende de sua química e de seus hormônios. Ele pode ser alterado muito facilmente... uma pequena mudança em sua química e o amor que você considerava como a "verdade suprema" simplesmente desaparece. Você tem chamado a sensualidade de "amor". Essa distinção tem de ser lembrada.

Sócrates diz: "Uma pessoa que pratica os mistérios do amor..." A sensualidade não tem mistérios, ela é um simples jogo biológico. Todo animal, todo pássaro, toda árvore o conhece. Certamente o amor que tem mistérios será totalmente diferente do amor com o qual você está familiarizado.

Uma pessoa que pratica os mistérios do amor estará em contato não com o reflexo, mas com a própria verdade.

Esse amor que pode se tornar um contato com a própria verdade emerge somente a partir de sua consciência; não a partir de seu corpo, mas a partir de seu mais íntimo ser. A sensualidade emerge a partir de seu corpo, o amor emerge a partir de sua consciência. Mas as pessoas não conhecem a própria consciência, e o mal-entendido continua: a sensualidade corporal é tomada como amor.

Muito poucas pessoas no mundo conhecem o amor. Essas pessoas são as que se tornaram silenciosas, pacíficas... E a partir desse silêncio e dessa paz, elas entraram em contato com o seu ser mais íntimo, com a sua alma. Uma vez em contato com a sua alma, seu amor se torna não um relacionamento, mas simplesmente uma sombra sua. Não importa onde você ande, com quem você ande, você estará amando.

No momento, o que você chama de amor está endereçado a alguém, confinado a alguém. E o amor não é um fenômeno que possa ser confinado. Você pode tê-lo em suas mãos abertas, mas não em suas mãos fechadas. No momento em que suas mãos se fecham, elas ficam vazias. No momento em que elas se abrem, toda a existência fica a seu alcance.

Sócrates está certo: aquele que conhece o amor também conhece a verdade, pois eles são somente dois nomes para uma só experiência. E, se você não conheceu a verdade, lembre-se de que também não conheceu o amor.

Para conhecer essa bênção da natureza humana, não se pode encontrar auxiliar melhor do que o amor.

PARTE UM

O Amor

Você ficará surpreso ao saber que a palavra inglesa *love* vem da palavra sânscrita *lobha*, que significa cobiça. Pode ter sido mera coincidência que a palavra inglesa *love* tenha se desenvolvido da palavra sânscrita que significa cobiça, mas minha impressão é que isso não pode ser mera coincidência. Deve haver algo mais misterioso por trás disso, deve haver alguma razão alquímica por trás disso. Na verdade, a cobiça digerida se torna amor. É a cobiça, *lobha*, bem digerida, que se torna amor.

Amar é compartilhar, cobiçar é acumular. A cobiça somente deseja e nunca dá, e o amor conhece somente o dar, sem jamais pedir algo em troca; ele é um compartilhar incondicional. Deve haver alguma razão alquímica para que *lobha* tenha se tornado *love* na língua inglesa. No que se refere à alquimia interna, *lobha* se torna amor.

CAPÍTULO UM

O Amor Piegas

O amor não significa o que normalmente se entende pela palavra. O amor usual é apenas um disfarce; algo mais está oculto por trás dele. O amor real é um fenômeno totalmente diferente. O amor usual é uma exigência, o real é um compartilhar. Ele conhece a alegria do dar e nada conhece do exigir.

O amor usual finge demais. O amor real é, não finge; ele simplesmente é. O amor usual se torna enjoativo, açucarado, chato, o que se chama de amor piegas. Ele é enjoativo, nauseante. O amor real alimenta; ele fortalece a sua alma. O amor usual alimenta somente o seu ego — não o você real, mas o irreal. Lembre-se, o irreal sempre alimenta o irreal, e o real alimenta o real.

Torne-se um servo do amor real, e isso significa tornar-se um servo do amor em sua pureza suprema. Dê, compartilhe tudo o que você tiver, compartilhe e tenha prazer com esse compartilhar. Não ame como se fosse uma obrigação, pois assim toda a alegria vai embora. E nunca sinta que você está obrigando o outro a dar algo em troca, nem mesmo por um único instante. O amor nunca pede nada em troca. Pelo contrário, quando alguém recebe seu amor, *você* se sente grato. O amor fica agradecido por ter sido recebido.

O amor nunca espera recompensa nem agradecimento. Se o agradecimento é feito, o amor sempre é pego de surpresa. Essa é uma agradável surpresa, pois não havia expectativa.

Não se pode frustrar o amor real, pois, em primeiro lugar, não existe expectativa. E não se pode satisfazer o amor irreal, pois ele está tão enraizado na expectativa que, não importa o que se faça, sempre parece pouco. Sua expectativa é enorme e ninguém pode satisfazê-la. Assim, o amor irreal sempre traz frustração, e o amor real sempre traz satisfação.

E quando digo, "Torne-se um servo do amor", não estou dizendo para se tornar um servo de alguém que você ama; não, de maneira nenhuma. Não estou dizendo para se tornar um servo do ser amado. Estou dizendo, torne-se um servo do *amor*. A idéia pura do amor deve ser venerada. O amado é somente uma das formas dessa idéia pura, e toda a existência contém nada mais nada menos do que milhões de formas dessa idéia pura. A flor é uma idéia, uma forma; a lua, outra; o ser amado, outra... seu filho, sua mãe, seu pai, todos eles são formas, ondas no oceano do amor. Mas nunca se torne um servo do ser amado. Lembre-se sempre de que o ser amado é somente uma pequena expressão.

Sirva ao amor por meio da pessoa que você ama, de tal modo que você nunca se apegue à pessoa. Quando não está apegado à pessoa, o amor atinge seu patamar mais elevado. No momento em que a pessoa se apega, ela começa a decair. O apego é um tipo de gravidade, e o desapego é graça. O amor irreal é um outro nome para o apego; o amor real é o próprio desapego.

O amor irreal mostra muita ansiedade, ele está sempre ansioso. O amor real é atencioso, mas não tem ansiedade. Se você realmente ama alguém, mostrará consideração pela verdadeira necessidade dele, mas não demonstrará desnecessária preocupação com suas tolas e estúpidas fantasias. Você terá todo o cuidado com as necessidades dele, mas não está ali para preencher seus desejos fictícios. Você não satisfará nada que, na verdade, irá prejudicá-lo. Por exemplo, você não satisfará o ego dessa pessoa, embora ela esteja pedindo isso. A pessoa muito preocupada e apegada satisfará as exigências do ego, e isso significa que você está envenenando o seu amado. Consideração significa que você perceberá que essa não é uma necessidade real, mas uma necessidade do ego; você não a satisfará.

O amor conhece a compaixão, mas não a preocupação. Algumas vezes ele é duro, pois às vezes é necessário ser duro. Algumas vezes ele é muito distante. Se ficar distante ajudar, ele fica distante. Algumas vezes ele é muito frio; se for necessário ficar frio, então ele é frio. Tudo o que for necessário, o amor leva em conta, mas não fica ansioso. Ele não satisfará nenhuma necessidade irreal, nenhuma idéia venenosa do outro.

Investigue, medite sobre o amor, experimente. O amor é o maior experimento na vida, e aqueles que vivem sem experimentar a energia do amor nunca saberão o que é a vida. Eles permanecerão apenas na superfície, sem penetrarem em sua profundidade.

Meu ensinamento é orientado pelo amor. Posso muito facilmente deixar de lado a palavra *Deus*, não tem problema, mas não posso deixar de lado a palavra *amor*. Se eu tiver de escolher entre as palavras *amor* e *Deus*, escolherei o amor; esquecerei tudo sobre Deus, pois aqueles que conhecem o amor fatalmente conhecerão Deus. Mas o inverso não acontece. Aqueles que pensam e filosofam sobre Deus podem nunca conhecer o amor, e também nunca conhecerão Deus.

CAPÍTULO DOIS

Real e Irreal – O Primeiro Passo

Ame a si mesmo e observe, hoje, amanhã e sempre.

Começamos com um dos mais profundos ensinamentos de Gautama, o Buda:

Ame a si mesmo.

Exatamente o oposto foi ensinado a você, por todas as tradições do mundo, todas as civilizações, culturas e igrejas. Elas dizem: *Ame os outros, não ame a si mesmo.* E existe uma certa estratégia ladina por trás desses ensinamentos.

O amor é o que nutre a alma. A comida é para o corpo o que o amor é para a alma. Sem comida, o corpo fica fraco; sem amor, a alma fica fraca. E nenhum estado, nenhuma igreja e nenhum capital investido jamais desejou que as pessoas tivessem almas fortes, pois uma pessoa com energia espiritual inevitavelmente será rebelde.

O amor o torna rebelde, revolucionário, lhe dá asas para voar alto. O amor lhe dá discernimento sobre as coisas, de tal maneira que ninguém possa enganá-lo, explorá-lo, oprimi-lo. E os sacerdotes e os políticos sobrevivem somente com o seu sangue, somente com a exploração.

Todos os sacerdotes e políticos são parasitas. Para torná-lo espiritualmente fraco, eles encontraram um método seguro, cem por cento garantido, que é ensiná-lo a não se amar. Porque se uma pessoa não puder amar a si mesma, ela também não poderá amar mais ninguém. O ensinamento é muito astuto, eles dizem, "Ame os outros", pois sabem que, se você não puder amar a si mesmo, de modo nenhum poderá amar. Mas eles ficam dizendo: "Ame os outros, a humanidade, Deus. Ame a natureza, a sua esposa, o seu marido, os seus filhos, os seus pais." Mas não ame a si mesmo, porque, de acordo com eles, amar a si mesmo é egoísmo. O que mais eles condenam é o amor-próprio.

E eles fizeram com que esses ensinamentos parecessem muito lógicos. Eles dizem: "Se amar a si mesmo, você vai se tornar um egoísta, um narcisista." Isso não é verdade.

Uma pessoa que ama a si mesma descobre que não existe nenhum ego nela. O ego surge ao amar os outros *sem* amar a si mesmo, ao *tentar* amar os outros. Os missionários, os reformistas sociais, os benfeitores têm os maiores egos do mundo. Naturalmente, pois eles se consideram seres humanos superiores. Eles não são comuns; pessoas comuns amam a si mesmas. Eles amam os outros, amam grandes ideais, amam Deus.

E todo o amor deles é falso, pois esse amor não tem raízes.

Uma pessoa que ama a si mesma dá o primeiro passo em direção ao amor real. É como atirar uma pedra num lago silencioso: primeiro, ondulações circulares surgirão em torno da pedra, muito próximas da pedra. Naturalmente! Onde mais elas poderiam surgir? E depois elas se espalharão, alcançarão a margem mais distante. Se você impedir essas ondulações de surgirem próximas da pedra, de maneira nenhuma haverá outras ondulações. Então, não se pode esperar criar ondulações que alcancem as praias mais distantes; é impossível.

E os sacerdotes e os políticos perceberam o fenômeno: ao impedir as pessoas de amarem a si mesmas, aniquilam-se suas capacidades de amar. Agora, tudo o que elas pensam que é amor será falso. Pode ser obrigação, mas não é amor — obrigação é uma palavra suja. Os pais estão cumprindo suas obrigações para com os filhos e, em troca, os filhos cumprirão suas obrigações para com os pais. A esposa cumpre seus deveres para com o marido, e o marido cumpre seus deveres para com a esposa. Onde está o amor?

O amor nada conhece de obrigação. Obrigação é um fardo, uma formalidade. Amor é uma alegria, um compartilhar; ele é informal. A pessoa que ama nunca sente que fez o suficiente; ela sempre sente que era possível fazer mais. Ela nunca sente: "Eu fiz um favor à outra pessoa." Pelo contrário, ela sente: "A pessoa me fez um favor recebendo o meu amor. Por receber minha dádiva, por não rejeitá-la, o outro me fez um favor."

A pessoa que cumpre obrigações pensa: "Sou superior, espiritual, extraordinário. Olhe como sirvo as pessoas!" Esses benfeitores são as pessoas mais falsas do mundo e também as mais nocivas. Se pudéssemos nos livrar dos benfeitores públicos, a humanidade tiraria um peso dos ombros, se sentiria muito leve, seria capaz de novamente dançar, de novamente cantar.

Mas, durante séculos, suas raízes têm sido cortadas, envenenadas. Fizeram com que você tivesse medo de sentir amor por você mesmo — que é o primeiro passo do amor e a primeira experiência. Uma pessoa que ama a si mesma respeita a si mesma. E uma pessoa que ama e respeita a si mesma, respeita os outros também, porque ela sabe: "Assim como eu sou, assim são os outros. Assim como tenho amor, respeito, dignidade, assim têm os outros." No que diz respeito ao essencial, ela se dá conta de que não somos diferentes; somos um só, estamos sob a mesma lei. Buda diz que vivemos sob a mesma lei eterna: *aes dhammo sanantano.* Nos detalhes, podemos ser um pouco diferentes uns dos outros — isso traz variedade, isso é belo —, mas na base, somos parte de uma só natureza.

A pessoa que ama a si mesma sente tanto amor e se torna tão bem-aventurada que o amor começa a transbordar, começa a alcançar os outros. Ele *precisa* alcançar! Se você viver o amor, precisará compartilhá-lo. Você não poderá continuar a amar só a si mesmo para sempre, pois algo ficará absolutamente claro para você: se amar uma pessoa, você mesmo, é tão imensamente extasiante e belo, mais êxtases estarão esperando você, se começar a compartilhar seu amor com muitas, muitas pessoas!

Lentamente as ondulações começarão a ir mais e mais longe. Você amará outras pessoas, então começará a amar os animais, os pássaros, as árvores, as rochas. Você pode preencher todo o Universo com o seu amor. Uma única pessoa é suficiente para preencher todo o Universo com amor, exatamente como uma única pedrinha pode preencher todo o lago com ondulações — uma pedrinha.

Somente um buda pode dizer: *Ame a si mesmo.* Nenhum sacerdote, nenhum político pode concordar com isso, pois isso é destruir todo o edifício, toda a estrutura de exploração deles. Se uma pessoa não tiver permissão para amar a si mesma, seu espírito, sua alma, fica cada dia mais fraca. Seu corpo pode se desenvolver, mas ela não tem crescimento interior, pois não tem nutrição interior. Ela permanece um corpo praticamente sem alma, ou com somente uma potencialidade, uma possibilidade de alma. A alma permanece uma semente e continuará assim, se você não puder encontrar o correto solo do amor para ela. E você não o encontrará, se seguir a idéia idiota: "Não ame a si mesmo."

Eu também lhe ensino a primeiro amar a si mesmo. Isso nada tem a ver com o ego. Na verdade, o amor é uma tal luz que a escuridão do ego de maneira nenhuma pode existir nela. Se você amar os outros, se seu amor estiver focado nos outros, você viverá na escuridão. Primeiro, volte a sua luz em direção a si mesmo; primeiro, torne-se uma luz para si mesmo. Deixe a luz dispersar sua escuridão interior, sua fraqueza interior. Deixe que o amor faça de você um poder imenso, uma força espiritual.

E uma vez que sua alma se torne poderosa, você saberá que não morrerá, que é imortal, eterno. O amor lhe dá o primeiro discernimento com relação à eternidade. O amor é a única experiência que transcende o tempo. Por isso, as pessoas que amam não temem a morte. O amor não conhece a morte. Um único momento de amor é mais do que toda a eternidade.

Mas o amor precisa começar do começo, precisa iniciar com este primeiro passo:

Ame a si mesmo

Não se condene. Você foi condenado demais e aceitou toda essa condenação. Agora, você fica se machucando. Ninguém se considera digno o suficiente, ninguém se considera uma bela criação de Deus, ninguém pensa que é necessário. Essas são idéias venenosas, mas você foi envenenado, envenenado com o leite de sua mãe, e esse tem sido todo o seu passado. A humanidade tem vivido sob uma escura nuvem de autocondenação. Se você se condena, como poderá se desenvolver, como poderá se tornar maduro? E se você se condena, como poderá venerar a existência? Se você não puder venerar a existência dentro de você, será incapaz de venerar a existência nos outros; será impossível.

Você só pode se tornar parte do todo se tiver um grande respeito pelo Deus que reside dentro de você. Você é um anfitrião, Deus é seu convidado. Ao amar a si mesmo, você saberá: Deus o escolheu para ser um veículo. Ao escolher você para ser um veículo, ele já o respeitou, já o amou. Ao criar você, ele demonstrou seu amor por você. Ele não fez você acidentalmente; ele o fez com um certo destino, com um certo potencial, com uma certa glória que você precisa atingir. Sim, Deus criou o ser humano à sua própria imagem. O ser humano precisa se tornar um deus. A menos que o ser humano se torne um deus, não haverá preenchimento, contentamento.

Mas como você pode se tornar um deus? Seus sacerdotes dizem que você é um pecador, uma perdição, que você inevitavelmente irá para o inferno. E eles o deixam com muito medo de amar a si mesmo. Esse é o truque deles, cortar a própria raiz do amor. Eles são muito espertos. A profissão mais ardilosa no mundo é a dos sacerdotes. Eles dizem: "Ame os outros." Ora, isso será artificial, sintético, um fingimento, uma representação.

Eles dizem: "Ame a humanidade, sua terra natal, sua nação, a vida, a existência, Deus." Grandes palavras, mas completamente sem significado. Você já se deparou com a humanidade? Você sempre se depara com seres humanos — e condenou o primeiro ser humano que encontrou, *você*.

Você não se respeita, não se ama. Agora você desperdiça toda a sua vida condenando os outros. É por isso que as pessoas são tão críticas. Elas se criticam, e como podem evitar encontrar as mesmas faltas nos outros? Na verdade, elas as encontrarão e as aumentarão; elas as tornarão tão grandes quanto possível. Essa parece ser a única escapatória para, de alguma maneira, livrar a cara; isso precisa ser feito. Por isso existe tanto criticismo e tanta falta de amor.

Eu digo que esse é um dos sutras mais profundos de Buda, e somente uma pessoa desperta pode dar a você esse discernimento.

Ele diz: *Ame a si mesmo...* Essa pode se tornar a base para uma transformação radical. Não tenha medo de amar a si mesmo. Ame totalmente e você ficará surpreso: o dia em que você se livrar de toda autocondenação e autodesrespeito, em que se livrar da idéia do pecado original, em que puder pensar em si mesmo como alguém valioso e amado pela existência, será um dia de grande bênção. Desse dia em diante, você começará a perceber as pessoas assim como elas são de verdade e terá compaixão. E não será uma compaixão cultivada; será um fluxo natural e espontâneo.

E uma pessoa que se ama pode facilmente se tornar meditativa, porque meditação significa estar consigo mesmo. Se você se odiar — como você se odeia, como lhe disseram para fazer e você faz religiosamente —, se você se odiar, como poderá ficar com você mesmo? E meditar nada mais é do que apreciar sua bela solitude. Celebrar a si mesmo, é isso o que a meditação é.

A meditação não é um relacionamento; o outro não é necessário, a pessoa é suficiente em si mesma, é banhada em sua própria glória, em sua própria luz. Ela está simplesmente feliz por estar viva, por existir.

O maior milagre no mundo é este: você existe, eu existo. *Existir* é o maior milagre, e a meditação abre as portas para esse grande milagre. Mas somente uma pessoa que ama a si mesma pode meditar; do contrário, você está sempre fugindo de si mesmo, evitando a si mesmo. Quem quer olhar para uma face feia e quem quer penetrar num ser feio? Quem quer penetrar fundo em sua própria lama, em sua própria escuridão? Quem quer entrar no inferno que você julga ser? Você quer manter tudo isso coberto com belas flores e sempre fugir de si mesmo.

Por isso as pessoas estão continuamente procurando companhia. Elas não conseguem ficar com elas mesmas e querem ficar com outras. As pessoas estão procurando qualquer tipo de companhia; se elas puderem evitar a companhia delas mesmas, qualquer coisa servirá. Elas sentarão num cinema durante três horas, assistindo algo completamente idiota; lerão um romance policial por horas, desperdiçando seu tempo. Lerão o mesmo jornal repetidamente, apenas para se manterem ocupadas; jogarão cartas e xadrez apenas para matar o tempo, como se tivessem muito tempo!

Nós não temos muito tempo, não temos tempo suficiente para nos desenvolver, para ser, para nos alegrar.

Mas este é um dos problemas básicos criados por uma educação equivocada: evite a si mesmo. As pessoas ficam sentadas em frente à TV, grudadas na poltrona durante quatro, cinco, até seis horas. Na média, o norte-americano assiste à televisão durante cinco horas por dia, e essa doença se espalhará por todo o mundo. E o que você está vendo? E o que você está ganhando com isso? Queimando seus olhos...

Mas isso sempre foi assim; mesmo se a televisão não existisse, haveria outras coisas. O problema é o mesmo: como evitar a si mesmo? Porque a pessoa se sente muito feia. E quem a fez ficar tão feia? Seus pretensos religiosos, seus papas, seus *shankaracharyas*. Eles são responsáveis por distorcerem suas faces, e foram bem-sucedidos, tornaram todos feios.

Toda criança nasce bela e, então, começamos a distorcer sua beleza, mutilando-a e paralisando-a de muitas maneiras, distorcendo sua proporção, tornando-a desequilibrada. Mais cedo ou mais tarde ela fica tão desgostosa consigo mesma que aceita ficar com qualquer um. O sujeito pode procurar uma prostituta apenas para evitar a si mesmo.

Ame a si mesmo, diz Buda. E isso pode transformar todo o mundo, pode destruir todo o feio passado, pode anunciar uma nova era, pode ser o princípio de uma nova humanidade.

Daí minha insistência no amor — mas o amor começa com você mesmo. Depois ele pode continuar se espalhando, se espalhando por conta própria. Você não precisa fazer nada para espalhá-lo.

Ame a si mesmo, diz Buda e, logo depois, ele acrescenta: *e observe*. Isso é meditação, é o nome que Buda dá à meditação. Mas o primeiro requisito é se amar e, *depois*, observar. Se você não se amar e começar a observar, vai querer se suicidar! Muitos budistas pensam em suicídio, pois não prestam atenção na primeira parte do sutra e, imediatamente, pulam para a segunda: "Observe a si mesmo." Na verdade, nunca me deparei com um único comentário sobre o *Dhammapada*, sobre esses sutras de Buda, que desse qualquer atenção à primeira parte: *Ame a si mesmo*.

Sócrates diz: "Conheça a si mesmo." Buda diz: "Ame a si mesmo." Buda está muito mais correto, porque a menos que você ame a si mesmo, nunca se conhecerá. O conhecer virá somente mais tarde. O amor prepara o terreno, é a possibilidade de se conhecer, é o caminho correto para se conhecer.

Certa vez eu estava com um monge budista, Jagdish Kashyap, que já morreu. Ele era um bom homem e estávamos conversando sobre o *Dhammapada* e nos deparamos com esse sutra. Ele começou a falar sobre o observar, como se não tivesse lido a primeira parte. Nenhum budista tradicional jamais presta atenção na primeira parte e simplesmente passa por cima.

Eu disse ao Bhikshu Jagdish Kashyap: "Espere! Você não está percebendo algo fundamental. Observar é o segundo passo e você está fazendo dele o primeiro. Ele não pode ser o primeiro."

Ele novamente leu o sutra e disse, com um olhar confuso: "Li o *Dhammapada* durante toda a minha vida e devo ter lido esse sutra milhões de vezes. Ele é minha prece matutina diária antes de abrir o *Dhammapada* e posso repeti-lo de memória, mas nunca pensei que *'Ame a si mesmo'* fosse a primeira parte da meditação, e observar a segunda."

E é isso o que acontece com milhões de budistas por todo o mundo, e também é o que acontece com os neobudistas, pois agora o budismo está se espalhando pelo Ocidente. Chegou o tempo de Buda no Ocidente; agora o Ocidente está pronto para entendê-lo, e o mesmo engano também é cometido. Ninguém acha que amar a si mesmo precisa ser a base para conhecer a si mesmo, para observar a si mesmo, pois, a menos que você se ame, não conseguirá se encarar. Você evitará. O observar pode, ele próprio, ser uma maneira de evitar a si mesmo.

Primeiro: *Ame a si mesmo e observe, hoje, amanhã e sempre.*

Crie uma energia amorosa à sua volta. Ame o seu corpo, ame a sua mente, ame todo o seu mecanismo, todo o seu organismo. Amar significa aceitar como é. Não tentar reprimir. Reprimimos somente quando odiamos algo, quando somos contra algo. Não reprima, porque se reprimir, como irá observar? E não conseguimos olhar nos olhos do inimigo; só conseguimos olhar nos olhos de nosso amado. Se você não se amar, não será capaz de olhar em seus próprios olhos, em sua própria face, em sua própria realidade.

Observar é meditar, o nome que Buda dá à meditação. *Observar* é a senha de Buda. Ele diz: fique atento, fique alerta, não seja inconsciente, não se comporte de maneira sonolenta, não continue funcionando como uma máquina, como um robô. É assim que as pessoas estão vivendo.

> Mike tinha acabado de se mudar para um apartamento e achou que deveria se apresentar ao vizinho da frente. Quando a porta se abriu, ficou encantadoramente surpreso ao ver uma bela e jovem loira com um sumário chambre transparente.
>
> Mike a olha diretamente nos olhos e improvisa: "Olá! Sou seu novo açúcar do outro lado do corredor, você pode me emprestar uma xícara de vizinho?"

As pessoas estão vivendo inconscientemente, elas não estão conscientes do que estão dizendo, do que estão fazendo; elas não são observadoras. As pessoas ficam supondo e não vêem; elas não têm discernimento, *não* podem ter. O discernimento só acontece por meio de grande observação; então, pode-se ver até com os olhos fechados. No momento, você não pode ver nem mesmo com os olhos abertos. Você conclui, supõe, impõe, projeta.

> Grace está deitada no divã do psiquiatra.
>
> "Feche os olhos e relaxe", diz o médico, "e tentarei um experimento."
>
> Ele pegou seu chaveiro do bolso e levemente balançou as chaves. "O que este som lembra?", perguntou.
>
> "Sexo", ela sussurrou.
>
> Então, ele encostou o chaveiro na palma da mão da moça, e o corpo dela enrijeceu.

"E isso?", perguntou o psiquiatra.

"Sexo", Grace murmurou nervosa.

"Agora, abra os olhos", instruiu o médico, "e me diga por que o que fiz fez você pensar em sexo."

Hesitantemente, suas pálpebras se abriram. Grace viu o molho de chaves na mão do psiquiatra e enrubesceu.

"Be-bem, para começar", ela gaguejou, "pensei que o primeiro som fosse o seu zíper se abrindo..."

Sua mente está constantemente projetando, projetando a si mesma. Ela está constantemente interferindo na realidade, dando-lhe uma cor, uma configuração e uma forma que não lhe é própria. Sua mente nunca permite que você perceba aquilo que é; ela permite que você perceba somente aquilo que ela *deseja* perceber.

Os cientistas pensavam que nossos olhos, ouvidos, nariz, os outros sentidos e a mente nada mais fossem do que aberturas para a realidade, pontes para a realidade. Mas agora todo o entendimento mudou. Agora eles dizem que nossos sentidos e a mente não são realmente aberturas para a realidade, mas defesas contra ela. Somente dois por cento da realidade passa por essas defesas e chega até você; noventa e oito por cento da realidade fica do lado de fora. E os dois por cento, que chegam até você e o seu ser, são alterados. Eles precisam passar por tantas barreiras, precisam amoldar-se a tantas coisas da mente que, quando chegam até você, não são mais os mesmos.

Meditação significa colocar a mente de lado, de tal modo que ela não mais interfira na realidade e você possa perceber as coisas como elas são.

E por que a mente interfere? Porque ela é criada pela sociedade, ela é o agente da sociedade em você. A mente não está a seu serviço, lembre-se! Ela é sua mente, mas não está a seu serviço; ela está fazendo uma conspiração contra você. A mente foi condicionada pela sociedade, que implantou muitas coisas nela. Ela é sua mente, mas não funciona como sua serva; ela funciona como serva da sociedade. Se você for cristão, ela funcionará como uma agente da igreja cristã; se você for hindu, ela será hindu; se você for budista, ela será budista. E a realidade não é cristã, hindu ou budista; a realidade é simplesmente como ela é.

Você precisa colocar de lado estas mentes: a mente comunista, a fascista, a católica, a protestante... Existem três mil religiões no mundo, grandes e pequenas, e pequenas seitas e seitas dentro de seitas... três mil no total. Dessa maneira, existem três mil mentes, tipos de mente, e a realidade é uma só, a existência é uma só, a verdade é uma só!

Meditação significa: coloque a mente de lado e observe. O primeiro passo, *ame a si mesmo*, o ajudará imensamente. Ao amar a si mesmo, você destruirá muito do que a sociedade implantou em você. Você se tornará mais livre da sociedade e de seus condicionamentos.

E o segundo passo é: *observe*, apenas observe. Buda não diz o que precisa ser observado — tudo! Ao caminhar, observe seu caminhar. Ao comer, observe seu comer. Ao tomar banho, observe a água, a água fria caindo sobre você, o toque da água, seu frescor, o calafrio que passa pela espinha — observe tudo, *hoje, amanhã e sempre.*

E finalmente, chega um momento em que você pode observar mesmo o seu sono. No que se refere ao observar, isso é o máximo. O corpo vai dormir e ainda existe um observador desperto, silenciosamente observando o corpo dormindo profundamente. No que se refere ao observar, isso é o máximo. No momento, acontece justamente o contrário: seu corpo está desperto, mas *você* está dormindo. Então, *você* estará desperto e seu corpo estará dormindo.

O corpo precisa de repouso, mas sua consciência não precisa de sono. Sua consciência *é consciência*; ela é o estado de alerta, essa é sua própria natureza. O corpo se cansa porque vive sob a lei da gravidade. É a gravidade que o deixa cansado. É por isso que ao correr rápido, você logo se cansa; ao subir escadas, você logo se cansa, pois a gravidade o puxa para baixo. Na verdade, ficar em pé é cansativo, sentar é cansativo, e quando você se deita na horizontal, somente então existe um pouco de repouso para o corpo, porque você fica em sintonia com a lei da gravidade. Quando você está em pé, na vertical, está indo contra a lei; o sangue vai para a cabeça, contra a lei, e o coração precisa bater forte.

Mas a consciência não funciona sob a lei da gravidade, daí ela nunca se cansar. A gravidade não tem poder sobre a consciência; ela não é uma rocha, ela não tem peso. Ela funciona sob uma lei totalmente diferente, a lei da graça ou, como é conhecida no Oriente, a lei da levitação. Gravitação significa puxar para baixo, levitação significa puxar para cima.

O corpo está continuamente sendo puxado para baixo e, por isso, finalmente precisará se deitar na cova. Esse será o verdadeiro repouso para ele, pó sobre pó.

O corpo retornou à sua fonte, o tumulto cessou; agora não existe conflito. Os átomos de seu corpo terão verdadeiro repouso somente na cova.

A alma se eleva mais e mais alto. À medida que você se torna mais observador, começa a ter asas — então, todo o céu é seu.

O ser humano é um encontro da terra com o céu, do corpo com a alma.

CAPÍTULO TRÊS

As Virtudes do Egoísmo

Se você não for egoísta, não será altruísta, lembre-se. Se você não for egoísta, não será abnegado, lembre-se. Somente uma pessoa profundamente egoísta pode ser altruísta. Mas isso precisa ser entendido, pois parece um paradoxo.

O que significa ser egoísta? O primeiro ponto básico é ficar centrado em si mesmo. O segundo, é sempre procurar pela própria felicidade. Se você ficar centrado em si mesmo, você será egoísta em tudo o que fizer. Você pode servir pessoas, mas fará isso somente porque sente prazer, porque gosta de fazer isso; você se sente feliz e bem-aventurado ao fazer isso e faz porque *quer* fazer. Você não está fazendo uma obrigação, não está servindo a humanidade. Você não é um grande mártir e não está se sacrificando. Esses são todos termos sem sentido. Você está simplesmente feliz à sua própria maneira, você se sente bem com isso. Você vai ao hospital e serve os enfermos de lá, ou vai aos pobres e os serve, mas você *adora* isso. É assim que você cresce. No fundo, você se sente alegre, silencioso e feliz consigo mesmo.

Uma pessoa autocentrada está sempre procurando a sua felicidade. E esta é a beleza: quanto mais você procurar a sua felicidade, mais ajudará os outros a serem felizes. Porque essa é a única maneira de ser feliz no mundo. Se todos à sua volta forem infelizes, você não poderá ser feliz, porque o ser humano não é uma ilha. Ele é parte do vasto continente. Se você quiser ser feliz, precisará ajudar quem o cerca a ser feliz. Então, e somente então, você poderá ser feliz.

Você precisa criar uma atmosfera de felicidade à sua volta. Se todos forem infelizes, como você poderá ser feliz? Você será afetado; você não é uma pedra, mas um ser muito delicado, muito sensível. Se todos à sua volta estiverem infelizes, a infelicidade deles o afetará. A infelicidade é tão contagiosa quanto qualquer doença. A bem-aventurança também é contagiosa como qualquer doença. Se você ajudar os outros a serem felizes, no final você se ajudará a ser feliz. Uma pessoa que está profundamente interessada em sua felicidade, sempre estará interessada também na felicidade dos outros, mas não por causa deles. No fundo, ela está interessada nela mesma, e por isso ela ajuda. Se for ensinado a todos no mundo a serem egoístas, todo o mundo será feliz e a infelicidade será impossível.

Se você quiser ser saudável, não poderá viver entre enfermos. Como você poderá ser saudável? Será impossível, é contra as leis da natureza. Você precisa ajudar os outros a serem saudáveis. Na saúde, sua saúde se torna possível.

Ensine a todos a serem egoístas — o altruísmo cresce a partir daí. Em última instância, o altruísmo é egoísmo. No começo ele pode parecer altruísmo, mas no final, ele satisfaz *você*. E então, a felicidade pode ser multiplicada; tanto quanto for a quantidade de pessoas felizes à sua volta, essa mesma felicidade recai sobre você. Você pode ficar soberbamente feliz.

E uma pessoa feliz está tão satisfeita que deseja ficar em paz para ser feliz. Ela quer que sua própria privacidade seja preservada, quer viver com as flores, com a poesia e com a música. Por que ela deveria se importar em ir para guerras, ser morta e matar os outros? Por que ela deveria ser assassina e suicida? Somente pessoas altruístas podem fazer isso, porque nunca conheceram a bem-aventurança que é possível a elas. Elas nunca tiveram experiência do que é *ser*, do que é celebrar. Elas nunca dançaram, nunca respiraram a vida, nunca conheceram um vislumbre divino; todos esses vislumbres vêm de uma profunda felicidade, de uma profunda saciedade e contentamento.

Uma pessoa altruísta não tem raiz, não tem centro; ela está numa profunda neurose. Ela vai contra a natureza e não pode ser saudável e inteira. Ela está lutando contra a corrente da vida, do ser, da existência — está tentando ser altruísta. Ela *não pode* ser altruísta, pois somente uma pessoa egoísta pode ser altruísta.

Quando se tem felicidade, pode-se compartilhá-la; quando não se tem, como compartilhá-la? Para compartilhar, em primeiro lugar a pessoa precisa tê-la. Uma pessoa altruísta está sempre séria, no fundo doente, em angústia. Ela perdeu sua própria vida. E lembre-se, sempre que você perde sua vida, você se torna assassino, suicida. Sempre que uma pessoa vive infeliz, ela tem vontade de destruir.

A infelicidade é destrutiva; a felicidade é criativa. Existe somente uma criatividade, e essa é a da bem-aventurança, do contentamento, do deleite. Quando você está em deleite, deseja criar algo, talvez um brinquedo para crianças, talvez um poema, uma pintura, qualquer coisa. Sempre que você estiver muito encantado com a vida, como expressar isso? Você cria algo, uma coisa ou outra. Mas, quando está infeliz, você deseja esmagar e destruir algo. Você gostaria de ser um político, um soldado, gostaria de criar alguma situação na qual possa ser destrutivo.

É por isso que, de vez em quando, emergem guerras em algum lugar no mundo. Trata-se de uma grande doença. E todos os políticos ficam falando sobre paz — eles preparam a guerra e falam de paz. Na verdade, eles dizem: "Estamos preparando a guerra para preservar a paz." Muito irracional! Se você estiver preparando a guerra, como poderá preservar a paz? Para preservar a paz, a pessoa deveria preparar a paz.

Por isso, no mundo inteiro a nova geração é um grande perigo para o sistema. Ela está interessada somente em ser feliz, está interessada no amor, na meditação, na música, na dança... No mundo inteiro, os políticos estão muito alertas. A nova geração não está interessada em política, direita ou esquerda. Não, ela de maneira nenhuma está interessada. Ela não é comunista, não pertence a nenhum *ismo*.

A pessoa feliz pertence a si mesma. Por que ela deveria pertencer a alguma organização? Esse é o caminho da pessoa infeliz, pertencer a alguma organização, a alguma multidão. Por não ter raiz dentro de si mesma, ela não pertence... e isso lhe dá uma ansiedade muito profunda; ela deveria pertencer. Ela cria um pertencer substituto; ela se afilia a um partido político, a um partido revolucionário ou a qualquer coisa, como uma religião. Agora ela sente que pertence: existe uma multidão na qual ela está enraizada.

A pessoa deveria estar enraizada nela mesma, pois essas raízes se estendem da pessoa para a existência. Se você pertencer a uma multidão, pertencerá a um beco sem saída; a partir daí, não será possível nenhum desenvolvimento adicional. Aí é o fim, o final da estrada.

Portanto, eu não lhe ensino a ser altruísta, pois sei que, se você for egoísta, naturalmente será altruísta. Se você não for egoísta, significa que perdeu a si mesmo; agora você não pode entrar em contato com mais ninguém, pois o contato básico está faltando, perdeu-se o primeiro passo.

Esqueça-se do mundo, da sociedade, das utopias, de Karl Marx. Esqueça-se de tudo isso. Você estará aqui somente por alguns anos. Desfrute, deleite-se, seja feliz, dance e ame. E a partir do seu amor e da dança, a partir de seu profundo egoísmo, começará um transbordar de energia. Você será capaz de compartilhar com os outros.

Eu digo, o amor é uma das coisas mais egoístas que existem.

CAPÍTULO QUATRO

Apegado a Nada

O amor é a única libertação do apego. Quando você ama tudo, não está preso a nada.

... O homem aprisionado pelo amor de uma mulher e a mulher aprisionada pelo amor de um homem estão ambos sem condições de receber a preciosa premiação da liberdade. Mas o homem e a mulher que, graças ao amor, tornaramse uma só pessoa, inseparáveis, indistinguíveis, estão bastante qualificados para receber o prêmio.

de *O Livro de Mirdad*, de Mikhail Naimy

O Livro de Mirdad é o livro que eu mais estimo. Mirdad é um personagem fictício, mas cada declaração e ato de Mirdad é imensamente importante. Ele não deve ser lido como um romance, mas como uma escritura sagrada, talvez a única escritura sagrada.

E você pode perceber na afirmação acima um vislumbre do discernimento, da consciência, da compreensão de Mirdad. Ele está dizendo: *O amor é a única libertação do apego...* e você sempre ouviu que o amor é o *único* apego! Todas as religiões concordam nesse ponto, que o amor é o único apego.

Concordo com Mirdad:

O amor é a única libertação do apego. Quando você ama tudo, não está preso a nada.

Na verdade, o fenômeno do apego precisa ser entendido. Por que você se agarra a algo? Porque tem medo de perdê-lo. Talvez alguém possa roubá-lo. Seu medo é que não possa ter amanhã o que você tem hoje.

Quem sabe o que vai acontecer amanhã? A mulher ou o homem que você ama... Qualquer movimento é possível: vocês podem se aproximar ou podem se distanciar. Vocês podem novamente se tornar estranhos ou podem ficar tão unidos que não seria correto dizer nem mesmo que vocês são duas pessoas diferentes; é claro, existem dois corpos, mas o coração é um só, a canção do coração é uma só e o êxtase os envolve como uma nuvem. Vocês desaparecem nesse êxtase: você não é você, eu não sou eu. O amor passa a ser tão total, tão grande e irresistível que você não pode permanecer você mesmo; você precisa submergir e desaparecer.

Nesse desaparecimento, quem se prenderá, e a quem? Tudo *é*. Quando o amor desabrocha em sua totalidade, tudo simplesmente é. O receio do amanhã não surge, daí não surgir a questão do apego, do vínculo, do casamento, de qualquer tipo de contrato e cativeiro.

O que são os casamentos senão contratos de negócio? "Comprometemo-nos um com o outro diante do juiz." Você está insultando o amor! Você está seguindo a lei, que é a coisa mais baixa da existência, e a mais feia. Quando você leva o amor ao cartório, está cometendo um crime que não pode ser perdoado. Você assumiu um compromisso diante de um juiz no cartório: "Queremos nos casar e permaneceremos casados. Esta é nossa promessa dada à lei: não nos separaremos e não trairemos um ao outro." Você não considera isso um grande insulto ao amor? Você não está colocando a lei acima do amor?

A lei é para aqueles que não sabem amar. A lei é para os cegos, e não para os que têm olhos. Ela é para aqueles que se esqueceram da linguagem do coração e conhecem somente a linguagem da mente. A afirmação de Mirdad é de tamanho valor que deveria ser profundamente entendida, e não apenas intelectualmente, não apenas emocionalmente, mas em sua totalidade. Todo o seu ser deveria impregnar-se dela:

O amor é a única libertação do apego... porque, quando você ama, não consegue pensar em mais nada. *Quando você ama tudo, não está preso a nada.* Cada momento surge com um novo esplendor, uma nova glória, novas canções; cada momento traz novas danças para se dançar. Talvez os parceiros possam mudar, mas o amor permanece.

O apego é o desejo de que o parceiro nunca mude. Para isso, você precisa se comprometer no cartório, na sociedade — estúpidas formalidades. E, se você for contra essas formalidades, perderá todo o respeito e dignidade aos olhos das pessoas com quem você precisa conviver.

O amor nada sabe sobre o apego, pois ele nada sabe da possibilidade de perder a dignidade. O amor é a própria dignidade, a própria respeitabilidade; não se pode fazer nada contra ele. Não estou dizendo que parceiros não possam mudar, mas isso não importa; se os parceiros mudarem, mas o amor permanecer como um rio, fluindo, então, na verdade, o mundo terá muito mais amor do que tem hoje. Hoje o amor é como uma torneira gotejando. Ele não é capaz de saciar a sede de ninguém. O amor precisa ser oceânico, e não vir em gotas, gotas de uma torneira pública. E todos os casamentos são públicos.

O amor é universal, ele não convida apenas umas poucas pessoas para celebrar, ele convida as estrelas, os sóis, as flores e os pássaros; toda a existência é bem-vinda para celebrar.

O amor não precisa de mais nada — uma noite repleta de estrelas, o que mais você pode pedir? Apenas alguns amigos... e todo o Universo é amigável. Nunca me deparei com uma árvore que fosse contra mim. Estive em muitas montanhas e jamais encontrei uma montanha que se opusesse a mim. Toda a existência é muito amigável.

Depois que você entender o que é o amor, de maneira nenhuma surgirá a questão do apego. Você pode continuar trocando de parceiros, e isso não significa que você esteja abandonando alguém. Você pode voltar para o mesmo parceiro, não existe preconceito.

O ser humano deveria considerar-se como uma criança brincando na praia, pegando conchinhas, pedras coloridas e sentindo um grande contentamento, como se tivesse encontrado um grande tesouro. Se uma pessoa puder desfrutar as pequenas coisas da vida, puder viver em liberdade e puder permitir que os outros vivam em liberdade, todo este mundo poderá se tornar totalmente diferente. Então, ele terá uma beleza, uma graça; terá grande luminosidade, todos os corações chamejantes. E depois de conhecido o fogo, as chamas continuarão a crescer. As chamas do amor crescem como as árvores; elas dão flores e frutos, assim como as árvores.

Mas o que você considera amor não é amor. Por isso, essas experiências estranhas acontecem. Alguém lhe diz: "Como você é bonita! Eu a amo tanto! Não existe mulher como você em todo o Universo." E você nunca protesta, dizendo: "Você não tem o direito de dizer tais coisas, pois não conhece todas as mulheres do Universo." Quando essas belas palavras são ditas, a pessoa se esquece completamente da irracionalidade dessas afirmações.

As pessoas aprendem essas palavras nos filmes, nas novelas — todos esses diálogos, e eles não significam nada. Eles simplesmente significam: "Vamos para a cama!" Mas, porque somos pessoas civilizadas, sem antes fazer alguns comentários introdutórios, um pequeno prefácio, não se pode dizer diretamente a alguém: "Vamos para a cama." A mulher correria para a delegacia de polícia para denunciar: "Este homem está me dizendo coisas indecentes!" Mas, se você agir de maneira civilizada, primeiro oferecendo sorvete, que refresca o coração, trazendo algumas rosas, falando algumas bobagens açucaradas... Então, ambos entendem que no final a coisa vai terminar com uma ressaca no dia seguinte, uma dor de cabeça, uma enxaqueca e, pela manhã, ambos vão olhar constrangidos um para o outro e pensar: o que estávamos fazendo nessa cama? Ele se esconderá atrás do jornal, como se estivesse realmente lendo, e ela começará a preparar o chá ou o café, simplesmente para esquecer o que aconteceu.

E posteriormente Mirdad diz:

> *O homem aprisionado pelo amor de uma mulher e a mulher aprisionada pelo amor de um homem estão ambos sem condições de receber a preciosa premiação da liberdade.*

No momento em que o amor se torna apego, ele passa a ser um relacionamento. No momento em que o amor fica exigente, ele é uma prisão. Ele destruiu sua liberdade; você não pode voar no céu, você está engaiolado. E a pessoa se espanta... particularmente eu me espanto. As pessoas se espantam comigo, o que eu fico fazendo sozinho em meu quarto? E eu me espanto com elas, o que essas duas pessoas ficam fazendo juntas? Sozinho, estou pelo menos à vontade. Se alguém estiver presente, haverá problema, algo irá acontecer. Se o outro estiver presente, o silêncio não poderá permanecer: o outro vai perguntar algo, dizer algo, fazer algo, ou forçá-*lo* a fazer algo. Além do mais, se a mesma pessoa fica continuamente, dia após dia...

O homem que inventou a cama de casal foi um dos maiores inimigos da humanidade. Nem na cama se tem liberdade! Você não pode se mexer, o outro está ao lado. E, na maioria das vezes, o outro toma o maior espaço. Se você conseguir arranjar um espacinho, terá sorte. E lembre-se, o outro cresce. Este é um mundo muito estranho, onde as mulheres crescem e os homens encolhem. E toda a responsabilidade é do homem; ele faz com que essas mulheres engordem, engravidem. Mais problema pela frente. Depois que duas pessoas se juntam, uma do sexo masculino e outra do sexo feminino, logo chega a terceira. Se ela não chegar, os vizinhos ficarão ansiosos: "O que está acontecendo? Por que a criança não vem?"

Eu morei com muitas pessoas, em muitos lugares e ficava surpreso: por que as pessoas ficam tão ansiosas para criarem problemas para as outras? Se uma pessoa é solteira, elas se preocupam: "Por que você não se casa?" Como se o casamento fosse alguma lei universal que precisa ser seguida. Torturada por todos, a pessoa acha que é melhor que se case — pelo menos essas pessoas vão parar de torturá-la. Mas ela está errada; uma vez casada, elas começarão a perguntar: "Quando terão filhos?"

Ora, esse é um problema muito difícil. Não está em suas mãos: o filho pode vir, pode não vir e, se vier, virá quando for o momento. Mas as pessoas vão incomodar você... "Um lar não é um lar sem uma criança." É verdade, porque sem uma criança, um lar parece um templo silencioso; com uma criança, o lar parece um hospício! E com muitas crianças, os problemas se multiplicam.

Eu me sentei em silêncio em meu quarto durante toda a minha vida. Não incomodo ninguém, nunca perguntei a alguém: "Por que você não é casado? Por que não teve um filho?" Não acho que seja civilizado fazer essas perguntas, essas indagações; isso é desrespeitar a liberdade alheia.

E as pessoas continuam vivendo com o cônjuge, com os filhos... E como a presença de cada novo membro que entra na família vai perturbar muitas coisas, você automaticamente fica cada vez menos sensível. Você escuta menos, enxerga menos, cheira menos, saboreia menos.

Você não está usando todos os seus sentidos em sua plenitude. Por isso, quando alguém se apaixona pela primeira vez, pode-se perceber o rosto dela brilhar, seu andar tem um novo frescor, um ritmo; pode-se perceber que sua gravata está bem colocada, suas roupas estão bem passadas. Algo aconteceu. Mas isso não dura muito. Em uma ou duas semanas, o mesmo tédio se estabelece; percebe-se a poeira começar a se juntar novamente. A luz se foi, de novo ele está se arrastando, e não dançando. As flores ainda florescem, mas ele não percebe qualquer beleza. As estrelas continuam a provocá-lo, mas ele não olha para o céu.

Existem milhões de pessoas que nunca olharam para o alto; seus olhos ficam colados na terra, como se temessem que alguma estrela caísse sobre elas. Existem muito poucas pessoas que gostariam de dormir sob o céu estrelado... o medo da vastidão, da solidão, da escuridão.

E no fundo, milhões de pessoas sentem que, se tivessem ficado sozinhas, se nunca tivessem se importado com o amor e o casamento... mas agora, nada pode ser feito, não se pode voltar atrás, não se pode ficar novamente solteiro. Na verdade, você pode ter ficado tão acostumado com a prisão que não pode abandoná-la. Ela é um tipo de segurança; é aconchegante, embora miserável. O cobertor está apodrecido, mas a cama de casal... pelo menos você não está só em sua infelicidade, alguém a está compartilhando. O fato é: alguém está criando infelicidade para você e você está criando infelicidade para essa pessoa.

O amor precisa ser do tipo que dá liberdade, e não novas correntes a você; um amor que lhe dá asas e o apóia para voar tão alto quanto possível.

> *O homem e a mulher que, graças ao amor, tornaram-se uma só pessoa, inseparáveis, indistinguíveis, estão bastante qualificados para receber o prêmio.*

Esse *Livro de Mirdad* é um daqueles livros que durarão para sempre, enquanto houver pelo menos um único ser humano sobre a terra. Mas o homem que escreveu o livro está completamente esquecido. Mirdad é uma ficção, é o nome do herói. O homem que escreveu o livro... seu nome era Mikhail Naimy, mas seu nome não importa. Seu livro é tão fantástico, mais fantástico do que ele próprio. Durante toda a vida ele tentou criar novamente algo parecido, mas não conseguiu. Ele escreveu muitos outros livros, mas *O Livro de Mirdad* é o Everest. Os outros são pequenas colinas; não têm muita importância.

Se o amor for entendido como o encontro de duas almas, e não apenas como um encontro sexual e biológico de hormônios masculinos e femininos, então o amor poderá lhe dar asas incríveis, poderá lhe dar discernimentos incríveis sobre a vida. E pela primeira vez, os amados poderão se tornar amigos. De outro modo, eles sempre são inimigos disfarçados.

As religiões e os pretensos santos que fugiram deste mundo, covardes que não conseguiram encarar e defrontar a vida, envenenaram toda a idéia do amor como a única espiritualidade. Eles condenaram o sexo e, com essa condenação, também condenaram o amor, porque as pessoas consideram sexo e amor como sinônimos. Eles não são. O sexo é uma parte muito pequena da nossa energia biológica. O amor é todo o nosso ser, é a nossa alma. Você precisa aprender que o sexo é simplesmente uma necessidade da sociedade, da raça, para se perpetuar — se você quiser, poderá participar. Mas você não pode evitar o amor. No momento em que você evita o amor, toda a sua criatividade morre e todos os seus sentidos ficam insensíveis; muita poeira se junta à sua volta. Você se torna um morto vivo.

Sim, você respira, come, conversa e vai todos os dias ao escritório, até a morte chegar e aliviá-lo do tédio que você carregou durante toda a vida.

Se o sexo for tudo o que você tiver, então você nada terá e será apenas um instrumento da biologia, do Universo, para reproduzir. Você será apenas uma máquina, uma fábrica. Mas, se você puder conceber o amor como seu ser verdadeiro, e amar outra pessoa como uma profunda amizade, como uma dança de dois corações juntos, com tal sincronicidade que eles se tornam praticamente um só, você não precisará de nenhuma outra espiritualidade. Você a encontrou.

O amor leva à experiência suprema, chamada Deus, o Absoluto, a Verdade. Esses são somente nomes. Na verdade, o supremo não tem nome; ele é inominável, mas o amor leva a ele.

Se você só pensa em sexo e nunca se conscientiza do amor, então está "entrando pelo cano". Sim, você produzirá crianças e viverá na infelicidade, jogará cartas, irá ao cinema, assistirá a jogos de futebol e terá grandes experiências de completa futilidade, tédio, guerra e uma constante subcorrente de ansiedade, chamada pelos existencialistas de "vazio existencial". Mas você nunca conhecerá a verdadeira beleza da existência, o verdadeiro silêncio e a paz do cosmo.

O amor pode tornar isso possível.

Mas, lembre-se, o amor não conhece fronteiras, ele não pode ser ciumento, pois o amor não pode possuir. É feia até a própria idéia de que você possui alguém porque você ama. Você possui alguém — isso significa que você matou alguém e o transformou numa mercadoria.

Somente coisas podem ser possuídas. O amor dá liberdade, o amor é liberdade.

PERGUNTAS

• ***Por favor, você poderia falar sobre a diferença entre um amor saudável por si mesmo e o orgulho egocêntrico?***

Existe uma grande diferença entre os dois, embora pareçam semelhantes. O amor saudável por si mesmo é um grande valor espiritual. A pessoa que não se ama jamais será capaz de amar alguém. A primeira ondulação do amor precisa surgir em seu próprio coração. Se ela não surgiu por você mesmo, não poderá surgir por mais ninguém, porque todos os outros estão mais distantes de você.

A pessoa precisa amar seu corpo, precisa amar sua alma, precisa amar sua totalidade. E isso é natural; senão, você não seria capaz de sobreviver. E isso é belo, porque o embeleza. A pessoa que se ama se torna graciosa, elegante. Ela inevitavelmente ficará mais silenciosa, mais meditativa, mais repleta de prece do que alguém que não se ama.

Se você não amar a sua casa, não a limpará, não a pintará, não a circundará com um belo jardim, com um pequeno lago. Se você amar a si mesmo, criará um jardim à sua volta, tentará desenvolver seu potencial, tentará pôr para fora tudo o que está dentro de você para ser expresso. Se você se amar, ficará banhando a si mesmo, nutrindo a si mesmo.

E se você se amar, ficará surpreso: os outros o amarão. Ninguém ama alguém que não se ama. Se você nem mesmo puder amar a si mesmo, quem mais se dará ao trabalho?

E a pessoa que não se ama não pode permanecer neutra. Lembre-se, na vida não existe neutralidade. A pessoa que não se ama, odeia — terá de odiar; a vida não conhece neutralidade. A vida é sempre uma escolha. Se você não amar, isso não significa que poderá simplesmente permanecer nesse estado de desamor. Não, você odiará. E a pessoa que se odeia se tornará destrutiva. Ela odiará todos, será muito raivosa, violenta e continuamente rancorosa. A pessoa que se odeia, como pode esperar que os outros a amem? Toda a sua vida será destruída. Amar a si mesmo é um grande valor espiritual.

Eu ensino o amor-próprio. Mas, lembre-se, amor-próprio não significa orgulho egocêntrico, de maneira nenhuma. Na verdade, significa justamente o oposto. A pessoa que se ama descobre que o ego não existe nela. O amor sempre dissipa o ego. Esse é um dos segredos alquímicos a serem aprendidos, entendidos e experimentados. O amor sempre dissipa o ego. Sempre que você ama, o ego desaparece. Você ama uma mulher e, pelo menos nos poucos momentos em que existir um amor real pela mulher, não existe eu em você, nenhum ego.

Ego e amor não podem coexistir. Eles são como a luz e a escuridão: quando a luz vem, a escuridão desaparece. Se você amar a si mesmo, ficará surpreso: o amor-próprio significa que o ego desapareceu. No amor-próprio, jamais o ego é encontrado. Este é o paradoxo: o amor-próprio é completamente sem ego. Ele não é egocêntrico, porque sempre que houver luz, não haverá escuridão, e sempre que houver amor, não haverá ego. O amor dissolve o ego congelado. O ego é como um cubo de gelo e o amor é como o sol da manhã. O calor do amor... e o ego começa a derreter. Quanto mais você se ama, menos ego encontrará em você e, então, ele se torna uma grande meditação, um grande salto para a divindade.

E você sabe disso! Você pode não saber disso no que se refere ao amor-próprio, porque você não se amou. Mas você amou outras pessoas; vislumbres devem ter acontecido a você, devem ter existido raros momentos quando, por um momento, de repente você não estava presente e somente o amor existia. Somente a energia do amor fluindo, de nenhum centro, de nenhum lugar para nenhum lugar. Quando duas pessoas que se amam estão sentadas juntas, existem dois nadas sentados juntos, dois zeros sentados juntos, e esta é a beleza do amor: ele torna você completamente vazio do ego.

Lembre-se, o orgulho egocêntrico nunca é amor por si mesmo, mas justamente o oposto. A pessoa que não é capaz de amar a si mesma se torna egocêntrica. O orgulho egocêntrico é o que os psicanalistas chamam de padrão narcisista de vida, narcisismo.

Você deve ter ouvido a parábola de Narciso. Ele se apaixonou por si mesmo. Olhando uma lagoa silenciosa, ele se apaixonou por seu próprio reflexo.

Agora, perceba a diferença: a pessoa que se ama não ama seu reflexo, ela simplesmente ama *a si mesma*. Nenhum espelho é necessário; ela conhece a si mesma a partir de dentro. Você não sabe que você existe? Você precisa de uma prova de que você existe? Você precisa de um espelho para provar que você existe? Se não houvesse espelho, você duvidaria de sua existência?

Narciso se apaixonou por seu próprio reflexo, e não por ele mesmo. Esse não é o verdadeiro amor-próprio. Ele se apaixonou pelo reflexo; o reflexo é o outro. Ele se tornou dois, se tornou dividido. Narciso foi cortado em dois. Ele estava numa espécie de esquizofrenia, ele se tornou dois, o amante e o ser amado. Ele se tornou seu próprio objeto de amor, e é isso o que acontece com muitas pessoas que pensam estarem amando.

Quando você se apaixona por uma mulher, observe, fique alerta: isso pode não passar de narcisismo. O rosto da mulher, seus olhos e suas palavras podem estar simplesmente funcionando como um lago em que você está vendo seu próprio reflexo. Minha observação é: de cem amores, noventa e nove são narcisistas. As pessoas não amam a pessoa que está ali. Elas amam o valor que a pessoa está lhes conferindo, a atenção que ela está lhes dando, o elogio que ela está lhes fazendo. A mulher elogia o homem, o homem elogia a mulher — é um elogio mútuo. A mulher diz: "Não existe ninguém tão belo quanto você. Você é um milagre, é o máximo que Deus já fez. Mesmo Alexandre o Grande não era nada, comparado a você." E você fica envaidecido, seu peito infla, você começa a ficar arrogante — não existe nada senão insignificâncias, mas você começa a ficar arrogante. E você diz à mulher: "Você é a maior criação de Deus. Mesmo Cleópatra não era nada, comparada a você. Não posso acreditar que algum dia Deus possa criar alguém melhor. Jamais existirá uma outra mulher tão bela."

Isso você chama de amor! Isso é narcisismo; o homem se torna a lagoa e reflete a mulher, e a mulher se torna a lagoa e reflete o homem. Na verdade, a lagoa não somente reflete a verdade, mas a decora, de mil e uma maneiras faz com que ela pareça mais e mais bela. Isso as pessoas chamam de amor. Isso não é amor, mas mútua satisfação do ego.

O amor real nada conhece do ego. O amor real começa primeiro como amor-próprio.

Você tem esse corpo, esse ser, está enraizado nele; desfrute-o, acalente-o, celebre-o! E não se trata de orgulho ou ego, porque você não está se comparando com alguém. O ego vem somente com a comparação. O amor-próprio não conhece comparação — você é você, e isso é tudo. Você não está dizendo que alguém é inferior a você; de maneira nenhuma você está comparando. Sempre que surge a comparação, saiba bem que não se trata de amor; em algum lugar há um truque, uma sutil estratégia do ego.

O ego vive da comparação. Quando você diz a uma mulher, "Eu amo você", isso é uma coisa; quando você lhe diz, "Cleópatra não era nada, comparada a você", é uma outra coisa, totalmente diferente, completamente oposta. Por que mencionar Cleópatra? Você não pode amar essa mulher sem mencionar Cleópatra? Ela é mencionada para inflar o ego. Ame *este* homem — por que mencionar Alexandre o Grande?

O amor não conhece comparação, ele simplesmente ama sem comparação.

Assim, sempre que houver comparação, lembre-se, trata-se de um orgulho egocêntrico, de narcisismo. E sempre que não houver comparação, lembre-se, trata-se de amor, por si mesmo ou pelo outro.

No amor real, não existe divisão. Os que se amam se fundem um no outro. No amor egocêntrico, existe grande divisão, a divisão entre aquele que ama e aquele que é amado. No amor real, não existe relacionamento. Deixe-me repetir: no amor real, não existe relacionamento, porque não existem duas pessoas relacionando-se. No amor real, existe somente o amor, um florescimento, uma fragrância, um dissolver-se, um fundir-se. Somente no amor egocêntrico existem duas pessoas, o amante e o ser amado. E sempre que houver o amante e o ser amado, o amor desaparecerá. Sempre que houver amor, ambos, o amante e o ser amado, desaparecerão no amor.

O amor é um fenômeno tão fantástico; você não pode sobreviver a ele.

O amor real está sempre no presente. O amor egocêntrico está sempre no passado ou no futuro. No amor real, existe uma serenidade apaixonada. Parecerá paradoxal, mas todas as grandes realidades da vida são paradoxais, daí eu chamar de serenidade apaixonada. Existe calor, mas sem ardor. O calor certamente está presente, mas também existe serenidade nele, um estado de frescor imperturbável e calmo. O amor torna a pessoa menos febril. Mas, se não for o amor real, e sim, o egocêntrico, existirá grande ardor e a paixão estará presente como uma febre; a serenidade definitivamente não estará presente.

Se você puder lembrar essas coisas, terá o critério para julgar. Mas há necessidade de começar consigo mesmo, não existe outra maneira. A pessoa precisa começar de onde ela está.

Ame a si mesmo, ame imensamente, e nesse mesmo amor, seu orgulho, seu ego e todas essas tolices desaparecerão. E, quando desaparecerem, seu amor começará a alcançar outras pessoas. E não será um relacionamento, mas um compartilhar. Ele não será um relacionamento objeto/sujeito, mas um fundir-se, um unirse. Ele não será febril, e sim, uma serena paixão. Ele será, ao mesmo tempo, quente e frio. Ele lhe dará o primeiro sabor da paradoxalidade da vida.

• ***Por que o amor é tão doloroso?***

O amor é doloroso porque cria o caminho para a bem-aventurança, é doloroso porque transforma; amor é mutação. Cada transformação será dolorosa, porque o velho precisa ser abandonado em prol do novo. O velho é familiar, seguro, certo, e o novo é absolutamente desconhecido. Você estará se movendo num oceano inexplorado. Com o novo, você não pode usar a mente; com o velho, a mente é habilidosa. A mente pode funcionar somente com o velho; com o novo, a mente é completamente inútil.

Daí surgir o medo. E, ao abandonar o mundo velho, confortável, seguro, o mundo da conveniência, surge a dor. Trata-se da mesma dor que a criança sente quando sai do útero da mãe, da mesma dor que o pássaro sente quando sai do ovo, da mesma dor que aquele pássaro sentirá quando tentar voar pela primeira vez. O medo do desconhecido e a segurança do conhecido; a insegurança do desconhecido e a imprevisibilidade do desconhecido deixam a pessoa muito amedrontada.

E, pelo fato de a transformação ser do ego para um estado de ausência de ego, a agonia é muito profunda. Mas não se pode ter êxtase sem passar pela agonia. Se o ouro quiser ser purificado, precisará passar pelo fogo.

O amor é o fogo.

É devido à dor do amor que milhões de pessoas vivem uma vida sem amor. Elas também sofrem, e o sofrimento delas é inútil. Sofrer no amor não é sofrer em vão. Sofrer no amor é criativo, leva você a níveis mais elevados de consciência. Sofrer sem amor é puro desperdício, não o leva a lugar nenhum e o mantém no mesmo círculo vicioso.

A pessoa sem amor é narcisista, está fechada. Ela conhece somente a si mesma. E até que ponto ela pode se conhecer, se não conheceu o outro? Porque somente o outro pode funcionar como espelho. Você jamais se conhecerá sem conhecer o outro. O amor também é muito fundamental para o autoconhecimento. A pessoa que não conheceu o outro num profundo amor, numa intensa paixão, num completo êxtase, não será capaz de saber quem ela é, pois não terá o espelho para ver seu próprio reflexo.

O relacionamento é um espelho e, quanto mais puro for o amor, quanto mais elevado for o amor, melhor é o espelho, mais limpo o espelho. Porém, o amor elevado precisa que você esteja aberto, vulnerável. Você precisa abandonar sua armadura, e isso é doloroso. Você não precisa estar constantemente em guarda e precisa abandonar a mente calculista. Você precisa arriscar, viver perigosamente. O outro pode machucá-lo; esse é o medo de ficar vulnerável. O outro pode rejeitá-lo; esse é o medo de amar.

Pode ser feio o reflexo de seu próprio ego que você encontrará no outro, e essa é a ansiedade; evite o espelho! Mas, ao evitar o espelho, você não ficará belo. Ao evitar a situação, você também não crescerá. O desafio precisa ser aceito.

A pessoa precisa mergulhar no amor. Esse é o primeiro passo em direção a Deus, e não se pode desviar dele. Aqueles que tentam pular o passo do amor jamais chegarão a Deus. Isso é absolutamente necessário, pois você fica consciente de sua totalidade somente quando for provocado pela presença do outro, quando sua presença for ampliada pela presença do outro, quando você for trazido para fora de seu mundo narcisista e fechado, para o céu aberto.

O amor é um céu aberto. Estar amando é estar sobre asas. Mas, certamente, o céu ilimitado dá medo.

E abandonar o ego é muito doloroso, pois nos ensinaram a cultivar o ego. Achamos que o ego é nosso único tesouro. Nós o temos protegido, decorado e polido continuamente. E, quando o amor bate na porta, tudo o que é necessário para amar é colocar o ego de lado. Certamente é doloroso. Ele é o trabalho de toda a sua vida, ele é tudo o que você criou, esse ego feio, essa idéia de que "sou separado da existência".

Essa idéia é feia porque não é verdadeira. Ela é ilusória, mas nossa sociedade existe e está baseada nessa idéia de que cada pessoa é uma pessoa, e não uma presença.

A verdade é que não existe absolutamente nenhuma pessoa no mundo; existe somente presença. Você não é — não como ego, separado do todo. Você é parte do todo. O todo o penetra, respira em você, pulsa em você, é a sua vida.

O amor lhe dá a primeira experiência de estar em sintonia com algo que não é o seu ego. O amor lhe dá a primeira lição de que você pode entrar em harmonia com alguém que nunca fez parte de seu ego. Se você puder estar em harmonia com uma mulher, com um amigo, com um homem, com seu filho ou com sua mãe, por que não poderá estar em harmonia com todos os seres humanos? E, se estar em harmonia com uma única pessoa dá tanta alegria, qual será o resultado se você entrar em harmonia com todos os seres humanos? E, se você puder estar em harmonia com todos os seres humanos, por que não estar em harmonia com os animais, com os pássaros e com as árvores? Um passo leva a outro.

O amor é uma escada. Ele começa com uma pessoa e termina com a totalidade. O amor é o começo, Deus é o fim. Temer o amor, temer as dores de crescimento do amor, é permanecer fechado numa cela escura. O ser humano moderno está vivendo numa cela escura; ele é narcisista — o narcisismo é a maior obsessão da mente moderna. E, então, ocorrem problemas, que não têm sentido. Existem problemas que são criativos, pois o levam à consciência mais elevada. E existem problemas que não o levam a lugar algum; eles simplesmente o mantêm acorrentado, o mantêm em sua velha confusão.

O amor cria problemas. Você pode evitar esses problemas ao evitar o amor, mas esses são problemas muito essenciais! Eles precisam ser encarados, enfrentados, vividos, atravessados e ultrapassados. E, para ultrapassar, a maneira é atravessar. O amor é a única coisa real digna de ser feita. Tudo o mais é secundário. Se ajudar o amor, é bom. Tudo o mais é apenas meios, e o amor é o fim. Assim, não importa a dor, ame.

Se você não amar, como muitas pessoas decidiram fazer, ficará estagnado em si mesmo. Sua vida não será uma peregrinação, não será um rio indo para o oceano; sua vida será um poço estagnado, sujo, e logo não haverá nada além de sujeira e lama. Para mantê-lo limpo, a pessoa precisa continuar a fluir. Um rio permanece limpo porque não pára de fluir. O fluir é o processo de permanecer continuamente virgem.

Uma pessoa que ama permanece virgem — todos os que amam são virgens. Os que não amam não podem permanecer virgens; eles se tornam inativos, estagnados e, mais cedo ou mais tarde, começam a cheirar mal — e mais cedo do que mais tarde —, pois eles não têm para onde ir. A vida dessas pessoas está morta.

É aí que o ser humano moderno se encontra e, por causa disso, todos os tipos de neurose, todos os tipos de loucura se tornaram superabundantes. As doenças psicológicas tomaram proporções epidêmicas. Não se trata mais de alguns indivíduos estarem psicologicamente doentes; a realidade é que o mundo inteiro se tornou um hospício. Toda humanidade está sofrendo de um tipo de neurose, e essa neurose está vindo de sua estagnação narcisista. Todos estão empacados em suas próprias ilusões de terem um eu separado; então, as pessoas enlouquecem. E essa loucura não tem sentido, é improdutiva, não criativa. Ou as pessoas começam a se suicidar. Esses suicídios também são improdutivos, não criativos.

Você pode não cometer suicídio ao tomar veneno, saltar de um penhasco ou se dar um tiro, mas pode cometer um suicídio que é um processo muito lento, e é isso o que acontece. Muito poucas pessoas se suicidam de repente. As outras optaram por um suicídio lento; elas morrem muito lenta e gradualmente. Mas a tendência de ser suicida se tornou praticamente universal.

Essa não é a maneira de viver. E a razão, a razão fundamental, é que nos esquecemos da linguagem do amor. Não somos mais corajosos o suficiente para entrar na aventura chamada amor.

Daí as pessoas ficarem interessadas em sexo, porque o sexo não é arriscado. Ele é momentâneo, você não se envolve. O amor é envolvimento, é compromisso. Ele não é momentâneo. E criando raízes, ele poderá ficar para sempre, poderá ser um envolvimento de toda uma vida. O amor precisa de intimidade e, somente quando você é íntimo, o outro se torna um espelho. Quando você se encontra sexualmente com uma mulher ou um homem, você não se encontrou de maneira nenhuma; na verdade, você evitou a alma da outra pessoa. Você apenas usou o corpo e fugiu, e o outro usou o seu corpo e fugiu. Vocês nunca ficaram íntimos o suficiente para revelar a face original um ao outro.

O amor é o maior *koan* zen.

Ele é doloroso, mas não o evite. Se você o evitar, evitará a maior oportunidade de crescer. Entre nele, sofra o amor, porque por meio do sofrimento surge um grande êxtase. Sim, existe agonia, mas a partir da agonia, nasce o êxtase. Sim, você terá de morrer como um ego, mas se puder morrer como um ego, nascerá como Deus, como um buda.

E o amor lhe dará o primeiro gostinho do Tao, do Sufismo, do Zen. Ele lhe dará a primeira prova de que a vida não é sem sentido. As pessoas que dizem que a vida não tem sentido são as pessoas que não conheceram o amor. Tudo o que elas estão dizendo é que a vida delas perdeu o amor.

Deixe que haja dor, deixe que haja sofrimento. Atravesse a noite escura e você alcançará um belo alvorecer. Somente no útero da noite escura o sol surge, somente por meio da noite escura vem a manhã.

Toda a minha abordagem é a do amor. Eu ensino amor, somente amor e nada mais. Você pode se esquecer de Deus; essa é apenas uma palavra vazia. Você pode se esquecer de orações, pois elas são apenas rituais impostos por outros a você. O amor é a prece natural, não imposta por ninguém; você nasce com ela. O amor é o Deus verdadeiro, não o Deus dos teólogos, mas o Deus de Buda, Jesus, Maomé, o Deus dos sufis. O amor é uma estratégia, um método para matá-lo como um indivíduo separado e auxiliá-lo a se tornar o infinito. Desapareça como uma gota de orvalho e se torne o oceano, mas você terá de passar pela porta do amor.

E certamente, quando a pessoa começa a desaparecer como uma gota de orvalho, e ela viveu por muito tempo como uma gota de orvalho, isso machuca, pois ela pensa: "Sou isso, e agora isso está indo embora. Estou morrendo." Você não está morrendo, mas somente uma ilusão está morrendo. É verdade que você se tornou identificado com a ilusão, mas a ilusão ainda é uma ilusão. E somente quando a ilusão se for, você será capaz de perceber quem é você. E essa revelação o traz para o auge supremo da alegria, da bem-aventurança, da celebração.

• ***Por que a inscrição no templo grego de Delfos diz "Conheça a Si Mesmo" e não "Ame a si Mesmo"?***

A mente grega tem uma obsessão pelo conhecimento. Ela pensa em termos de conhecimento, *como conhecer*. Por isso, os gregos produziram a maior tradição de filósofos, de pensadores, de lógicos — grandes mentes racionais, mas a paixão é pelo conhecer.

No mundo, como o percebo, existem somente dois tipos de mente: a grega e a hindu. A mente grega tem uma paixão pelo conhecer, e a hindu pelo ser. A paixão hindu não está muito interessada no conhecer, mas no ser. *Sat*, ser, é a procura — quem sou eu? Não se trata de saber isso de uma maneira lógica, mas de mergulhar na própria existência, de tal modo que a pessoa possa saboreá-la, possa sê-la, porque, realmente, não existe outra maneira de saber. Se você perguntar aos hindus, eles dirão que não existe outra maneira de saber, senão ser. Como você pode conhecer o amor? A única maneira é se tornar uma pessoa que ama. Ame e saberá. E, se você tentar ficar de fora da experiência e apenas ser um observador, poderá saber *sobre* o amor, mas nunca o conhecerá.

A mente grega produziu todo o crescimento científico. A ciência moderna é um subproduto da mente grega. A ciência moderna insiste em ser desapaixonada, ficar de fora, observar, não ter preconceito. Seja objetivo, impessoal — esses são os requisitos básicos, se você quiser se tornar um cientista. Seja impessoal, não permita que suas emoções alterem nada; seja desapaixonado, de maneira nenhuma interessado em alguma hipótese. Apenas observe o fato e não se envolva com ele; permaneça de fora, não seja um participante. Esta é a paixão grega: uma busca desapaixonada pelo conhecimento.

Isso ajudou, mas ajudou somente numa direção, a direção da matéria. Essa é a maneira de conhecer a matéria. Não se pode conhecer a mente dessa maneira, somente a matéria. Não se pode conhecer a consciência dessa maneira. Pode-se conhecer o exterior, e nunca o interior, porque no interior, você já está envolvido. Não existe como ficar de fora dele, você já está lá. O interior é você — como se pode sair dele? Posso observar desapaixonadamente uma pedra, uma rocha, um rio, pois estou separado. Como posso me observar desapaixonadamente? Estou envolvido, não posso ficar de fora, não posso me reduzir a um objeto. Continuarei sendo o sujeito; não importa o que eu faça, sou o conhecedor, não o conhecido.

Dessa maneira, a mente grega logo se desloca para a matéria. A máxima, a inscrição no templo de Delfos, *Conheça a Si Mesmo*, tornou-se a fonte de todo o progresso científico. Porém, a própria idéia do conhecimento desapaixonado afastou a mente ocidental de seu próprio ser.

A mente hindu, o outro tipo de mente no mundo, tem uma outra direção, a direção do ser. Nos *Upanishades*, o grande mestre Udallak diz a seu filho e discípulo, Swetketu, "Isto és tu" — *Tatwamasi,* Swetketu. Isto és tu — não existe distinção entre *isto* e *tu*. *Isto* é a sua realidade; *tu* é a realidade — não existe distinção. Não há possibilidade de conhecê-la como se conhece uma rocha. Não há possibilidade de conhecê-la como se conhece outras coisas; você pode somente *sê*-la.

No templo de Delfos, é claro que estava escrito *Conheça a Si Mesmo*. Isso é típico da mente grega. Como o templo está na Grécia, a inscrição é grega. Se o templo estivesse na Índia, então a inscrição seria, *Sejas Tu Mesmo* — porque *isto és tu*. A mente hindu se aproximou mais e mais do próprio ser, e por isso se tornou não científica. Ela se tornou religiosa, mas não científica. Ela se tornou introvertida, mas perdeu toda ligação com o mundo exterior. A mente hindu se tornou interiormente muito rica, mas exteriormente muito pobre.

Uma grande síntese é necessária, uma grande síntese entre as mentes grega e hindu. Essa pode ser a maior bênção para o mundo. Até então, isso não foi possível, mas agora os requisitos básicos estão presentes e uma síntese é possível. O Oriente e o Ocidente estão se encontrando de uma maneira muito sutil. Os orientais estão indo ao Ocidente para aprender ciência, para se tornarem cientistas, e os buscadores ocidentais estão se dirigindo para o Oriente, a fim de aprender o que é religião. Uma grande mistura e união estão acontecendo.

No futuro, o Oriente não vai ser mais Oriente e o Ocidente não vai mais ser Ocidente. A Terra se tornará uma vila global, um pequeno lugar onde todas as distinções desaparecerão. E então, pela primeira vez, surgirá a grande síntese, a maior de todas, que não pensará em extremos, que não pensará que, se você for para fora, se estiver em busca de conhecimento, perderá suas raízes no ser; ou, se você buscar em seu ser, perderá suas raízes no mundo, no reino científico. Esses dois caminhos podem ser paralelos e, sempre que isso acontece, a pessoa tem ambas as asas e pode voar até o mais elevado céu possível. Do contrário, você tem somente uma asa.

Do meu ponto de vista, os hindus estão desequilibrados tanto quanto a mente grega está desequilibrada. Ambas são a metade da realidade. Religião é metade, ciência é metade. Algo precisa acontecer para unir a religião e a ciência num todo maior, onde a ciência não negue a religião e onde a religião não condene a ciência.

"Por que a inscrição no templo grego de Delfos diz *Conheça a Si Mesmo* e não, *Ame a si Mesmo*?" *Amar a si mesmo* somente é possível se você se tornar você mesmo, se você *for você mesmo*. Do contrário, não é possível; do contrário, a única possibilidade é ficar tentando saber quem você é e isso também a partir do exterior; observando de fora quem você é e isso também de maneira objetiva e não, intuitiva.

A mente grega desenvolveu uma imensa capacidade lógica. Aristóteles se tornou o pai de toda a lógica e de toda a filosofia. A mente oriental parece ilógica, e é. A própria insistência na meditação é ilógica, porque a meditação diz que você só pode saber quando a mente é abandonada, quando o raciocínio é abandonado e você se fundir com o seu ser, tão totalmente que nem mesmo um único pensamento estará presente para distraí-lo. Somente então você poderá saber. E a mente grega diz: você só poderá saber quando o raciocínio for claro, lógico, racional, sistemático. A mente hindu diz: quando o raciocínio desaparecer completamente, somente então existirá alguma possibilidade de saber. Elas são totalmente diferentes, movendo-se em direções diametralmente opostas, mas há uma possibilidade de sintetizar ambas.

Uma pessoa pode usar a mente quando estiver trabalhando na matéria; então, a lógica é um grande instrumento. E a mesma pessoa pode colocar a mente de lado, quando entrar em sua sala de meditação, e entrar na não-mente. Porque a mente não é você; ela é apenas um instrumento, assim como a mão, as pernas. Se quero caminhar, uso as pernas; se não quero caminhar, não uso as pernas. Exatamente da mesma maneira você pode usar a mente logicamente, se estiver tentando conhecer a matéria. Está perfeitamente correto, ela se ajusta ali. E, quando você estiver se voltando para dentro, coloque-a de lado. Agora, as pernas não são necessárias, o pensar não é necessário. Agora, você precisa de um profundo e silencioso estado de não-pensamento.

As duas possibilidades podem acontecer numa só pessoa e, quando digo isso, digo a partir de minha própria experiência. Eu faço essas duas coisas. Quando é necessário, posso me tornar tão lógico quanto qualquer grego e, quando não é necessário, posso me tornar tão absurdo e ilógico quanto qualquer hindu. Portanto, quando digo isso, quero dizer exatamente isso, e não se trata de uma hipótese. Sei por experiência.

A mente pode ser usada e pode ser colocada de lado. Ela é um instrumento, um instrumento muito belo; não há necessidade de ficar tão obcecado com ela, tão fixado nela. Senão, isso se torna uma doença. Pense numa pessoa que queira se sentar, mas não pode porque diz: "Tenho pernas, como posso me sentar?" Ou pense numa pessoa que queira ficar quieta, em silêncio, e não pode fazer isso porque diz: "Tenho uma mente." É a mesma coisa.

A pessoa deveria se tornar tão capaz que, mesmo o instrumento mais próximo, a mente, poderia ser colocado de lado e desligado. Isso pode ser feito, tem sido feito, mas não em grande escala. Porém, isso será feito com uma freqüência cada vez maior, e é isso o que estou tentando fazer aqui com você. Falo com você, discuto problemas com você, e isso é lógico, é usar a mente. E então, lhe digo: "Abandone a mente e entre em profunda meditação. Se você dançar, dance tão totalmente a ponto de não existir um único pensamento; toda a sua energia se torna a dança. Ou cante, apenas cante. Ou sente-se, apenas — fique em *zazen*, não faça mais nada, não permita que passe um só pensamento. Simplesmente fique quieto, absolutamente quieto." Essas são coisas contraditórias.

Todas as manhãs você medita e todas as manhãs você vem e me escuta. Todas as manhãs você me escuta e depois vai meditar. Isso é contraditório. Se eu fosse apenas grego, falaria com você, teria uma comunicação lógica com você, mas não diria para você meditar. Isso é tolice. Se eu fosse apenas hindu, não haveria necessidade de falar com você. Eu poderia dizer: "Simplesmente vá meditar. Qual é o propósito de falar? A pessoa precisa ficar em silêncio." Eu sou ambos, e esta é a minha esperança: que você também se torne ambos, porque então a vida fica muito enriquecida, imensamente enriquecida. Então, você não perde nada, tudo é absorvido e você se torna uma grande orquestra e todas as polaridades se encontram em você.

Para os gregos, a própria idéia de "amar a si mesmo" seria absurda, pois eles diriam, e diriam com base na lógica, que o amor é possível somente entre duas pessoas. Você pode amar alguém, até mesmo seu inimigo, mas como pode se amar? Somente você está presente, sozinho. O amor pode existir entre uma dualidade, uma polaridade; como você pode amar a si mesmo? Para a mente grega, a própria idéia de amar a si mesmo é absurda: para amar, o outro é necessário.

Para a mente hindu, nos *Upanishades* é dito que o homem ama a esposa não por causa dela, mas por sua própria causa. O homem se ama por meio dela, porque ela lhe dá prazer, e por isso ele a ama — mas no fundo, ele ama seu próprio prazer. A pessoa ama o filho, o amigo, não por causa deles, mas por causa dela mesma. No fundo, o filho a faz feliz, o amigo lhe dá conforto. Ela está ansiando por isso. Assim, os *Upanishades* dizem que, em realidade, você ama a si mesmo. Mesmo se você disser que ama os outros, esse é apenas um meio de amar a si mesmo, uma maneira longa e indireta de amar a si mesmo.

Os hindus dizem que não existe outra possibilidade: você pode amar somente você mesmo. E os gregos dizem que não existe possibilidade de amar a si mesmo, porque pelo menos dois são necessários.

Se você me perguntar, sou ambos, hindu e grego. Se me perguntar, direi que o amor é um paradoxo. Ele é um fenômeno muito paradoxal; não tente reduzi-lo a um só pólo; ambas as polaridades são necessárias. O outro é necessário, mas no amor profundo, o outro desaparece. Se você observar duas pessoas que se amam, elas são ao mesmo tempo duas e uma só. Esse é o paradoxo do amor, e a sua beleza — elas são duas, sim, elas são duas; e ainda assim, não são duas, elas são uma só. Se essa unidade não aconteceu, então o amor não é possível. Elas podem estar fazendo uma outra coisa em nome do amor. Se elas ainda são duas e não também uma só, o amor não aconteceu. E se você estiver sozinho e não houver mais ninguém, então também o amor não é possível.

O amor é um fenômeno paradoxal. Em primeiro lugar, ele precisa de dois e, em último lugar, ele precisa de dois para existir como um. Ele é o maior enigma, o maior quebra-cabeça.

• ***Como posso amar melhor?***

O amor se basta, ele não precisa de melhorias. Ele é perfeito como é e de maneira nenhuma precisa ser mais perfeito. O próprio desejo demonstra um mal-entendido a respeito do amor e de sua natureza. Pode-se ter um círculo perfeito? Todos os círculos são perfeitos; se eles não forem perfeitos, não são círculos. A perfeição é intrínseca a um círculo, e a mesma lei diz respeito ao amor. Não se pode amar menos nem mais, pois ele não é uma quantidade. Ele é uma qualidade, que é imensurável.

Sua própria pergunta mostra que você nunca provou o que é o amor e que está tentando esconder sua falta de amor no desejo de saber "como amar melhor". Ninguém que conhece o amor pode fazer essa pergunta.

O amor precisa ser entendido não como um encantamento biológico — isso é sensualidade e existe em todos os animais; nada há de especial nisso. Isso existe mesmo nas árvores; essa é a maneira da natureza se reproduzir. Nada há de espiritual nisso e nada especialmente humano. Assim, o primeiro ponto é fazer uma clara distinção entre sensualidade e amor. A sensualidade é uma paixão cega; o amor é a fragrância de um coração silencioso, sereno e meditativo. O amor nada tem a ver com a biologia, com a química ou com os hormônios.

O amor é o voar de sua consciência para reinos mais elevados, além da matéria e além do corpo. No momento em que você entende o amor como algo transcendental, ele deixa de ser uma questão fundamental. A questão fundamental é como transcender o corpo, como conhecer algo dentro de você que esteja além, além de tudo que seja mensurável. Esse é o significado da palavra *matéria*. Ela vem da raiz sânscrita *matra*, que significa medida; ela significa aquilo que pode ser medido. A palavra *metro* vem da mesma raiz. A questão fundamental é com ir além do mensurável e penetrar no imensurável. Em outras palavras, como ir além da matéria e abrir os olhos para uma consciência maior. E não existe limite para a consciência — quanto mais você fica consciente, mais percebe o quanto ainda existe à sua frente. Quando a pessoa atinge um cume, um outro cume surge à sua frente. Essa é uma peregrinação eterna.

O amor é um subproduto de uma consciência em elevação. Ele é como a fragrância de uma flor. Não a procure nas raízes; ela não está lá. Sua biologia é sua raiz, sua consciência é seu florescimento. À medida que você se torna mais e mais um lótus aberto de consciência, ficará surpreso — tomado de surpresa — com uma tremenda experiência, a qual pode somente ser chamada de amor. Você está tão repleto de alegria, tão repleto de bem-aventurança, cada fibra de seu ser está dançando em êxtase... Você fica como uma nuvem de chuva que deseja chover e regar a terra.

No momento em que você estiver transbordante de bem-aventurança, um imenso anseio surge em você de compartilhá-la. Esse compartilhar é amor.

Amor não é algo que você possa obter de alguém que não atingiu o estado de bem-aventurança. Esta é a infelicidade de todo o mundo: todos estão pedindo para serem amados e fingindo amar. Você não pode amar, pois não sabe o que é a consciência. Você não conhece o *satyam*, o *shivam*, o *sundram*, não conhece a verdade, não conhece a experiência do divino e a fragrância da beleza. O que você tem a dar? Você está tão vazio, tão oco... Nada cresce em seu ser, nada está verdejante. Não existem flores dentro de você; sua primavera ainda não veio.

O amor é um subproduto. Quando a primavera vem e, de repente, você começa a florescer, a desabrochar e a liberar sua fragrância potencial... Compartilhar essa fragrância, essa graça e essa beleza é amor.

Não quero magoá-lo, mas não posso fazer nada, preciso lhe dizer a verdade: você não sabe o que é o amor. Você não pode saber, pois ainda não entrou mais fundo em sua consciência. Você não experimentou a si mesmo e não sabe quem você é. Nessa cegueira, nessa ignorância, nessa inconsciência, o amor não cresce. Esse é um deserto no qual você está vivendo. Nessa escuridão, nesse deserto, não existe possibilidade de o amor florescer.

Primeiro você precisa estar repleto de luz e repleto de deleite, tão repleto que você comece a transbordar. Essa energia transbordante é o amor. Então, o amor é conhecido como a maior perfeição do mundo. Ele nunca é mais e nunca é menos.

Mas nossa educação é tão neurótica, tão psicologicamente doente que aniquila todas as possibilidades de crescimento interior. Desde o começo lhe ensinaram a ser perfeccionista e, naturalmente, você fica aplicando suas idéias perfeccionistas a tudo, mesmo ao amor.

Outro dia eu me deparei com uma frase: *O perfeccionista é a pessoa que provoca grandes dores e que provoca dores ainda maiores nos outros.* E o resultado é um mundo infeliz!

Todos estão tentando ser perfeitos. E no momento em que alguém começa a tentar ser perfeito, começa a esperar que todos sejam perfeitos. Ele começa a condenar as pessoas, a humilhá-las. É isso o que seus pretensos santos têm feito através dos tempos. É isto o que suas religiões têm feito a você: envenenado seu ser com uma idéia de perfeição.

Por não poder ser perfeito, você começa a se sentir culpado e perde o respeito por você mesmo. E a pessoa que perdeu o respeito por si mesma perdeu toda a dignidade de ser humana. Seu orgulho foi destruído, sua humanidade foi destruída por belas palavras, como a perfeição.

O ser humano não pode ser perfeito. Sim, existe algo que o ser humano pode experimentar, mas que está além de sua concepção comum. A menos que ele também experimente algo do divino, ele não pode conhecer a perfeição.

Perfeição não é algo como uma disciplina, não é algo que você possa praticar, não é algo que você precise ensaiar. Mas é isso o que tem sido ensinado a todos, e o resultado é um mundo cheio de hipócritas, que sabem perfeitamente bem serem vazios e ocos, mas que insistem em simular todos os tipos de qualidade que nada mais são do que palavras vazias.

Quando você diz a alguém, "Eu amo você", já pensou no que você quis dizer? Trata-se apenas de fascínio biológico entre dois sexos? Então, quando você satisfizer seu apetite sexual, todo o pretenso amor desaparecerá. Ele era apenas uma fome e você a satisfez e está acabado. A mesma mulher que parecia a mais bela do mundo, o mesmo homem que parecia Alexandre o Grande... e você começa a pensar em como se livrar desse sujeito!

Será muito esclarecedor entender esta carta, escrita por Paddy à sua amada Maureen:

> Minha Querida Maureen,
>
> Por sua causa, eu escalaria a mais alta montanha e nadaria no mar mais turbulento. Eu suportaria qualquer provação para ficar um momento a seu lado.
>
> Aquele que sempre a amará, Paddy.
>
> P.S.: Se não chover, irei vê-la na sexta à noite.

No momento em que você diz a alguém, "Eu amo você", você não sabe o que está dizendo, não sabe que é apenas sensualidade escondida atrás de uma bela palavra, amor. Ela desaparecerá, ela é muito momentânea.

O amor é algo eterno. Ele é a experiência dos budas, e não de pessoas inconscientes, das quais o mundo está repleto. Somente muito poucas pessoas souberam o que é o amor, e essas mesmas pessoas são as mais despertas, as mais iluminadas, os mais elevados cumes da consciência humana.

Se você realmente quiser conhecer o amor, esqueça-se do amor e lembre-se da meditação. Se você quiser trazer rosas a seu jardim, esqueça-se das rosas e cuide da roseira. Alimente-a, rege-a, cuide para que ela tenha a quantidade certa de sol e de água. Se tudo for cuidado, no tempo certo as rosas certamente virão. Não se pode trazê-las mais cedo, não se pode forçá-las a abrir antes da hora. E não se pode pedir a uma rosa para ser mais perfeita.

Você já viu uma rosa que não seja perfeita? O que mais você quer? Em sua singularidade, todas as rosas são perfeitas. Dançando no vento, na chuva, no sol... você não pode perceber a imensa beleza, a absoluta alegria? Uma pequena rosa comum irradia o esplendor oculto da existência.

O amor é uma rosa em seu ser. Porém, prepare o seu ser, disperse a escuridão e a inconsciência. Torne-se mais e mais alerta e consciente, e o amor virá por conta própria, em seu próprio tempo. Você não precisa se preocupar com ele. E, quando vier, ele será sempre perfeito.

O amor é uma experiência espiritual — nada a ver com sexos e nada a ver com corpos, mas algo a ver com o ser mais íntimo. Mas você nem entrou em seu próprio templo. Você não sabe quem você é e está tentando descobrir como amar melhor. Primeiro, seja você mesmo; primeiro, conheça a si mesmo, e o amor virá como uma recompensa. Ele é uma recompensa do além. Ele se despeja sobre você como flores... preenche o seu ser. E continua a se despejar sobre você e traz consigo um imenso anseio de compartilhar.

Na linguagem humana, esse compartilhar somente pode ser indicado pela palavra *amor*. Ela não diz muito, mas indica a direção certa.

O amor é uma sombra do estado de alerta, de consciência. Seja mais consciente, e o amor virá à medida que você se tornar mais consciente. Ele é um convidado que vem, que inevitavelmente vem para aqueles que estão prontos e preparados para recebê-lo. E você não está nem mesmo pronto para reconhecê-lo! Se o amor chegar à sua porta, você não o reconhecerá. Se o amor bater à sua porta, você poderá encontrar mil e uma desculpas; poderá pensar, talvez seja algum vento forte ou alguma outra desculpa, e não abrirá a porta. E mesmo se abri-la, não reconhecerá o amor, pois nunca o viu antes. Como você pode reconhecê-lo?

Você pode reconhecer somente algo que você conhece. Quando o amor vem pela primeira vez e preenche seu ser, você fica absolutamente tomado e assombrado e não sabe o que está acontecendo. Você sabe que seu coração está dançando, que está circundado pela música celestial, sabe das fragrâncias que nunca conheceu antes. Mas leva um pouco de tempo para juntar todas essas experiências e se lembrar de que talvez o amor seja isso. Muito lentamente ele se entranha em seu ser.

Somente os místicos conhecem o amor. Tirando os místicos, não existe categoria de seres humanos que já tenha experimentado o amor. O amor é monopólio absoluto do místico. Se você quer conhecer o amor, precisará penetrar no mundo do místico.

Jesus diz: "Deus é amor." Ele pertenceu a uma escola de mistérios, os essênios, uma antiga escola de místicos. Mas talvez ele não tenha completado sua formação nessa escola, porque o que ele está dizendo não está correto. Deus não é amor, amor é Deus. A diferença é enorme, e não se trata apenas de uma mudança de palavras. No momento em que você diz que Deus é amor, está simplesmente dizendo que o amor é somente um atributo de Deus. Ele também é sabedoria, também é compaixão, também é perdão, ele pode ser milhões de coisas além do amor; o amor é somente um dos atributos de Deus.

E, na verdade, mesmo torná-lo um pequeno atributo de Deus é muito irracional e ilógico, porque, se Deus é amor, então ele não pode ser "justo". Se Deus é amor, ele não pode ser cruel a ponto de atirar pecadores no inferno eterno. Se Deus é amor, ele não pode ser a lei. Um grande místico sufi, Omar Khayyam, mostra mais compreensão do que Jesus, quando diz: "Continuarei a ser eu mesmo. Não prestarei atenção aos sacerdotes e aos pregadores, pois confio que o amor de Deus é grande o bastante; eu não posso cometer um pecado que seja maior do que o seu amor. Portanto, por que me preocupar? Nossas mãos são pequenas e nossos pecados são pequenos; nosso alcance é pequeno. Como podemos cometer pecados que o amor de Deus não possa perdoar? Se Deus é amor, ele não pode estar presente no dia do julgamento final para separar os santos e atirar os milhões e milhões de pessoas restantes no inferno pela eternidade."

Os ensinamentos dos essênios dizem justamente o oposto e Jesus os cita de maneira equivocada. Talvez ele não estivesse profundamente arraigado aos seus ensinamentos. O ensinamento era: "Amor é Deus." Essa é uma diferença enorme. Agora, Deus se torna somente um atributo do amor; agora, Deus se torna somente uma qualidade da tremenda experiência do amor; agora, Deus não é mais uma pessoa, mas somente uma experiência daqueles que conheceram o amor; agora, Deus se torna secundário ao amor. E lhe digo, os essênios estavam certos. O amor é o valor supremo, o florescimento final. Nada existe além dele; portanto, não se pode aperfeiçoá-lo.

Na verdade, antes que você o atinja, você precisará desaparecer. Quando o amor estiver presente, você não estará presente.

Um grande místico oriental, Kabir, tem uma afirmação muito significativa, algo que só pode ser dito por alguém que experimentou, que percebeu, que entrou no santuário interior da realidade suprema. A afirmação é: "Procurei pela verdade, mas é estranho dizer que, enquanto o buscador existia, a verdade não era encontrada. E, quando a verdade foi encontrada, olhei à volta... eu estava ausente. Quando a verdade foi encontrada, o buscador já não existia; e, quando o buscador existia, a verdade não estava em lugar nenhum."

A verdade e o buscador não podem coexistir. Você e o amor não podem coexistir. Não existe coexistência possível. Ou você, ou o amor, você pode escolher. Se você estiver pronto para desaparecer, para se dissolver e se fundir, deixando que reste só uma consciência pura, o amor florescerá. Você não pode aperfeiçoá-lo, porque você não estará presente. E, em primeiro lugar, ele não precisa de perfeição; ele sempre vem perfeito.

Mas amor é uma dessas palavras que todos usam e ninguém entende. Os pais ficam dizendo aos filhos: "Amamos vocês." E eles são as pessoas que aniquilam os filhos, que lhes passam todos os tipos de preconceitos, todos os tipos de superstições mortas, que oprimem os filhos com todo o fardo inútil que gerações vêm carregando e que cada geração continua a transferir para a geração seguinte. A loucura continua, fica gigantesca.

Mesmo assim, todos os pais acham que amam os filhos. Se eles realmente os amassem, não gostariam que os filhos fossem suas imagens, pois eles são infelizes e nada mais. Qual é a experiência de vida deles? Pura infelicidade, sofrimento... a vida não foi uma bênção para eles, mas uma maldição. E, ainda assim, eles querem que seus filhos sejam exatamente como eles.

Eu fui hóspede de uma família. Eu estava sentado no jardim ao entardecer, o sol estava se pondo e era um belo e silencioso entardecer. Os pássaros estavam voltando para as árvores e uma criancinha da família estava sentada ao meu lado.

Eu lhe perguntei: "Você sabe quem você é?" E as crianças têm mais clareza e perceptividade do que os adultos, porque esses já estão estragados, corrompidos, poluídos com todos os tipos de ideologias e religiões. A criança me olhou e disse: "Você está me fazendo uma pergunta muito difícil."

Perguntei: "Qual é a dificuldade?"

Ela respondeu: "É que eu sou filho único e, pelo que me lembro, sempre que temos hóspedes, alguém diz que meus olhos se parecem com os do meu pai, que meu nariz se parece com o da minha mãe, que meu rosto se parece com o do meu tio. Então, não sei quem eu sou, porque ninguém diz que algo se parece comigo."

Mas é isso o que tem sido feito com toda criança. Você não a deixa em paz para vivenciar ela mesma e não a deixa se tornar ela mesma. Você fica entulhando a criança com suas próprias ambições não satisfeitas. Todo pai deseja que seu filho seja a sua imagem.

Mas a criança tem seu próprio destino; se ela se tornar a sua imagem, nunca se tornará ela mesma. E, sem se tornar você mesmo, você jamais sentirá contentamento, jamais se sentirá à vontade com a existência. Você sempre estará sentindo falta de algo.

Seus pais o amam e também dizem que você precisa amá-los, porque eles são seus pais. Esse é um fenômeno estranho, e ninguém parece estar consciente dele: apenas por você ser mãe não significa que o seu filho tem de amá-la. Você precisa ser digna de amor; ser mãe não é suficiente. Você pode ser pai, mas isso não significa que automaticamente você se torne digno de amor. Só o fato de ser pai não cria um sentimento intenso de amor no filho. Mas se espera isso... e a pobre criança não sabe o que fazer. Ela começa a fingir; essa é a única maneira possível. Ela começa a sorrir, quando não há sorriso em seu coração; ela começa a demonstrar amor, respeito, gratidão e tudo é falso. Ela se torna uma atriz, uma hipócrita desde o começo, um político.

Todos vivemos neste mundo onde pais, professores, sacerdotes, todos o corromperam, o deslocaram, o tiraram de você mesmo. Todo o meu empenho é para dar o seu centro de volta a você. Chamo esse centramento de "meditação". Quero que você seja simplesmente você mesmo, com um grande respeito próprio, com a dignidade de saber que a existência precisa de você — e então, você poderá começar a procurar por você mesmo. Primeiro, volte para o centro; depois, comece a procurar quem você é.

Conhecer sua face original é o começo de uma vida de amor, de uma vida de celebração. Você será capaz de dar muito amor, porque ele não é algo que se esgote. Ele é imensurável e não pode ser esgotado. E, quanto mais você o dá, mais se torna capaz de dá-lo.

A maior experiência da vida é quando você simplesmente dá sem nenhuma condição, sem nenhuma expectativa, nem mesmo de um simples agradecimento. Pelo contrário, um amor real e autêntico sente-se agradecido à pessoa que aceitou o seu amor. Ela poderia tê-lo rejeitado.

Quando você começa a dar amor com um profundo sentimento de gratidão a todos que o aceitaram, você fica surpreso por ter se tornado um imperador — não mais um mendigo pedindo amor com uma cumbuca, batendo em todas as portas. E aquelas pessoas em cuja porta você está batendo não podem lhe dar amor; elas próprias são mendigas. Mendigos estão pedindo amor uns aos outros e se sentindo frustrados, enraivecidos, porque não recebem amor. Isso inevitavelmente acontece. O amor pertence ao mundo dos imperadores, e não ao dos mendigos. E alguém é imperador quando está tão repleto de amor a ponto de dá-lo sem nenhuma condição.

E então, vem uma surpresa ainda maior: quando você começa a oferecer o seu amor para alguém, mesmo para estranhos, a questão não é a quem você o está oferecendo, pois a própria alegria de dar é tamanha que ninguém se importa em saber quem está recebendo. Quando esse espaço surge em seu ser, você começa a irradiar amor para todos, e não somente para seres humanos, mas para animais, para árvores, para as estrelas mais distantes, pois o amor é algo que pode ser transferido, pelo seu olhar amoroso, para a estrela mais distante. Apenas pelo seu toque, o amor pode ser transferido a uma árvore. Sem dizer uma única palavra... ele pode ser transmitido em absoluto silêncio. Ele não precisa ser dito, ele declara a si mesmo. Ele tem suas próprias maneiras de alcançar as profundezas, o seu ser.

Primeiro, esteja repleto de amor e o compartilhar acontece. E então, a grande surpresa... enquanto você dá, começa a receber de fontes desconhecidas, de recantos desconhecidos, de pessoas desconhecidas, das árvores, dos rios, das montanhas. De todos os ângulos da existência, o amor começa a banhá-lo. Quanto mais você dá, mais você obtém. A vida se torna uma pura dança do amor.

PARTE DOIS

Do Relacionamento ao Relacionar-se

No momento em que você sente que não depende mais de ninguém, uma profunda serenidade e silêncio caem sobre você, uma tranqüila entrega. Isso não significa que você pare de amar. Pelo contrário, pela primeira vez você conhece uma nova qualidade, uma nova dimensão do amor, um amor que não é mais biológico, que está mais próximo da amabilidade do que qualquer relacionamento.

CAPÍTULO CINCO

A Lua-de-Mel que Nunca Termina

O amor não é um relacionamento. Ele se relaciona, mas não é um relacionamento. Um relacionamento é algo acabado, é um substantivo. O ponto final chegou e a lua-de-mel terminou. Agora, não existe alegria, entusiasmo; agora, tudo está acabado. Você pode levá-lo adiante apenas para cumprir suas promessas, pode levá-lo adiante porque ele é confortável, conveniente, aconchegante, pode levá-lo adiante porque nada mais há a fazer, pode levá-lo adiante porque, se você o romper, isso criará muitos problemas para você... Relacionamento significa algo completo, acabado, fechado.

O amor nunca é um relacionamento; o amor é relacionar-se. Ele é sempre um rio, fluindo, interminável. O amor não conhece ponto final; a lua-de-mel começa, mas nunca termina. Não é como uma novela, que começa em certo ponto e acaba em outro ponto. Ele é um fenômeno que segue sempre em frente. Os amantes terminam, o amor continua — ele é um *continuum*. Ele é um verbo, e não um substantivo.

E por que reduzimos a beleza do relacionar-se a um relacionamento? Por que estamos com tanta pressa? Porque se relacionar é inseguro e o relacionamento é uma segurança. O relacionamento tem uma certeza; o relacionar-se é apenas um encontro de dois estranhos, talvez apenas uma pernoite e, pela manhã, dizemos adeus. Quem sabe o que vai acontecer amanhã? E temos tanto medo que desejamos torná-lo garantido, desejamos torná-lo previsível. Desejamos que o amanhã esteja de acordo com nossas idéias; não lhe permitimos liberdade para seguir seu próprio caminho. Assim, imediatamente reduzimos cada verbo a um substantivo.

Você se apaixona por uma mulher ou por um homem e imediatamente começa a pensar em se casar, a fazer um contrato legal. Por quê? Como a lei entra no amor? Ela entra no amor porque o amor não está presente. Ele é somente uma fantasia, e você sabe que a fantasia irá desaparecer. Antes que desapareça, fixe-o; antes que desapareça, faça algo, de tal modo que fique impossível se separar.

Em um mundo melhor, com pessoas mais meditativas, com um pouco mais de iluminação espalhada pela terra, as pessoas amarão, e amarão imensamente, mas esse amor continuará sendo um relacionar-se, e não um relacionamento. E não estou dizendo que o amor delas será somente momentâneo. Existe toda a possibilidade de que o amor delas possa ir mais fundo do que o seu amor, possa ter uma qualidade mais elevada de intimidade, possa ter algo mais de poesia e de divindade nele. E existe toda a possibilidade de que o amor delas possa durar mais do que dura o chamado relacionamento. Mas ele não será garantido pela lei, pelo cartório, pela polícia. A garantia será interior, será um compromisso do coração, será uma comunhão silenciosa.

Se você tiver prazer em ficar com uma pessoa, vai querer ficar com ela cada vez mais. Se você gostar da intimidade, vai querer ter cada vez mais. E existem algumas flores do amor que desabrocham somente depois de uma longa intimidade. Existem flores de estação, também; durante seis semanas elas estão lá, ao sol, mas, dentro de seis semanas, novamente se vão para sempre. Existem flores que levam anos para desabrochar e existem flores que levam *muitos* anos para desabrochar. Quanto mais tempo levam, mais fundo vão. Mas precisa ser um compromisso de coração. Isso nem mesmo precisa ser verbalizado, pois verbalizar é profanar. Precisa ser um compromisso silencioso, olho no olho, entre dois corações, entre dois seres. Precisa ser entendido, não dito.

Esqueça-se dos relacionamentos e aprenda a se relacionar.

Quando você está num relacionamento, começa a encarar o outro como algo garantido, e é isso o que aniquila todos os casos de amor. A mulher acha que conhece o homem, o homem acha que conhece a mulher, e ninguém conhece o outro! É impossível conhecer o outro; o outro é sempre um mistério. E encarar o outro como algo garantido é insultante, desrespeitoso.

Achar que você conhece a sua esposa é muito, muito improdutivo. Como você pode conhecer a mulher? Como você pode conhecer o homem? Eles são processos, e não coisas. A mulher que você conheceu ontem não existe hoje. Muita água passou pelo Ganges... ela é uma outra pessoa, totalmente diferente. Relacione-se novamente, comece novamente, não tome nada como algo garantido.

E o homem com quem você dormiu a noite passada, olhe de novo para o rosto dele pela manhã. Ele não é mais a mesma pessoa, muito mudou. Muito, mas muito mudou. Essa é a diferença entre uma coisa e uma pessoa. Os móveis no quarto são os mesmos, mas o homem e a mulher não são mais os mesmos. Investigue novamente, comece novamente. É isso o que pretendo dizer com relacionar-se.

Relacionar-se significa que você está sempre começando, está continuamente tentando se familiarizar. Repetidamente, vocês estão se apresentando um ao outro. Você está tentando perceber as muitas facetas da personalidade do outro, está tentando penetrar mais e mais fundo em seu reino de sentimentos interiores, nos profundos recantos de seu ser. Você está tentando desvendar um mistério que não pode ser desvendado. Esta é a alegria do amor: a exploração da consciência.

E, se você se relacionar e não reduzir isso a um relacionamento, o outro se tornará um espelho para você. Ao examiná-lo, inesperadamente você também examinará a si mesmo. Ao aprofundar-se no outro, ao conhecer seus sentimentos, seus pensamentos, suas mais profundas sensações, você também estará conhecendo suas próprias sensações mais profundas. As pessoas que amam se tornam espelhos uma da outra, e o amor se torna uma meditação.

O relacionamento é feio, o relacionar-se é belo.

No relacionamento, ambas as pessoas ficam cegas uma com relação à outra. Pense: quanto tempo faz desde que você olhou sua esposa nos olhos? Quanto tempo faz desde que você olhou para seu marido? Talvez anos. Quem olha para a própria esposa? Você acha que a conhece; o que mais existe para olhar? Você está mais interessado em estranhos do que nas pessoas que você conhece — você conhece toda a topografia do corpo delas, sabe como elas reagem, sabe que tudo o que aconteceu irá acontecer várias e várias vezes. Esse é um círculo repetitivo.

Não é um círculo repetitivo, realmente não é. Nada jamais se repete; tudo é novo a cada dia. Apenas seus olhos ficam velhos, suas suposições ficam velhas, seu espelho junta poeira e você fica incapaz de refletir o outro.

Por isso eu digo: relacione-se. Quando digo relacione-se, quero dizer para você permanecer continuamente em lua-de-mel. Continuem a buscar e a procurar um ao outro, a encontrar novas maneiras de amar um ao outro, novas maneiras de estar um com o outro. E cada pessoa é um mistério tão infinito, inesgotável; insondável, que não é possível dizer: "Eu conheço você." No máximo, você pode dizer: "Tentei o que pude, mas o mistério continua sendo um mistério."

Na verdade, quanto mais você conhece, mais misterioso o outro se torna. Então, o amor é uma constante aventura.

CAPÍTULO SEIS

Da Sensualidade ao Amor e do Amor ao Amar

O amor é praticamente impossível no estado comum da mente humana. O amor é possível somente quando a pessoa atingiu o ser, e não antes. Antes disso, ele é sempre outra coisa. Chamamos de amor, mas algumas vezes é quase burrice chamá-lo de amor.

Um homem se apaixona por uma mulher porque gosta do jeito que ela anda, ou da voz dela, ou da maneira que ela diz "Olá", ou dos olhos dela. Outro dia eu estava lendo o que uma mulher disse sobre um homem: "Ele tem as sobrancelhas mais bonitas do mundo." Não há nada de errado nisso, as sobrancelhas podem ser bonitas, mas, se você se apaixona pelas sobrancelhas, mais cedo ou mais tarde ficará desapontada, porque as sobrancelhas não são partes essenciais de uma pessoa.

E por coisas tão pouco essenciais, as pessoas se apaixonam! A forma, os olhos... essas são coisas nada essenciais. Porque, quando você vive com uma pessoa, não está vivendo com uma proporção do corpo, não está vivendo com as sobrancelhas ou com a cor do cabelo. Quando você vive com uma pessoa, ela é algo muito notável e vasto, praticamente indefinível e, mais cedo ou mais tarde, essas pequenas coisas na periferia se tornam insignificantes. Mas então, de repente, a pessoa fica surpresa: O que fazer?

Todo amor começa de uma maneira romântica e, quando a lua-de-mel acaba, toda a coisa termina, porque não se pode viver com o romance. Precisa-se viver com a realidade e essa é totalmente diferente. Quando você vê uma pessoa, não vê a totalidade da pessoa, apenas a superfície. É como se você tivesse se apaixonado por um carro por causa da cor dele. Você nem mesmo olhou sob o capô; pode não haver motor ou, talvez, algo esteja quebrado. No final, a cor não irá ajudar em nada.

Quando duas pessoas se encontram, suas realidades interiores se colidem e as coisas externas se tornam insignificantes. O que fazer com as sobrancelhas, com o cabelo, com o corte de cabelo? Você começa a se esquecer deles. Eles não o atraem mais. E quanto mais você conhece a pessoa, mais fica com medo, porque passa a conhecer a loucura da pessoa, e ela passa a conhecer a sua loucura. Ambos se sentem enganados e ficam com raiva. Começam a se vingar um do outro, como se estivessem se enganando ou trapaceando. Ninguém está enganando ninguém, embora todos sejam enganados.

Um dos pontos mais básicos para se perceber é: quando você ama alguém, você ama porque a pessoa não está disponível. Agora a pessoa está disponível; então, como o amor pode existir?

Você queria ser rico porque era pobre — todo o desejo de ficar rico era devido à sua pobreza. Agora você é rico e não se importa. Ou pense de uma outra maneira, você está com fome e fica obcecado por comida. Mas, quando você está se sentindo bem e seu estômago está cheio, quem se importa, quem pensa em comida?

O mesmo acontece com o seu pretenso amor. Você está dando em cima de uma mulher e ela se esquiva, foge de você. Você fica mais e mais interessado e dá mais em cima ainda. E isso faz parte do jogo. Toda mulher sabe intrinsecamente que ela precisa fugir, para que o interesse continue por mais tempo. É claro que ela não pode fugir muito, a ponto de você se esquecer dela — ela precisa ficar à vista, seduzindo, atraindo, chamando, convidando e ainda assim fugindo.

Assim, primeiro o homem corre atrás da mulher e ela tenta escapar. Depois que ela é pega, imediatamente toda a maré muda. Então, o homem começa a fugir e a mulher começa a dar em cima: "Aonde você vai? Com quem estava conversando? Por que se atrasou? Com quem esteve?"

E todo o problema é que ambos estavam atraídos um pelo outro porque eram desconhecidos. O desconhecido é que atraía, o não-familiar é que atraía. Agora, ambos se conhecem bem. Eles fizeram amor muitas vezes e agora se tornou praticamente uma repetição — no máximo, trata-se de um hábito, de um relaxamento, mas o romance se foi. Então eles se sentem entediados. O homem se torna um hábito, a mulher se torna um hábito. Eles não podem viver um sem o outro por causa do hábito, e não podem viver juntos porque não existe romance.

Esse é o ponto real, no qual a pessoa precisa entender se era amor ou não. E a pessoa não deveria se enganar, ela deveria ser clara. Se era amor, ou mesmo se um fragmento era amor, essas coisas passarão. Então, a pessoa deveria entender que essas coisas são naturais. Não há motivo para ficar com raiva. E você ainda ama a pessoa. Mesmo se você conhecer a pessoa, ainda a amará.

Na verdade, se o amor existir, você amará ainda mais a pessoa, porque você a conhece. Se o amor existir, ele sobreviverá. Se ele não estiver presente, ele desaparecerá. Ambas as possibilidades são boas.

Para um estado de mente comum, o que chamo de amor não é possível. Ele acontece somente quando você tem um ser muito integrado. O amor é uma função do ser integrado. Ele não é um romance, ele nada tem a ver com essas tolices. Ele se direciona diretamente para a pessoa e investiga a alma. O amor, então, é um tipo de afinidade com o ser mais íntimo da outra pessoa — mas, então, ele é totalmente diferente. Todo amor pode crescer assim, deveria crescer assim, mas noventa e nove entre cem amores nunca crescem até esse ponto. Os tumultos e complicações são tão grandes que podem destruir tudo.

Mas não estou dizendo que a pessoa deveria se prender. A pessoa precisa estar alerta e consciente. Se o seu amor consistir apenas nessas tolices, ele desaparecerá. Ele não merece ser levado em consideração. Mas, se ele for real, sobreviverá a todos os tumultos. Assim, simplesmente observe...

O amor não é a questão. Sua consciência é a questão. Essa pode ser apenas uma situação na qual sua consciência crescerá e você ficará mais alerta sobre você mesmo. Talvez esse amor desapareça, mas o próximo seja melhor; você escolherá com uma consciência melhor. Ou, talvez, esse amor com uma consciência melhor mudará sua qualidade. Dessa maneira, não importa o que aconteça, a pessoa deveria permanecer aberta.

O amor tem três dimensões. Uma é a animal; somente sexualidade, um fenômeno físico. A outra é a humana: essa é superior à sensualidade, à sexualidade, à luxúria. Não se trata apenas de exploração do outro como um meio. A primeira é somente exploração; o outro é usado como um meio. Na segunda, o outro não é usado como um meio; ele é igual a você. O outro é um fim em si mesmo tanto quanto você, e o amor não é uma exploração, mas um mútuo compartilhar de seus seres, de suas alegrias, de sua música, de sua pura poesia de vida. Ele é um compartilhar e é recíproco.

A primeira é possessiva, a segunda não é possessiva. A primeira cria uma escravidão, a segunda dá liberdade. E a terceira dimensão do amor é divina: quando não existe objeto para amar, quando o amor não é um relacionamento, quando o amor se torna um estado de seu ser. Você está simplesmente amando — não amando alguém em particular, mas simplesmente um estado de amor, de tal modo que tudo o que você fizer, você faz amorosamente; não importa quem você encontre, você encontra amorosamente. Mesmo se você tocar uma rocha, a tocará como se estivesse tocando o seu amado; mesmo se olhar as árvores, seus olhos estarão repletos de amor.

A primeira usa o outro como um meio; na segunda, o outro não é mais um meio; na terceira, o outro desapareceu completamente. A primeira cria escravidão, a segunda dá liberdade, a terceira vai além de ambas, ela é transcendência de toda dualidade. Não existe aquele que ama e aquele que é amado, existe somente o amor.

Esse é o estado supremo do amor e o objetivo da vida a ser atingido. A maioria das pessoas permanece confinada na primeira. São raras as pessoas que passam para a segunda, e mais raro ainda é o fenômeno que estou chamando de terceira. Somente um Buda, um Jesus... Existem algumas pessoas aqui e ali que entraram na terceira dimensão do amor; elas podem ser contadas nos dedos. Mas, se você mantiver os olhos fixos na estrela distante, é possível. E, quando se torna possível, você fica preenchido. Então, nada falta na vida, e nesse preenchimento está a alegria, a alegria eterna. Mesmo a morte não pode destruí-la.

CAPÍTULO SETE

Deixe que Haja Espaços...

Em *O Profeta*, de Kahlil Gibran, Almustafá diz:

Deixem que haja espaços na união entre vocês.
E deixem que os ventos dos céus dancem entre vocês.
Amem um ao outro, mas não tornem o amor uma obrigação;
Ao contrário, deixem que ele seja um mar em movimento entre as praias de suas almas.

Se a união entre vocês não for fruto da sensualidade, seu amor irá se aprofundar a cada dia. A sensualidade reduz tudo, pois a biologia não se importa se vocês permanecerão juntos ou não. Ela está interessada na reprodução e, para isso, o amor não é necessário. Você pode continuar produzindo filhos sem amor.

Observei todos os tipos de animais. Vivi em florestas, em montanhas, e constantemente ficava perplexo: sempre que eles tinham relações sexuais, pareciam muito tristes. Nunca vi animais tendo relações sexuais com alegria; é como se alguma força desconhecida os estivesse pressionando a fazerem aquilo. Não é a partir de suas próprias escolhas, de suas liberdades, mas de suas escravidões. Isso os deixa tristes.

O mesmo observei com os seres humanos. Vocês já viram marido e mulher na rua? Você pode não saber se eles são casados, mas, se ambos estiverem tristes, pode estar certo de que são.

Eu viajava de Déli para Srinagar. No meu compartimento com ar condicionado, havia apenas dois assentos e um estava reservado para mim. Um casal veio, uma bela mulher e um jovem e belo homem. Ambos não podiam se acomodar num só assento, então ele deixou a mulher e foi para um outro compartimento. Mas ele vinha a cada parada, trazendo doces, frutas, flores.

Eu observava toda a cena e perguntei à mulher: "Há quanto tempo vocês estão casados?"

Ela respondeu: "Uns sete anos."

Eu disse: "Não minta para mim! Você pode enganar qualquer outro, mas não pode me enganar. Vocês não são casados."

Ela ficou chocada. De um estranho, a quem nada falou e que estava simplesmente observando... Ela perguntou: "Como você descobriu?"

Respondi: "Não tem mistério, é simples. Se ele fosse o seu marido, depois de ir embora, se ele voltasse quando chegasse a estação que vocês deveriam descer, você seria uma felizarda!"

Ela disse: "Você não me conhece e eu não o conheço, mas o que você está dizendo está certo. Ele é meu amante, é o marido de uma amiga minha."

Eu disse: "Então, tudo faz sentido..."

O que há de errado entre maridos e mulheres? Não se trata de amor e todos o aceitaram como se soubessem o que é o amor. É pura sensualidade. Logo vocês ficam saturados um do outro. Para a reprodução, a biologia o enganou e, logo, não haverá nada de novo... a mesma face, a mesma geografia, a mesma topografia. Por quantas vezes você a explorou? Todo o mundo está triste devido ao casamento e o mundo ainda permanece inconsciente da causa.

O amor é um dos fenômenos mais misteriosos. Almustafá está falando sobre esse amor. Você não pode se entediar, porque ele não é sensualidade.

Almustafá diz: *Deixem que haja espaços na união entre vocês.*

Fiquem juntos, mas não tentem dominar, não tentem possuir e não destruam a individualidade do outro.

Se vocês moram juntos, *deixem que haja espaços...* O marido chega tarde em casa; não há motivo, não há necessidade para a esposa indagar onde ele esteve, por que ele veio tarde. Ele tem seu próprio espaço, ele é um indivíduo livre. Dois indivíduos livres estão vivendo juntos e não transgridem o espaço um do outro. Se a esposa chega tarde, não há necessidade de perguntar: "Onde você esteve?" Quem é você? Ela tem seu próprio espaço, sua própria liberdade.

Mas isso está acontecendo todos os dias, em todos os lares. Eles brigam por causa de picuinhas, mas no fundo, o ponto é que eles não estão dispostos a permitir que o outro tenha seu próprio espaço.

Os gostos são diferentes. Seu marido pode gostar de algo que você não gosta. Isso não significa que este seja o começo de uma briga, de que por serem marido e mulher, seus gostos deveriam também ser os mesmos. E todas essas questões... Passa na mente de todo marido que volta para casa: "O que ela vai perguntar? Como vou responder?" E a mulher sabe o que ela vai perguntar e o que ele vai responder, e todas essas respostas são falsas, fictícias. Ele a está enganando.

Que tipo de amor é esse, que está sempre suspeitando, sempre com medo do ciúme? Se a mulher o vê com uma outra mulher, rindo e conversando, isso é suficiente para destruir toda a sua noite. Você se arrependerá; isso é demais para uma pequena risada. Se o marido vê a esposa com um outro homem e ela parece estar mais alegre, mais feliz, isso é suficiente para criar um tumulto.

As pessoas não estão cientes de que não sabem o que é o amor. O amor nunca suspeita, nunca é ciumento, nunca interfere na liberdade do outro, nunca se impõe ao outro. O amor dá liberdade, e a liberdade é possível somente se houver espaço na união entre vocês.

Essa é a beleza de Kahlil Gibran... um imenso discernimento. O amor deveria ficar feliz ao ver a esposa feliz com alguém, porque o amor deseja que ela seja feliz. O amor deseja que o marido seja alegre. Se ele estiver simplesmente conversando com uma mulher e se sente alegre, a esposa deveria ficar feliz, e aí não cabem desavenças. Eles estão juntos para tornarem as suas vidas mais felizes, porém justamente o oposto acontece. Parece que o marido e a mulher estão juntos apenas para tornar a vida um do outro infeliz, arruinada. A razão é: eles não entendem nem mesmo o significado do amor.

Mas *deixem que haja espaços na união entre vocês...* Isso não é contraditório. Quanto mais espaço vocês derem um ao outro, mais juntos estarão. Quanto mais vocês permitirem a liberdade um do outro, mais íntimos serão. Não inimigos íntimos, mas amigos íntimos.

E deixem que os ventos dos céus dancem entre vocês.

Esta é uma lei fundamental da existência: estar juntos demais, não deixando espaço para a liberdade, destroça a flor do amor. Você a esmagou, não lhe deu espaço para crescer.

Os cientistas descobriram que os animais têm um limite territorial. Você deve ter visto cães urinando nesse e naquele poste. Você acha que isso é inútil? Não é. Eles estão traçando os limites — "este é meu território." O cheiro de sua urina impedirá que um outro cachorro entre ali. Se um outro cachorro chegar perto do limite, o cachorro a quem o território pertence não se importará; porém, apenas um passo a mais e haverá briga.

Todos os animais selvagens fazem o mesmo. Até um leão, se você não cruzar a fronteira dele, ele não o atacará — você é um cavalheiro. Mas, se você cruzar a fronteira dele, não importa quem você seja, ele o matará.

Ainda precisamos descobrir os limites territoriais dos seres humanos. Você já deve ter sentido esses limites, mas eles ainda não foram cientificamente estabelecidos. Ao andar num trem metropolitano, numa cidade como Mumbaim, o trem fica lotado... as pessoas estão em pé, muito poucas conseguem se sentar. Observe as pessoas que estão em pé — embora elas estejam muito próximas, estão tentando de todas as maneiras não tocarem umas nas outras.

À medida que o mundo fica mais superpovoado, mais e mais pessoas ficam insanas, cometem suicídio, assassinatos, pela simples razão de não terem espaço para si mesmas. Pelo menos as pessoas que amam deveriam ser sensíveis; saber que a esposa precisa de seu próprio espaço, da mesma maneira que você precisa de seu próprio espaço.

Um dos meus livros mais estimados é o de Rabindranath Tagore, *Akhari Kavita*, "O Último Poema". Ele não é um livro de poesia, e sim, um romance, mas um romance muito estranho, muito penetrante.

Uma jovem e um homem se apaixonam e, como costuma acontecer, imediatamente querem se casar. A mulher diz: "Somente com uma condição..." Ela é muito culta, muito sofisticada e rica.

O homem diz: "Qualquer condição é aceitável, mas não posso viver sem você."

Ela diz: "Primeiro ouça a condição, então pense a respeito. Não se trata de uma condição comum. A condição é que não viveremos na mesma casa. Tenho muitas terras, um lindo lago circundado por árvores, jardins e prados. Numa margem do lago farei uma casa para você, exatamente do lado oposto à minha."

Ele perguntou: "Então, qual é o sentido do casamento?"

Ela respondeu: "Assim, o casamento não nos destruirá. Estou lhe dando o seu espaço, eu tenho o meu próprio. De vez em quando, ao caminharmos no jardim, poderemos nos encontrar. De vez em quando, andando de barco no lago, poderemos nos encontrar — acidentalmente. Ou, algumas vezes, posso convidá-lo para tomar chá comigo, ou você pode me convidar."

O homem comentou: "Essa idéia é muito absurda."

A mulher disse: "Então, esqueça o casamento. Essa é a única idéia correta; somente assim nosso amor poderá continuar a crescer, porque sempre permaneceremos frescos e novos. Nunca tomaremos o outro como algo garantido. Tenho todo o direito de recusar sua proposta, como você tem todo o direito de recusar a minha; em nenhuma das maneiras nossas liberdades serão desrespeitadas. Entre essas duas liberdades cresce o belo fenômeno do amor."

É claro que o homem não conseguiu entender e abandonou a idéia de casamento. Rabindranath tem o mesmo discernimento que Kahlil Gibran... e eles escreveram praticamente na mesma época.

Se isso for possível, ter espaço e ao mesmo tempo convivência, *os ventos dos céus dançam entre vocês.*

Amem um ao outro, mas não tornem o amor uma obrigação. Ele deveria ser uma dádiva gratuita, dada ou recebida, mas não deveria haver exigências. Do contrário, muito em breve vocês estarão juntos, mas tão separados quanto estrelas distantes. Nenhum entendimento criaria uma ponte entre vocês; você não deixou espaço nem mesmo para a ponte.

Ao contrário, deixem que ele seja um mar em movimento entre as praias de suas almas.

Não o torne algo estático, não faça dele uma rotina. *Ao contrário, deixem que ele seja um mar em movimento entre as praias de suas almas.*

Se a liberdade e o amor puderem ambos serem seus, você não precisará de mais nada. Você conseguiu aquilo para o qual a vida lhe foi concedida.

CAPÍTULO OITO

O *Koan* do Relacionamento

O melhor *koan* que existe é o amor, o relacionamento. É como ele tem sido usado aqui. Um relacionamento é um quebra-cabeça sem nenhuma pista para ele. Não importa como você tente montá-lo, nunca conseguirá fazê-lo. Ninguém jamais foi capaz de montá-lo. Ele é feito de tal maneira que simplesmente continua um enigma. Quanto mais você tenta desmistificá-lo, mais misterioso ele fica. Quanto mais você tenta compreendê-lo, mais evasivo ele fica.

Esse é um *koan* maior do que qualquer *koan* que os mestres do Zen dão a seus discípulos, pois os *koans* zen são meditativos — a pessoa está sozinha. Quando lhe é dado o *koan* do relacionamento, ele é muito mais complicado, porque vocês são dois — feitos de uma maneira diferente, condicionados de uma maneira diferente, pólos opostos um do outro, puxando para direções diferentes, manipulando um ao outro, tentando possuir, dominar... existem mil e um problemas.

Durante a meditação, o único problema é ficar em silêncio, não ser pego em pensamentos. No relacionamento, existem mil e um problemas. Se você ficar em silêncio, existe um problema. Sente-se em silêncio ao lado de sua esposa e você verá, ela imediatamente saltará sobre você: "Por que você está quieto? O que você quer dizer com isso?" Ou fale, e estará em apuros — não importa o que você diga, você é sempre mal-entendido.

Nenhum relacionamento pode chegar a um ponto onde ele não seja um problema. E, se alguma vez você perceber um relacionamento chegando ao ponto onde não há mais problemas, isso simplesmente significa que ele não é mais um relacionamento. O relacionamento desapareceu — os lutadores estão cansados e começaram a aceitar as coisas como elas são. Eles estão entediados, não querem brigar mais. Eles o aceitaram, não querem melhorá-lo.

Ou, no passado, as pessoas tentavam forçosamente criar um tipo de harmonia. Por isso, através dos tempos as mulheres foram reprimidas — essa era uma maneira de ajeitar as coisas. Simplesmente force a mulher a seguir o homem; assim, não há problema. Mas isso também não é um relacionamento. Não sendo a mulher uma pessoa independente, o problema desaparece, mas a mulher também desaparece. Ela é apenas algo a ser usado; não há alegria, e o homem começa a procurar outra mulher.

Se você se deparar com um casamento feliz, não confie nele na superfície. Vá um pouco mais fundo e ficará surpreso. Ouvi dizer sobre um casamento feliz...

> Um camponês decidiu que era hora de se casar; então, ajeitou sua mula e partiu para a cidade, a fim de encontrar uma mulher. Em tempo, encontrou uma mulher e eles se casaram. Assim, ambos subiram na mula e começaram a viagem de volta ao sítio. Depois de um tempo, a mula empacou e se recusou a andar. O camponês desceu, encontrou um pau grande e bateu na mula até ela recomeçar a andar.
>
> "Primeira!", o camponês disse, com seu sotaque caipira.
>
> Alguns quilômetros mais adiante, novamente toda a cena se repetiu. Depois de bater, quando a mula se mexeu de novo, o camponês disse: "Segunda!"
>
> Alguns quilômetros mais, a mula empacou pela terceira vez. O camponês desceu, desceu também a mulher, tirou uma pistola e atirou no olho da mula, matando-a instantaneamente.
>
> "Que coisa horrível!", a mulher gritou. "Esse animal tinha valor e, só porque ele o aborreceu, você o matou! Isso foi estúpido, foi criminoso..." e ela continuou com isso por um tempo. Quando ela parou para respirar, o camponês disse: "Primeira!"

E diz-se que, depois disso, eles viveram para sempre um casamento feliz!

Essa é uma maneira de resolver as coisas e é como era feito no passado. No futuro, tentarão o inverso — o marido precisará seguir a mulher. Mas dá no mesmo.

O relacionamento é um *koan*. E a menos que você resolva algo mais fundamental sobre você, não poderá resolvê-lo. O problema do amor pode ser resolvido somente quando o problema da meditação for resolvido, e não antes. Porque se trata realmente de duas pessoas não meditativas que estão criando o problema. Duas pessoas em confusão, que não sabem quem elas são — naturalmente elas multiplicam a confusão um do outro, elas a ampliam.

A menos que a meditação seja possível, o amor continuará sendo uma infelicidade. Depois que a pessoa aprender a viver sozinha, como desfrutar sua existência, pura e simplesmente, por absolutamente nenhuma razão, então existe a possibilidade de resolver o segundo e mais complicado problema de duas pessoas juntas.

Somente dois praticantes de meditação podem viver em amor — e, nesse caso, o amor não será um *koan*, embora também não será um relacionamento, no sentido em que você o entende. Ele será simplesmente um estado de amor, e não um estado de relacionamento.

É assim que eu entendo o problema do relacionamento. Mas eu encorajo as pessoas a entrar nesses problemas, pois esses problemas as deixarão conscientes do problema fundamental: você, no fundo do seu ser, é um enigma. E o outro é simplesmente um espelho. É difícil conhecer diretamente seus problemas e é muito fácil conhecê-los num relacionamento. O relacionamento lhe dá um espelho; você pode ver seu rosto no espelho e o outro pode ver o rosto dele no seu espelho. E ambos ficam com raiva, porque ambos vêem rostos feios. E naturalmente, ambos gritam um contra o outro, porque a lógica natural deles é: "É *você*, esse espelho, que está me fazendo parecer tão feio. Fora isso, sou uma bela pessoa."

Esse é o problema que os casais ficam tentando resolver, e não podem resolver. O que eles estão continuamente dizendo é: "Sou uma pessoa tão bela, mas você faz com que eu me pareça feia."

Ninguém está fazendo você parecer feio — você *é* feio. Desculpe-me, mas é assim que é. Fique grato, fique agradecido, porque o outro o ajuda a ver o seu rosto. Não fique com raiva e entre mais fundo em si mesmo, mais fundo na meditação.

Mas o que acontece é que, quando uma pessoa se apaixona, ela se esquece de tudo sobre meditação. Eu fico olhando à minha volta e, sempre que percebo algumas pessoas faltando, sei o que aconteceu a elas. O amor aconteceu a elas. Agora não acham mais importante estarem aqui. Elas virão somente quando o amor criar muitos problemas e ficar impossível resolvê-los. Então, elas virão e perguntarão: "Osho, o que fazer?"

Ao amar, não se esqueça da meditação. O amor não vai resolver nada; ele irá apenas lhe mostrar quem você é, onde você está. E é bom que o amor o deixe alerta, alerta de toda a confusão e caos dentro de você. Agora é tempo de meditar! Se o amor e a meditação andarem juntos, você terá ambas as asas, terá um equilíbrio.

E o oposto também acontece. Sempre que uma pessoa começa a entrar fundo na meditação, ela começa a evitar o amor, porque acha que, se entrar no amor, sua meditação será perturbada — isso também está errado. A meditação não será perturbada, ela será auxiliada. Por que ela será auxiliada? Porque o amor ficará lhe mostrando onde ainda existem problemas, onde eles estão. Sem amor, você ficará inconsciente de seus problemas. Mas ficar inconsciente não significa que você os resolveu. Se não houver espelho, isso não significa que você não tem um rosto.

O amor e a meditação deveriam andar de mãos dadas. Essa é uma das mensagens mais essenciais que eu gostaria de passar a você: o amor e a meditação deveriam andar de mãos dadas. Ame e medite, medite e ame e, lentamente, você perceberá uma nova harmonia surgindo em você. Somente essa harmonia o deixará satisfeito.

PERGUNTAS

• ***Como posso saber se uma mulher se apaixonou realmente e não está fazendo joguinhos?***

Isso é difícil! Ninguém jamais foi capaz de saber isso, porque, na verdade, o amor *é* um jogo. Essa é a realidade dele! Assim, se você está esperando, observando, pensando e analisando se essa mulher que o está amando está apenas fazendo um jogo ou está amando realmente, você jamais será capaz de amar mulher nenhuma, porque o amor é um jogo, o jogo supremo.

Não há necessidade de pedir que ele seja verdadeiro. Jogue o jogo, essa é a realidade dele. E se você for um buscador muito ávido da realidade, então o amor não é para você. Ele é um sonho, uma fantasia, uma ficção, é romance, é poesia. Se você for um buscador muito ávido da realidade, se estiver obcecado por ela, então o amor não é para você. Então, medite.

E sei que o autor da pergunta não é desse tipo — nenhuma meditação é possível para ele, pelo menos nesta vida! Ele tem muitos carmas a serem cumpridos com mulheres. Assim, ele pensa continuamente em meditação e fica o tempo todo trocando de mulher. E as mulheres que ficam com ele também vêm a mim e perguntam: "Ele está realmente me amando? O que fazer?" E aqui ele vem com uma pergunta!

Mas, de vez em quando, esse problema surge para todos, porque não há como julgar. Somos tão estranhos — *somos* estranhos e nosso encontro é apenas acidental. Andando na rua, de repente nos encontramos, sem sabermos quem somos, sem sabermos quem é o outro. Dois estranhos se encontrando na rua, sentindo-se sozinhos, segurando a mão um do outro e achando que estão amando.

Eles estão precisando um do outro, certamente, mas como estar seguro de que existe amor?

Eu estava lendo uma boa piada; escute com cuidado:

Uma mulher chegou tarde da noite numa pequena cidade e descobriu que não havia nenhum quarto disponível no hotel. "Sinto muito", disse o funcionário, "mas o último quarto que tínhamos foi pego por um italiano."

"Qual o número do quarto?", perguntou a mulher em desespero. "Talvez eu consiga arranjar alguma coisa com ele."

O funcionário disse o número do quarto e a mulher foi até lá e bateu na porta. O italiano a deixou entrar.

"Olhe, moço", ela disse, "eu não o conheço e você não me conhece, mas preciso desesperadamente de algum lugar para dormir. Prometo que não o incomodarei, se você me deixar usar esse sofazinho."

O italiano pensou por um minuto e disse: "Tudo bem." A mulher se encolheu no sofá e o italiano voltou para a cama. Mas o sofá era muito desconfortável e depois de alguns minutos a mulher foi na ponta dos pés até a cama e bateu de leve no braço do italiano. "Olhe, moço", ela disse, "eu não o conheço e você não me conhece, mas é impossível dormir naquele sofá. Eu poderia dormir aqui, na beirada da cama?"

"Tudo bem", disse o italiano, "fique na beirada da cama."

A mulher se deitou na cama, mas, depois de alguns minutos, sentiu muito frio. De novo, ela tocou de leve no italiano.

"Olhe, moço", ela disse, "eu não o conheço e você não me conhece, mas está muito frio aqui. Posso ficar sob as cobertas com você?"

"Tudo bem", respondeu o italiano, "entre embaixo das cobertas."

A mulher se acomodou, mas a proximidade de um corpo masculino mexeu com ela e ela começou a se sentir um pouco excitada. De novo, ela bateu de leve no italiano.

"Olhe, moço", ela disse, "eu não o conheço e você não me conhece, mas que tal fazermos uma 'festinha'?"

Irritado, o italiano saltou da cama. "Olhe, senhorita", ele gritou, "eu não a conheço e você não me conhece. No meio da noite, a quem iremos convidar para uma festa?"

Mas é assim que acontece: "Você não me conhece, eu não o conheço..." É apenas acidental. As necessidades existem, as pessoas se sentem solitárias, precisam de alguém para preencher suas solidões. E chamam isso de amor. Elas demonstram amor, pois essa é a única maneira de fisgar o outro. O outro também chama isso de amor, pois essa é a única maneira de fisgá-lo. Mas quem sabe se existe ou não amor? Na verdade, o amor é apenas um jogo.

Sim, existe uma possibilidade para o amor verdadeiro, mas isso acontece somente quando você não precisa de ninguém — essa é a dificuldade. Os bancos funcionam da mesma maneira. Se você vai a um banco e precisa de dinheiro, eles não lhe darão. Se você não precisa de dinheiro, você tem o suficiente, eles vêm a você e estão sempre dispostos a lhe emprestar. Quando você não precisa, eles estão dispostos a lhe emprestar; quando você precisa, eles não estão dispostos a lhe emprestar.

Quando você absolutamente não precisa de alguém, quando está totalmente suficiente com você mesmo, quando pode ficar só e ficar imensamente feliz e extasiado, então o amor é possível. Mas então, também, você não pode estar certo se o amor do *outro* é verdadeiro ou não. Você pode ficar certo somente de uma coisa: se o seu amor é verdadeiro. Como pode ficar certo sobre o outro? Mas, então, não há necessidade.

Essa contínua ansiedade para saber se o amor do outro é verdadeiro ou não simplesmente mostra uma coisa: o seu amor não é verdadeiro. Senão, quem se importa? Por que se preocupar? Curta-o enquanto ele durar, esteja junto enquanto puder estar! Ele é uma ficção, mas você precisa de ficção.

Nietzsche costumava dizer que o ser humano é tal que não pode viver sem mentiras. Ele não pode viver com a verdade; a verdade seria demais para suportar.

Você precisa de mentiras; as mentiras, de uma maneira sutil, lubrificam o seu sistema. Elas são lubrificantes. Você vê uma mulher e lhe diz: "Que linda! Nunca encontrei uma pessoa tão linda!" Essas são apenas mentiras lubrificantes, e você sabe disso! Você disse a mesma coisa para outras mulheres antes e sabe que vai dizer a mesma coisa para outras mulheres no futuro. E a mulher também diz que você é a única pessoa que a atraiu. Essas são mentiras. Por trás delas, nada existe, senão necessidades. Você deseja que a mulher esteja com você para preencher seu buraco interior; você quer encher esse vazio interior com a presença dela. Ela também deseja isso. Vocês estão tentando usar um ao outro como meios.

Por isso, as pessoas que amam, que pretensamente amam, estão sempre em conflito — porque ninguém quer ser usado, porque quando você usa alguém, ele se torna uma coisa; você o reduziu a uma comodidade. E depois de ter relações sexuais com um homem, toda mulher se sente entristecida, enganada, trapaceada, porque o homem se vira e vai dormir — realmente terminado!

Muitas mulheres me disseram que choram depois que têm relações sexuais, porque, depois disso, o homem se desinteressa. Seu interesse estava somente numa necessidade particular; depois, ele se vira, vai dormir e nem mesmo se importa com o que aconteceu com a mulher. E os homens também se sentem enganados. Logo eles começam a suspeitar de que a mulher os ama por um outro motivo — pelo dinheiro, pelo poder, pela segurança. O interesse pode ser econômico, mas não é amor.

Isso é real, é como pode ser, *somente* assim é que pode ser! Da maneira que você está, vivendo praticamente dormindo, andando em estupor, como um sonâmbulo, essa é a única maneira possível. Mas não se preocupe com isso, se a mulher o ama realmente ou não. Enquanto você estiver dormindo, precisará do amor de alguém — mesmo se for falso, você precisará dele. Desfrute-o, não crie ansiedade e tente ficar mais e mais desperto.

Um dia, quando você estiver realmente desperto, você será capaz de amar. Mas então, você ficará certo somente do *seu* amor. E isso é suficiente! Quem se importa? No momento, você deseja usar os outros; quando estiver se sentindo realmente bem-aventurado com você mesmo, não desejará usar ninguém. Você simplesmente desejará compartilhar. Você tem tanto, está transbordando, e desejará alguém com quem compartilhar. E você se sentirá grato por alguém estar disposto a receber. E é isso o que importa!

No momento, você está preocupado demais, tentando saber se o outro o ama realmente, porque você não está certo sobre seu próprio amor. Essa é uma coisa. E você não está certo sobre seu próprio valor. Você não pode acreditar que alguém possa realmente amá-lo; você nada enxerga em você. Você não pode se amar; como alguém pode amá-lo? Isso parece irreal, impossível.

Você se ama? Você nem mesmo fez a pergunta. As pessoas odeiam e condenam a si mesmas — e insistem em se condenar, insistem em pensar que são imprestáveis. Como o outro pode amar você? Alguém tão imprestável? Não, ninguém pode amá-lo realmente — o outro deve estar fazendo-o de bobo, trapaceando, deve haver alguma outra razão. Ele deve estar atrás de alguma outra coisa.

Você conhece sua podridão, sua falta de valor — o amor parece estar fora de cogitação. E, quando alguma mulher vem e diz que o adora, você não pode confiar. Quando você procura uma mulher e lhe diz que a adora, e ela se odeia, como ela poderá acreditar em você? É o ódio por si mesmo que está criando a ansiedade.

Não há como ter certeza sobre o outro. Primeiro, esteja certo sobre você mesmo. E uma pessoa que está certa sobre si mesma está certa sobre todo o mundo. Uma certeza alcançada no seu âmago mais profundo se torna uma certeza sobre tudo o que você faz e sobre tudo o que acontece com você. Assentado, centrado, enraizado em você mesmo, você nunca se preocupa com tais coisas. Você aceita.

Se alguém o ama, você aceita isso, porque você se ama. Você está feliz com você mesmo; alguém mais está feliz — que bom! Isso não sobe à cabeça, não o torna um louco egocêntrico. Você simplesmente gosta de si mesmo; alguém mais também o acha agradável — que bom! Enquanto durar, viva a ficção tão belamente quanto possível — ela não durará para sempre.

Isso também cria um problema. Quando um amor acaba, você começa a pensar que ele era falso e que por isso chegou ao fim. Não, não necessariamente. Ele podia ter algum lampejo de verdade, mas ambos foram incapazes de manter e segurar essa verdade. Você o matou. Ele estava presente e você o matou. Você não foi capaz de amar. Você precisava de amor, mas não foi capaz de amar. Então, você encontra uma mulher ou um homem; as coisas correm muito bem, de modo suave e muito belo — no começo. No momento em que vocês se estabilizam, as coisas começam a ficar penosas e amargas. Quanto mais vocês se estabilizam, mais conflitos surgem. Isso mata o amor.

Na minha maneira de ver, no começo todo amor tem um raio de luz, mas aqueles que amam o aniquilam. Eles saltam sobre esse raio de luz com toda a sua escuridão interior. Eles saltam sobre ele e o aniquilam. Quando ele é destruído, eles acham que ele era falso. Eles o mataram! Ele não era falso — eles eram falsos. O raio era real, era verdadeiro.

Não se preocupe com o outro, não se preocupe se o amor é verdadeiro ou não. Enquanto ele estiver presente, desfrute-o. Mesmo se ele for um sonho, é bom sonhar com ele. E fique mais e mais alerta e consciente, de tal modo que o sono termine.

Quando você estiver consciente, um tipo totalmente diferente de amor surgirá em seu coração, o qual é absolutamente verdadeiro, o qual é parte da eternidade. Isso não é uma necessidade, mas um luxo.

• ***Se o ciúme, a possessividade, o apego, as necessidades, as expectativas, os desejos e as ilusões acabarem, sobrará algo do meu amor? Toda a minha poesia e paixão foram uma mentira? As minhas dores de amor têm mais a ver com dor do que com amor? Eu um dia aprenderei a amar?***

O amor não pode ser aprendido, não pode ser cultivado. O amor cultivado não será absolutamente um amor. Ele não será uma rosa de verdade, mas uma flor de plástico. Quando você aprende algo, isso significa que algo vem de fora; não se trata de um crescimento interior. E o amor precisa ser um crescimento interior, se for para ser autêntico e verdadeiro.

O amor não é uma aprendizagem, mas um crescimento. Tudo o que é preciso de sua parte não é aprender os caminhos do amor, mas desaprender os caminhos do desamor. Os impedimentos precisam ser removidos, os obstáculos precisam ser destruídos, e o amor será seu ser natural e espontâneo. Uma vez removidos os obstáculos, as pedras jogadas fora, o fluxo começa. Ele já está presente, oculto atrás de muitas pedras. A primavera já está presente, ela é seu próprio ser.

O amor é uma dádiva, mas não algo que irá acontecer no futuro; ele é uma dádiva que já aconteceu com o seu nascimento. *Ser* é ser amor. Ser capaz de respirar é suficiente para ser capaz de amar. O amor é como o respirar. O que a respiração é para o corpo físico, o amor é para o ser espiritual. Sem respirar, o corpo morre; sem amar, a alma morre.

Assim, o primeiro ponto a ser lembrado: o amor não é algo que você possa aprender. E, se você aprender, perderá o espírito da coisa; você aprenderá uma outra coisa em nome do amor. Ele será uma pretensão, será falso. E a moeda falsa pode parecer com a verdadeira; se você não conhecer a verdadeira, a falsa poderá enganá-lo. Somente ao conhecer a verdadeira, você será capaz de perceber a distinção entre a falsa e a verdadeira.

E estes são os obstáculos: ciúmes, possessividades, apegos, expectativas, desejos... E seu temor está correto: "Se tudo isso desaparecer, sobrará algo do meu amor?" Nada sobrará do seu amor. O *amor* sobrará... mas o amor nada tem a ver com o "eu" e com o "você". Na verdade, quando toda a possessividade, todo o ciúme, toda a expectativa desaparecer, o amor não desaparecerá — *você* desaparecerá, o ego desaparecerá. Essas são as sombras do ego.

Não é o amor que é ciumento. Observe, perceba, verifique de novo. Quando você sente ciúme, não é o amor que sente ciúme; o amor nunca conheceu o ciúme. Da mesma maneira que o sol nunca conheceu a escuridão, o amor nunca conheceu o ciúme. É o ego que se sente ferido, que se sente competitivo, numa constante batalha. É o ego que é ambicioso e que deseja ser superior aos outros, ser alguém especial. É o ego que começa a sentir ciúme, possessividade, porque o ego pode existir somente com posses.

Quanto mais você possui, mais o ego se fortalece; sem posses, o ego não pode existir. Ele se apóia nas posses, ele depende das posses. Assim, se você tiver mais dinheiro, mais poder, mais prestígio, uma bela mulher, um belo homem, belos filhos, o ego se sente imensamente nutrido. Quando as posses desaparecem, quando você não possui absolutamente nada, você não encontrará o ego ali dentro. Não existe alguém que possa dizer "eu".

E, se você acha que é *esse* o seu amor, certamente seu amor também desaparecerá. Seu amor não é realmente amor. Ele é ciúme, possessividade, ódio, raiva, violência; ele é mil e uma coisas, exceto amor. Ele se mascara como amor — pelo fato de todas essas coisas serem tão feias, elas não podem existir sem uma máscara.

Uma antiga parábola:

O mundo foi criado e Deus, todos os dias, enviava novas coisas ao mundo. Um dia ele enviou a Beleza e a Feiúra ao mundo. Do paraíso à terra é uma longa jornada e, no momento em que elas chegaram, era de manhãzinha e o sol estava nascendo. Elas desceram perto de um lago e ambas decidiram tomar um banho, porque seus corpos e roupas estavam muito empoeirados.

Sem conhecerem os caminhos do mundo — elas eram tão novas —, despiram-se completamente e pularam na água fria do lago. O sol estava se erguendo e as pessoas começaram a chegar. A Feiúra pregou uma peça: quando a Beleza nadava distante no lago, a Feiúra foi até a margem, vestiu as roupas da Beleza e fugiu. Quando a Beleza se deu conta de que as pessoas estavam chegando e de que estava nua, ela olhou à volta... suas roupas se foram! A Feiúra se fora e a Beleza estava em pé, nua ao sol, e a multidão estava se aproximando. Não encontrando outra maneira, ela colocou as roupas da Feiúra e foi procurá-la, para que as roupas pudessem ser trocadas.

A história diz que ela ainda está procurando... mas a Feiúra é esperta e continua a escapar. A Feiúra ainda está com as roupas da Beleza, mascarada como Beleza, e a Beleza está andando nas roupas da Feiúra.

Essa é uma parábola imensamente bela.

Todas essas coisas são tão feias que, se você perceber sua realidade, não tolerará ficar com elas, mesmo por um único momento. Então, elas não permitem que você perceba a realidade. O ciúme finge ser amor, a possessividade cria uma máscara de amor... e assim você fica à vontade.

Você não está ludibriando ninguém, exceto você mesmo. Essas coisas não são amor. Dessa maneira, o que você conhece como amor, o que até agora conhece como amor, desaparecerá. Ele nada tem de poesia. Sim, a paixão existe, mas a paixão é um estado febril, um estado inconsciente. A paixão não é poesia. A poesia é conhecida somente pelos budas, a poesia da vida, a poesia da existência.

Excitação e agitação não são êxtases. Eles se parecem, esse é o problema. Na vida, muitas coisas se parecem e as distinções são muito delicadas, tênues e sutis. A excitação pode parecer êxtase — ela não é, porque o êxtase é basicamente sereno. A paixão é quente. O amor é sereno, não frio, mas sereno. O ódio é frio. A paixão e a sensualidade são quentes. O amor está exatamente no meio. Ele é sereno, nem frio nem quente. Ele é um estado de imensa tranqüilidade, calma, serenidade, silêncio. E a partir desse silêncio surge a poesia, a partir desse silêncio surge a canção, a partir desse silêncio surge uma dança de seu ser.

O que você chama de poesia e paixão nada mais são do que mentiras, com belas fachadas. De cem poetas, noventa e nove não são realmente poetas; eles estão num estado de tumulto, emoção, paixão, calor, luxúria, sexualidade, sensualidade. Somente um, entre seus cem poetas, é um poeta de verdade.

E o poeta de verdade pode nunca escrever uma poesia, pois todo o seu ser é poesia. A maneira que ele caminha, a maneira que ele se senta, a maneira que ele come, a maneira que ele dorme — tudo é poesia. Ele existe como poesia. Ele pode criar poesia, pode não criar poesia; isso é irrelevante.

Mas o que você chama de poesia nada mais é do que a expressão de sua agitação, de seu aquecido estado de consciência. Esse é um estado de insanidade. A paixão é insana, cega, inconsciente, e é uma mentira, pois lhe dá a impressão de ser amor.

O amor só é possível quando a meditação aconteceu. Se você não souber como ficar centrado em seu ser, se não souber como descansar e relaxar em seu ser, se não souber como ficar completamente só e bem-aventurado, nunca saberá o que é o amor.

O amor aparece como uma relação, mas começa em profunda solitude. O amor se expressa como o relacionar-se, mas a fonte do amor não está no relacionar-se; a fonte do amor está na meditação. Quando você está absolutamente feliz em sua solitude, quando não precisa absolutamente do outro, quando o outro não é uma necessidade, então você é capaz de amar. Se o outro for a sua necessidade, você pode apenas explorar, manipular, dominar, mas não pode amar.

Por você depender do outro, surge a possessividade — a partir do medo. "Quem sabe? O outro está comigo hoje; amanhã poderá não estar. Quem sabe sobre o momento seguinte?" Sua mulher poderá abandoná-lo, seus filhos poderão crescer e ir embora, seu marido poderá deixá-la. Quem sabe sobre o momento seguinte? A partir desse medo do futuro, você fica muito possessivo. Você cria um cativeiro à volta da pessoa que você acha que ama.

Mas o amor não pode criar uma prisão — se o amor criasse uma prisão, nada restaria para o ódio fazer. O amor traz liberdade, o amor dá liberdade. Ele não é possessivo. Mas isso é possível somente se você conhecer uma qualidade totalmente diferente de amor, não de necessidade, mas de compartilhar.

O amor é o compartilhar da alegria transbordante. Você está repleto de alegria e não pode contê-la, precisa compartilhá-la. Então, existe poesia e algo imensamente belo que não é deste mundo, que vem do além. Esse amor não pode ser aprendido, mas obstáculos podem ser removidos.

Muitas vezes eu digo para aprender a arte do amor, mas o que realmente quero dizer é: aprenda a arte de remover tudo o que atrapalha o amor. Esse é um processo negativo. É como cavar um poço: você remove muitas camadas de terra, pedras, rochas e, de repente, surge a água. A água sempre esteve ali, ela era uma subcorrente. Agora você removeu todas as barreiras e a água está disponível. Assim é o amor: ele é a subcorrente de seu ser. Ele já está fluindo, mas existem muitas rochas, muitas camadas de terra a serem removidas.

É isso o que pretendo dizer quando falo para aprender a arte do amor. Não é realmente aprender a amar, mas desaprender os caminhos do desamor.

• ***Qual é a diferença entre gostar e amar? E também, qual é a diferença entre o amor comum e o amor espiritual?***

Existe uma grande diferença entre gostar e amar. Gostar não tem compromisso, e amar é compromisso. Por isso, as pessoas não falam muito do amor. Na verdade, as pessoas começam a falar sobre o amor em contextos nos quais nenhum compromisso é necessário. Por exemplo, alguém diz: "Eu amo sorvete." Ora, como você pode amar sorvete? Você pode gostar, não amar. E a pessoa diz: "Amo meu cachorro, amo meu carro, amo isso e aquilo."

Na verdade, as pessoas têm muito medo de dizer a alguém: "Eu amo você."

Ouvi dizer: um homem estava saindo com uma moça havia meses. E, é claro, a moça estava esperando e esperando — eles até faziam amor, mas o homem não lhe dizia: "Eu amo você."

Perceba a diferença: antigamente, as pessoas costumavam "cair de amor", e agora, elas "fazem amor". Você percebe a diferença? Cair de amor é ser tomado pelo amor; é passivo. Fazer amor chega a ser profano, chega a destruir sua beleza. É ativo, como se você estivesse *fazendo* algo; você está manipulando e controlando. Agora as pessoas mudaram a linguagem: em vez de falar "cair de amor", falam "fazer amor".

E o homem fazia amor com a mulher, mas nunca disse: "Eu amo você." E a mulher ficava esperando...

Um dia ele telefonou para ela e disse: "Tenho pensado em lhe dizer... Parece que agora já é hora, preciso dizer, não posso me conter mais." E a mulher ficou emocionada e se tornou toda ouvidos, pois esperava por isso. Ela disse: "Diga! Diga!" E o homem disse: "Preciso dizer, agora não posso me conter mais: realmente gosto muito de você."

As pessoas estão dizendo umas às outras: "Gosto de você." Por que elas não dizem: "Eu amo você"? Porque o amor é compromisso, envolvimento, risco, responsabilidade. Gostar é apenas momentâneo: posso gostar de você e, amanhã, posso não gostar; não existe risco nisso. Quando você diz a alguém, "Eu amo você", você corre um risco. Você está dizendo: "Amo você, permanecerei amando você, amarei você amanhã também. Pode confiar em mim, essa é uma promessa."

O amor é uma promessa, e o gostar nada tem a ver com qualquer promessa. Quando você diz a um homem, "Gosto de você", você diz algo sobre *você*, e não sobre o homem. Você diz: "É assim que eu sou, gosto de você. Também gosto de sorvete, também gosto do meu carro. Da mesma maneira, gosto de você." Você está dizendo algo sobre você.

Quando você diz a alguém, "Eu amo você", está dizendo algo sobre a pessoa, e não sobre você. Você está dizendo: "Você é amável." A flecha está apontando para a outra pessoa. E então, existe perigo — você está fazendo uma promessa. O amor tem a qualidade da promessa, do compromisso, do envolvimento. E o amor tem algo da eternidade. O gostar é momentâneo, não arriscado, não responsável.

Você me pergunta: *Qual é a diferença entre gostar e amar? E também, qual é a diferença entre o amor comum e o amor espiritual?*

O gostar e o amar são diferentes, mas não existe diferença entre o amor comum e o espiritual. O amor *é* espiritual. Nunca me deparei com um amor comum. O comum é o gostar. O amor nunca é comum, não pode ser; ele é intrinsecamente extraordinário. Ele não é deste mundo.

Quando você diz a uma mulher ou a um homem, "Eu amo você", está simplesmente dizendo: "Não posso ser enganado pelo seu corpo; eu estou vendo você. Seu corpo pode envelhecer, mas eu estou vendo você, o você incorpóreo. Eu vejo sua essência mais profunda, a essência que é divina." O gostar é superficial; o amor penetra e vai até a própria essência da pessoa, toca a própria alma da pessoa.

Nenhum amor é comum, não pode ser comum; do contrário, não seria amor. Chamar o amor de comum é entender mal todo o fenômeno do amor. O amor nunca é comum; ele é sempre extraordinário, sempre espiritual. Essa é a diferença entre o gostar e o amar; o gostar é material, o amar é espiritual.

• ***Você me confundiu quando falou sobre as diferenças entre amar e gostar. Você disse que o amor é compromissado, mas eu pensava que compromisso era um outro tipo de apego. Existem muitas pessoas que eu amo, mas não me sinto compromissado. Como posso saber se as amarei amanhã?***

A pergunta é significativa. Você precisará ser muito, muito perceptivo, porque ela também é sutil e complexa.

Quando digo que o amor é compromisso, o que pretendo dizer com isso? Não quero dizer que você precisa prometer pelo amanhã, mas a promessa está presente. Você não precisa prometer, mas a promessa está presente. Essa é a complexidade e a sutileza. Você não diz: "Amarei você amanhã também." Mas no momento do amor, esta promessa está presente, completamente presente. Ela não precisa de expressão.

Quando você ama alguém, não pode imaginar o contrário, não pode pensar que não amará essa pessoa um dia; isso é impossível, isso não faz parte do amor. E não estou dizendo que você não será capaz de sair desse caso de amor. Pode ser que sim, pode ser que não; esse não é o ponto. Mas, quando você está no momento do amor, quando a energia está fluindo entre duas pessoas, existe uma ponte, uma ponte de ouro, e elas estão unidas através dela. Isso simplesmente não acontece: a mente não pode conceber e compreender que haverá um tempo em que você não estará com essa pessoa e essa pessoa não estará com você. Isso é compromisso. Não que você diga isso, não que você vá a um cartório e faça uma declaração formal: "Permanecerei para sempre com você." Na verdade, fazer essa declaração formal simplesmente mostra que não existe amor; você precisa de um acordo legal. Se o compromisso estiver presente, não há necessidade de nenhum acordo legal.

O casamento é necessário porque está faltando amor. Se o amor estiver profundamente presente, o casamento não será necessário. Qual é o sentido do casamento? É como colocar pernas numa cobra ou pintar uma rosa vermelha de vermelho. Não é necessário. Por que ir ao cartório? Deve haver algum medo dentro de você, de que o amor não seja total.

Mesmo quando sente um profundo amor, você está pensando na possibilidade de que amanhã abandonará essa mulher. A mulher está pensando: "Quem sabe? Amanhã esse homem pode me abandonar. É melhor ir a um cartório. Primeiro, deixe que fique legalizado, então poderemos ter certeza." O que isso demonstra? Simplesmente demonstra que o amor não é total, pois o amor total tem essa qualidade do compromisso espontâneo. O compromisso não precisa ser feito, ele é sua qualidade intrínseca.

E, quando você está amando, ele vem naturalmente a você, sem você planejar. Essa sensação vem naturalmente e, algumas vezes, também em palavras: "Amarei você para sempre." Essa é a profundidade *deste* momento. Ela nada diz sobre o amanhã, lembre-se. Não é uma promessa, apenas que a profundidade e a totalidade do amor são tais que automaticamente você diz: "Amarei você para todo o sempre. Mesmo a morte não será capaz de nos separar." Esse é o sentimento do amor total.

E deixe-me repetir novamente: isso não quer dizer que amanhã vocês estarão juntos. Quem sabe? Esse não é o ponto. O amanhã tomará conta de si mesmo. O amanhã nunca entra na mente que está amando, ele não é concebido; o futuro desaparece e este momento se torna a eternidade. Isso é compromisso.

E amanhã... é possível que vocês não estejam juntos, mas vocês não estarão traindo, não estarão enganando, não estarão trapaceando. Você ficará triste com isso, se lamentará, mas vocês precisam se separar. E não estou dizendo que isso precise acontecer — pode não acontecer. Depende de mil e uma coisas.

A vida não depende somente de seu amor. Se fosse para depender somente de seu amor, você viveria para sempre. Mas a vida depende de mil e uma coisas. O amor tem a impressão de que "Viveremos juntos para sempre", mas ele não é o todo da vida. Quando ele está presente, ele é muito intenso, a pessoa fica inebriada. Mas então, há mil e uma coisas, algumas vezes coisas pequenas.

Você pode se apaixonar por um homem e naquele momento estar disposta a ir até o inferno com ele, e você pode dizer isso e não estará mentindo. Você está sendo completamente verdadeira e honesta, e diz: "Se tiver que ir ao inferno com você, eu irei!" E novamente digo, você está sendo verdadeira, não está dizendo algo falso.

Mas amanhã, ao viver com aquele homem, pequenas coisas... um banheiro sujo pode perturbar seu caso de amor. O inferno é muito longe, não há necessidade de ir tão longe — um banheiro sujo! Ou apenas um pequeno hábito: o homem ronca à noite e a deixa maluca. E você estava disposta a ir ao inferno, e aquilo era verdadeiro, era autêntico naquele momento. Não era falso e você não tinha outra idéia, mas o homem ronca à noite, ou seu suor cheira como o inferno, ou ele tem mau hálito e, quando o beija, você se sente sob tortura.

Apenas coisas pequenas, coisas muito pequenas; quando se ama, nunca se pensa nelas. Quem se importa com o banheiro e quem pensa em ronco? Mas, quando você vive com uma pessoa, mil e uma coisas estão envolvidas e qualquer coisinha pode se tornar uma rocha e destruir a flor do amor.

Assim, não estou dizendo que o compromisso tenha alguma promessa em si. Estou simplesmente dizendo que o *momento do amor* é um momento de compromisso. Você está completamente nele, ele é muito decisivo. E naturalmente, a partir deste momento, virá o próximo, então existe toda a possibilidade de que vocês possam estar juntos. A partir de hoje, o amanhã nascerá. Ele não virá do nada, ele crescerá a partir do hoje. Se o hoje foi de grande amor, o amanhã também carregará o mesmo amor. Ele será uma continuidade. Dessa maneira, existe toda a possibilidade de que você possa amar, mas é sempre um talvez. E o amor entende isso.

E, se um dia você deixar sua mulher ou se ela o deixar, você não começará a gritar: "O que você está querendo dizer? Um dia você me disse que viveria para sempre comigo. E agora? Por que você está indo embora?" Se você amou, se conheceu o amor, você entenderá. O amor tem essa qualidade de compromisso.

O amor é um mistério. Quando ele está presente, tudo parece celestial. Quando ele se vai, tudo parece simplesmente trivial, sem sentido. Você não podia viver sem essa mulher e agora não pode viver com ela. E ambos os estados são autênticos.

Você pergunta: *"Você me confundiu quando falou sobre as diferenças entre amar e gostar. Você disse que o amor é compromissado, mas eu pensava que compromisso era um outro tipo de apego."*

Meu sentido de compromisso é diferente do seu sentido de compromisso. Seu sentido é legal, e o meu não é. Eu estava simplesmente lhe descrevendo a qualidade do amor, o que acontece quando você está imerso nele: o compromisso acontece. O compromisso não cria o amor, o amor o cria. O amor vem primeiro, o compromisso o segue. Se um dia o amor desaparecer, esse compromisso também desaparecerá; ele era a sombra.

Quando o amor se vai, não fale de compromisso; você estaria sendo tolo. Ele era uma sombra do amor, ele sempre vem com o amor. E, se o amor não estiver mais presente, ele se vai, desaparece. Você não fica repisando aquele compromisso: "E o compromisso?" Não existe mais compromisso se o amor não estiver presente. Amor é compromisso! Terminado o amor, todo compromisso está terminado. Esse é o meu sentido.

E eu entendo o seu sentido. Seu sentido é: quando o amor se vai, e o compromisso? Esse é o seu sentido. Você deseja que o compromisso continue quando o amor se vai e não está mais presente. Seu sentido de compromisso é legal.

Lembre-se sempre: ao me escutar, tente compreender o significado que eu dou à palavra. É difícil, mas você precisa tentar. Nesse próprio tentar, você sairá de seus significados. Muito lentamente, uma janela se abrirá e você será capaz de perceber o que eu pretendo dizer. Do contrário, haverá confusão: eu digo algo, você escuta outra coisa.

• ***Mesmo se, algumas vezes, sentimentos como o amor surgem em meu coração, imediatamente, no momento seguinte, começo a sentir que não é amor, que não é amor coisa nenhuma, mas minha ânsia oculta por sexo e todas essas coisas.***

O que há de errado nisso? O amor precisa surgir a partir da sensualidade. Se você evitar a sensualidade, estará evitando toda a possibilidade do próprio amor. Amor não é sensualidade, é verdade, mas o amor não existe sem a sensualidade, e isso também é verdade. Sim, o amor é mais elevado do que a sensualidade, mas, se você destruir completamente a sensualidade, destruirá a própria possibilidade de a flor surgir a partir da lama. O amor é o lótus, a sensualidade é a lama da qual surge o lótus.

Lembre-se disso, do contrário, nunca atingirá o amor. No máximo, você pode fingir que transcendeu a sensualidade. Porque sem amor, ninguém pode transcender a sensualidade; pode-se apenas reprimi-la. Reprimida, ela se torna mais venenosa, ela se espalha por todo o seu organismo; torna-se tóxica, o aniquila. A sensualidade transformada em amor lhe dá um brilho, uma radiação. Você começa a se sentir leve, como se pudesse voar. Você começa a ganhar asas. Com a sensualidade reprimida, você fica pesado, como se estivesse carregando um peso, como se uma grande pedra estivesse pendurada em seu pescoço. Com a sensualidade reprimida, você perde todas as oportunidades de voar no céu. Com a sensualidade transformada em amor, você passou no teste da existência.

Deram-lhe uma matéria-prima para trabalhar, para ser criativo. A sensualidade é uma matéria-prima.

Ouvi dizer...

Berkowitz e Michaelson, que não eram apenas sócios, mas amigos desde a infância, fizeram um pacto: quem morresse primeiro deveria voltar e dizer ao outro como é o paraíso.

Seis meses mais tarde, Berkowitz morreu. Ele era uma pessoa muito moralista, quase um santo, um puritano que nunca fazia nada errado, que sempre teve medo da sensualidade e do sexo. E Michaelson esperou que seu santo amigo mostrasse algum sinal de que tivesse voltado à terra, e impacientemente esperava uma mensagem de Berkowitz.

Então, um ano após a sua morte, Berkowitz falou a Michaelson. Era tarde da noite e Michaelson estava na cama.

"Michaelson, Michaelson", ecoou a voz.

"É você, Berkowitz?"

"Sim."

"Como é onde você está?"

"Tomamos café da manhã e então fazemos sexo; depois almoçamos e fazemos sexo; jantamos e depois fazemos sexo."

"O paraíso é assim?", perguntou Michaelson.

"Quem falou de paraíso?", disse Berkowitz. "Estou na zona rural e sou um touro."

Lembre-se, isso acontece com pessoas que reprimem o sexo. Nada mais pode acontecer, porque toda essa energia reprimida se torna um fardo e o puxa para baixo. Você passa para estágios inferiores de ser.

Se o amor surgir a partir da sensualidade, você começará a se elevar em direção ao ser superior. Lembre-se: depende de você o que você quer se tornar, um buda ou um touro. Se você quiser se tornar um buda, não tenha medo do sexo. Mergulhe nele, conheça-o bem, fique mais e mais alerta a seu respeito. Seja cuidadoso; ele é uma energia imensamente valiosa. Torne-o uma meditação e, aos poucos, o transforme em amor. Ele é uma matéria-prima, como um diamante bruto: você precisa cortá-lo, poli-lo, e ele adquire um tremendo valor. Se alguém lhe der um diamante não polido, bruto, sem cortar, você pode nem reconhecer que aquilo é um diamante. Mesmo o Kohinoor, um dos maiores diamantes do mundo, em seu estado bruto, não tem valor.

A sensualidade é um Kohinoor; ela precisa ser polida, precisa ser entendida.

O autor da pergunta parece estar com medo e ser antagônico: "É minha ânsia por sexo e todas essas coisas." Existe uma condenação aí. Nada está errado, o ser humano é um animal sexual. É assim que somos. Essa é a maneira que a vida quis que fôssemos. É assim que nos encontramos aqui. Entre nisso. Sem entrar, você jamais será capaz de transformá-lo. Não estou falando em favor de uma mera libertinagem. Estou dizendo para entrar nele com uma profunda energia meditativa, a fim de compreender o que ele é. Ele deve ser algo imensamente valioso, porque você veio por meio dele, porque toda a existência o desfruta, porque toda a existência é sexual.

O sexo é o caminho que Deus escolheu para estar no mundo, a despeito do que os cristãos dizem sobre Jesus ter nascido de uma virgem — tudo bobagem. Eles fingem que o sexo não estava relacionado com nascimento de Jesus. Eles têm tanto medo do sexo que criam histórias tolas como essa, que Jesus nasceu de uma virgem, Maria. Maria deve ter sido muito pura, isso é verdade; ela deve ter sido espiritualmente virgem, isso é verdade, mas não há como entrar na vida sem passar pela energia que é o sexo. O corpo não conhece outra lei. E a natureza inclui tudo, ela não acredita em exceções, ela não permite exceções. Você nasce do sexo, está cheio de energia sexual, mas esse não é o fim. Esse pode ser o princípio. O sexo é o princípio, mas não o fim.

Existem três tipos de pessoas. Uma acha que o sexo também é o fim. Elas são as pessoas que vivem uma vida de libertinagem. Elas perdem, porque o sexo é o começo, mas não o fim. E existem as pessoas contrárias à libertinagem. Elas tomam o outro extremo, o oposto: não querem nem mesmo que o sexo seja o princípio, e começam a cortá-lo. Ao cortá-lo, elas se cortam; ao exterminá-lo, elas se exterminam, se definham. Ambas as atitudes são tolas.

Existe a terceira possibilidade, a possibilidade do sábio, daquele que olha a vida, que não tem teorias para forçar a vida, que apenas tenta entender. Ele percebe que o sexo é o começo, mas não o fim. O sexo é apenas uma oportunidade de crescer além dele, mas a pessoa precisa passar por ele.

• No Oriente, enfatiza-se que deveríamos ficar com uma só pessoa, uma só pessoa num relacionamento de amor. No Ocidente, agora as pessoas passam de relacionamento em relacionamento. Você é a favor do quê?

Sou a favor do amor.

Deixe-me explicar: seja verdadeiro com o amor e não se importe com os parceiros. Se você tem um parceiro ou muitos parceiros, essa não é a questão. A questão é saber se você é verdadeiro com o amor. Se você vive com uma mulher ou com um homem e não ama a pessoa, você vive em pecado. Se você estiver casado com alguém e não ama esse alguém e ainda continua a viver com essa pessoa, a fazer amor com ela, está cometendo um pecado contra o amor.

Você está decidindo contra o amor e a favor de confortos sociais, conveniências, formalidades. Isso está tão errado como estuprar uma mulher que você não ama. Você a estupra e isso é um crime, porque você não ama a mulher e a mulher não o ama. O mesmo acontece se você vive com uma mulher e não a ama, é um estupro — socialmente aceito, é claro, mas um estupro — e você está indo contra o deus do amor.

Assim, como no Oriente, as pessoas decidiram viver com um só parceiro por toda a vida; não há nada de errado nisso. Se você permanecer verdadeiro com o amor, ficar com uma só pessoa é uma das coisas mais belas, porque a intimidade cresce. Mas existe noventa e nove por cento de chance de que não exista amor; vocês apenas vivem juntos. E, ao viverem juntos, um certo relacionamento se desenvolve, que acontece apenas por viverem juntos, e não é amor. Não o confunda com amor.

Mas, se for possível, se você amar uma pessoa e viver a vida inteira com ela, uma grande intimidade se desenvolverá e o amor terá revelações mais e mais profundas a lhe fazer. Isso não é possível se você mudar de parceiros muito freqüentemente. É como se você mudasse uma árvore de lugar toda hora. Assim ela nunca desenvolverá raízes em lugar nenhum. Para desenvolver raízes, a árvore precisa permanecer num só lugar. Então ela se aprofunda, torna-se mais forte.

A intimidade é boa, permanecer numa só entrega é algo belo, mas a necessidade básica é o amor. Se uma árvore estiver enraizada num lugar onde existem somente pedras que a estão matando, é melhor removê-la e não insistir com a idéia de que ela deveria permanecer num só lugar. Seja verdadeiro com a vida, remova a árvore, porque agora isso está indo contra a vida.

No Ocidente, as pessoas estão mudando — são relacionamentos demais. O amor é aniquilado de ambas as maneiras. No Oriente, ele é aniquilado porque as pessoas estão com medo de mudar. No Ocidente, ele é aniquilado porque as pessoas estão com medo de permanecer com um só parceiro por muito tempo — com medo porque ele se torna um compromisso. Antes que ele se torne um compromisso, mude, para que você continue desimpedido e livre. Dessa maneira, uma certa licenciosidade está se desenvolvendo e, em nome da liberdade, o amor é praticamente esmagado, passando fome até à morte. O amor sofreu das duas maneiras: no Oriente, as pessoas se apegam à segurança, ao conforto, à formalidade; no Ocidente, elas se apegam à liberdade de seus egos, ao não compromisso. Mas o amor está sofrendo de ambas as maneiras.

Sou a favor do amor. Não sou nem oriental nem ocidental e não me importo a qual sociedade você pertence. Não pertenço a sociedade alguma e sou a favor do amor.

Lembre-se sempre: se for uma união de amor, isso é bom. Enquanto o amor durar, permaneça com ele, e permaneça com ele tão profundamente comprometido quanto possível, tão totalmente quanto possível, fique absorto na união. Então, o amor será capaz de transformá-lo. Se não houver amor, é melhor mudar. Mas não se vicie na mudança, não a torne um hábito, não deixe que ela se torne um hábito mecânico que o faça mudar a cada dois ou três anos, como se muda de carro a cada dois ou três anos, ou a cada ano. Surge um novo modelo, então o que fazer? Você precisa mudar seu carro. De repente, você encontra uma nova mulher — não é muito diferente.

Uma mulher é uma mulher, como um homem é um homem. As diferenças são secundárias, porque é uma questão de energia. A energia feminina é energia feminina. Em cada mulher, todas as mulheres estão representadas; em cada homem, todos os homens estão representados. As diferenças são muito superficiais, o nariz é um pouco mais comprido ou não é um pouco mais comprido, o cabelo é loiro ou moreno — pequenas diferenças, apenas na superfície. No fundo, a questão é da energia feminina e masculina. Assim, se o amor estiver presente, agarre-se a ele, dê-lhe uma chance de crescer. Mas, se ele não estiver presente, mude antes de ficar viciado num relacionamento sem amor.

Uma jovem esposa no confessionário perguntou ao padre sobre anticoncepcionais. "Você não deve usá-los", disse o padre. "Eles são contra a lei de Deus. Beba um copo de água."

"Antes ou depois?", perguntou a esposa.

"Em vez de...!", replicou o padre.

Você me pergunta o que seguir, a maneira oriental ou a ocidental. Nenhuma delas; siga a maneira divina. E qual é a maneira divina? Seja verdadeiro com o amor. Se o amor estiver presente, tudo é permitido. Se ele não estiver presente, nada é permitido. Se você não ama sua esposa, não a toque, porque isso é invasão. Se você não ama uma mulher, não durma com ela; isso é ir contra a lei do amor, e essa é a lei suprema. Somente quando você ama, tudo é permitido.

Alguém perguntou a Santo Agostinho: "Não sou instruído e não posso ler escrituras e grandes livros de teologia. Passe-me uma pequena mensagem. Sou muito tolo e minha memória também não é boa; assim, dê-me apenas o ponto principal, para que eu possa me lembrar dele e segui-lo."

Agostinho era um grande filósofo, um grande santo, e havia dado grandes sermões, mas ninguém tinha lhe pedido apenas o ponto principal. Ele fechou os olhos e diz-se que ele meditou por horas. O homem falou: "Por favor, se você encontrou, diga-me, para que eu possa ir embora, porque estou esperando há horas."

Agostinho disse: "Não posso encontrar nada, exceto isto: ame, e tudo o mais lhe é permitido. Apenas ame."

Jesus diz: "Deus é amor." Gostaria de lhe dizer, amor é Deus. Esqueça-se de tudo sobre Deus, o amor é suficiente. Seja corajoso o bastante para se mover com o amor; nenhuma outra consideração deveria ser feita. Se você considerar o amor, tudo se tornará possível a você.

Primeiro, não ande com uma mulher ou um homem que você não ame. Não ande apenas por capricho, apenas a partir da sensualidade. Descubra se o desejo de se comprometer com uma pessoa surgiu em você. Você está suficientemente amadurecido para fazer um contato profundo? Porque esse contato irá mudar toda a sua vida.

E, quando você fizer o contato, faça-o verdadeiramente. Não se esconda de seu amado ou amada — seja verdadeiro. Abandone todas as faces falsas que aprendeu a usar, abandone todas as máscaras. Seja verdadeiro, revele todo o seu coração, dispa-se. Entre duas pessoas que se amam não deveria haver segredo; senão, o amor não existe. Abandone todos os segredos; isso é política, segredo é política, e ela não deveria existir no amor. Você não deveria esconder nada. Tudo o que surgir em seu coração deveria permanecer transparente para o seu amado, e tudo o que surgir no coração do outro deveria permanecer transparente para você. Vocês deveriam se tornar dois seres transparentes um para o outro. Logo, vocês perceberão que através do outro estarão crescendo rumo a uma unidade mais elevada.

Por encontrar a pessoa fora, por realmente a encontrar e a amar, comprometendo-se com o ser dela, dissolvendo-se nela, fundindo-se a ela, aos poucos você começará a encontrar a mulher que está dentro de você, começará a encontrar o homem que está dentro de você. A mulher exterior é apenas um caminho para a mulher interior; e o homem exterior também é apenas um caminho para o homem interior.

O orgasmo real acontece dentro de você, quando o homem e a mulher internos se encontram. Esse é o significado do simbolismo hindu de *Ardhanarishwar*. Você deve ter visto estátuas de Shiva como metade homem e metade mulher — cada homem é metade homem e metade mulher, cada mulher é metade mulher e metade homem. Precisa ser assim, porque a metade de seu ser vem de seu pai e metade de sua mãe — você é ambos. Um orgasmo interior, um encontro interior, uma união interior é necessária. Mas, para alcançar essa união interior, você precisará encontrar uma mulher fora que responda à mulher interior, que faça vibrar seu ser interior e desperte sua mulher interior, que está dormindo profundamente. Por meio da mulher exterior, você precisa encontrar a mulher interior, e o mesmo para o homem.

Assim, se o relacionamento continuar por um longo período, será melhor, porque essa mulher interior precisa de tempo para ser despertada. Como está acontecendo no Ocidente — casos *calientes* e fugazes —, a mulher interior não tem tempo, o homem interior não tem tempo de se erguer e despertar. Quando acontece um movimento interior, a mulher já se foi... surge outra mulher, com outra pulsação, com outra vibração. E, é claro, se continuar a mudar sua mulher e seu homem, você ficará neurótico, porque tantas coisas, tantos sons entrarão em seu ser, tantas diferentes qualidades de vibrações, que você não conseguirá encontrar sua mulher interior. Será difícil, e a possibilidade é que você fique viciado na mudança. Você começará a gostar de mudar e, então, estará perdido.

A mulher exterior é apenas um caminho para a mulher interior, e o homem exterior é o caminho para o homem interior. E a yoga suprema, a união mística suprema acontece dentro de você. Quando isso acontece, você está livre de todas as mulheres e de todos os homens, está livre da masculinidade e da feminilidade. De repente, você vai além e não é nenhum deles. Transcendência é isso, *brahmacharya* é isso. Novamente você atinge sua virgindade pura; sua natureza original é novamente reivindicada.

• ***Ultimamente, comecei a perceber que mesmo a pessoa que amo é uma estranha para mim. Ainda assim, existe um intenso anseio de sobrepujar a separação entre nós. Dá a impressão de que somos linhas correndo paralelas uma em relação à outra, destinadas a nunca se encontrar. O mundo da consciência é como o mundo da geometria, ou existe uma chance de que paralelos possam se encontrar?***

Esta é uma das maiores infelicidades que toda pessoa que ama precisa encarar: não há como abandonar o ser estranho, a ausência de familiaridade, a separação entre os que se amam. Na verdade, todo o mecanismo do amor é fazer com que os amados sejam pólos opostos. Quanto mais distantes eles estiverem, mais se atraem. Sua separação é o que os atrai. Eles se aproximam, se aproximam muito, mas nunca se tornam um só. Eles se aproximam tanto... parece que apenas um passo a mais e se tornarão um só. Mas esse passo jamais foi dado, não pode ser dado por pura necessidade, por uma lei natural.

Pelo contrário, quando eles estão muito próximos, imediatamente começam a se separar de novo, a se distanciar. Porque, quando estão muito próximos, a atração se perde; eles começam a brigar, a ralhar, a pegar no pé. Essas são maneiras de novamente criar distância. E quando acontece a distância, imediatamente eles começam a se sentir atraídos. Assim, isso ganha um ritmo, aproximam-se e afastam-se, aproximam-se e afastam-se.

Existe um anseio de ser um só, mas no nível da biologia, no nível do corpo, tornar-se um só não é possível. Mesmo no ato do amor, vocês não são um só; a separação no nível físico é inevitável.

Você está dizendo: "*Ultimamente, comecei a perceber que mesmo a pessoa que amo é uma estranha para mim.*" Isso é bom, faz parte do aumento da compreensão. Somente pessoas infantis pensam que conhecem uma à outra. Você nem mesmo se conhece, como pode conceber que conhece seu amado?

Nem o ser amado conhece a si mesmo nem você se conhece. Dois seres desconhecidos, dois estranhos que nada sabem deles mesmos estão tentando conhecer o outro — esse é um exercício de inutilidade. Fatalmente haverá uma frustração, um fracasso. E por isso, todos os enamorados ficam com raiva um do outro. Eles acham que talvez o outro não esteja permitindo uma entrada no seu mundo particular: "Ele está me mantendo separada, está me mantendo um pouco distante." E ambos pensam da mesma maneira. Mas isso não é verdade, todas as queixas são falsas. Simplesmente eles não entendem a lei da natureza.

No nível do corpo, vocês podem se aproximar, mas não se tornar unos. Somente no nível do coração vocês podem se tornar unos, mas somente momentaneamente, e não permanentemente.

No nível do ser, vocês *são* unos. Não há necessidade de se tornarem unos; isso precisa somente ser descoberto.

Você está dizendo: "*Ainda assim, existe um intenso anseio de sobrepujar a separação entre nós.*" Se você ficar tentando no nível físico, fracassará. O anseio simplesmente mostra que o amor precisa ir além do corpo, que o amor deseja algo mais elevado do que o corpo, mais vasto do que o corpo, mais profundo do que o corpo. Mesmo o encontro de corações, embora doce, embora imensamente prazeroso, ainda é insuficiente, porque acontece somente por um momento e, de novo, estranhos são estranhos. A menos que você descubra o mundo do ser, não será capaz de satisfazer seu anseio de se tornar uno. E é estranho: no dia em que você se tornar uno com seu amado, também se tornará uno com toda a existência.

Você está dizendo: "*Dá a impressão de que somos linhas correndo paralelas uma em relação à outra, destinadas a nunca se encontrar.*" Talvez você não conheça a geometria não-euclidiana, porque ela ainda não é ensinada em nossas instituições educacionais. Ainda nos ensinam a geometria euclidiana, que tem dois mil anos. Nela, linhas paralelas nunca se encontram. Mas foi descoberto que se você seguir em frente, elas se encontram. As últimas descobertas são que não existem linhas paralelas, e por isso elas se encontram. Não se pode criar duas linhas paralelas.

As novas descobertas são muito estranhas — nem mesmo uma linha pode ser criada, uma linha reta, porque a terra é redonda. Se você criar uma linha reta aqui, se continuar a traçá-la a partir de ambas as extremidades e seguir em frente traçando, finalmente descobrirá que ela se tornou um círculo. E, se uma linha reta traçada ao extremo se torna um círculo, em primeiro lugar não era reta, e sim, somente parte de um círculo muito grande, e uma parte de um grande círculo é um arco, e não uma linha. Na geometria não-euclidiana, as linhas desapareceram e, se não existem linhas, o que dizer de linhas paralelas? Também não existem linhas paralelas.

Dessa maneira, se era uma questão de linhas paralelas, há uma chance de que os amados possam se encontrar em algum lugar — talvez na velhice, quando não puderem brigar, quando não sobrar energia. Ou ficaram tão acostumados... Qual é o sentido? Eles deram os mesmos argumentos, tiveram os mesmos problemas, os mesmos conflitos; eles estão fartos um do outro.

No fim, os enamorados param até mesmo de conversar um com o outro. Qual é o sentido? Porque começar a falar significa começar um argumento, e é o mesmo argumento e ele não irá mudar. E eles discutiram sobre isso tantas vezes e sempre chegaram ao mesmo ponto. Mesmo então, no que se refere aos enamorados, eles são linhas paralelas... na geometria, elas podem começar a se encontrar, mas no amor, não há esperança; elas não podem se encontrar.

E é bom que elas não possam se encontrar, pois se pudessem satisfazer seus anseios de se tornarem unos no nível do corpo físico, nunca olhariam para o alto, nunca tentariam descobrir que existe muito mais, oculto no corpo físico — a consciência, a alma, o deus.

É bom que o amor fracasse, porque o fracasso do amor inevitavelmente o levará a uma nova peregrinação. O anseio o perseguirá até que o traga ao templo onde o encontro acontece. Mas o encontro sempre acontece com o todo, dentro do qual o amado estará, as árvores também estarão, e os rios, as montanhas, as estrelas...

Nesse encontro, somente duas coisas não estarão presentes: seu ego não estará presente e o ego do amado não estará presente. Fora essas duas coisas, toda a existência estará presente. E esses dois egos eram realmente o problema, eram o que os tornavam duas linhas paralelas.

Não é o amor que está criando o problema, é o ego. Mas o anseio não será satisfeito. Nascimento após nascimento, vida após vida, o anseio permanecerá, a menos que você descubra a porta certa para ir além do corpo, e entre no templo.

> Um casal de idosos de noventa e três e noventa e cinco anos de idade procura um advogado e diz que quer o divórcio. "Divórcio!", exclama o advogado. "Nessa idade? Certamente agora vocês precisam um do ou-

> tro mais do que nunca e, de qualquer maneira, vocês estão casados há tanto tempo... Por que isso?"
>
> "Bem", diz o marido, "durante anos desejamos o divórcio, mas achamos que deveríamos esperar até que o último filho morresse."

Eles realmente esperaram! Agora não existe problema, eles podem se divorciar — ainda nenhum encontro, mas o divórcio.

Mantenha seu anseio acesso, chamejante, não perca o ânimo. Seu anseio é a semente de sua espiritualidade, é o começo da união suprema com a existência. Seu amado é apenas uma desculpa.

Não fique triste, fique feliz. Deleite-se por não haver possibilidade de encontro no nível físico. Do contrário, os que amam não teriam como se transformar. Eles empacariam um no outro e destruiriam um ao outro.

E não há mal em amar um estranho. Na verdade, é mais excitante amar um estranho. Quando vocês não estavam juntos, havia uma grande atração. Quanto mais vocês se aproximaram, mais a atração se tornou insípida. Quanto mais vocês se conheceram, superficialmente, menor a excitação. Muito em breve a vida se tornará uma rotina.

As pessoas ficam repetindo as mesmas coisas, de novo e de novo. Se você olhar para as faces das pessoas no mundo, ficará surpreso: por que todas essas pessoas parecem tão tristes? Por que seus olhos parecem que perderam toda a esperança? A razão é simples, a razão é a repetição. O ser humano é inteligente e a repetição cria o tédio. O tédio traz uma tristeza, porque a pessoa sabe o que vai acontecer amanhã e depois de amanhã... até chegar à cova, será a mesma, a mesma história.

> Finkelstein e Kowalski estão no bar vendo as notícias na TV. No noticiário, estão mostrando uma mulher no alto de um edifício ameaçando pular. Finkelstein diz a Kowalski: "Vamos fazer uma aposta? Se ela pular, você me dá vinte pratas; se ela não pular, eu lhe dou vinte pratas. Tudo bem?"
>
> "Feito", diz Kowalski.
>
> Alguns minutos mais tarde, a mulher salta e morre. Kowalski pega a carteira e estende vinte pratas para Finkelstein.

> Um pouco depois, Finkelstein se volta para Kowalski e diz: "Olha aqui, não posso aceitar esse dinheiro de você. Tenho uma confissão a lhe fazer: já tinha visto essa notícia antes. Foi uma reprise."
>
> "Não, não", diz Kowalski, "fique com o dinheiro, você merece. Eu também vi a cena antes na TV."
>
> "Você viu?", perguntou Finkelstein. "Então, por que apostou que a mulher não iria saltar?"
>
> "Bem", diz Kowalski, "não achei que ela seria tão estúpida a ponto de fazer essa besteira de novo!"

Mas a vida é assim...

Essa tristeza no mundo, esse tédio e essa infelicidade poderiam ser mudados se as pessoas soubessem que estão pedindo o impossível.

Não peça o impossível.

Encontre a lei da existência e a siga.

Seu anseio de ser uno é seu desejo espiritual, é sua própria natureza essencial e religiosa. Você está apenas focando a si mesmo no ponto errado.

Seu amado é apenas uma desculpa. Deixe que ele seja a experiência de um amor maior, o amor por toda a existência.

Deixe que seu anseio seja uma busca pelo seu próprio ser interior; lá, o encontro já está acontecendo; lá, já somos um só; lá, ninguém jamais se separou.

O anseio está perfeitamente certo; somente o objeto do anseio não está certo. Isso está criando o sofrimento e o inferno. Simplesmente mude o objeto e sua vida se tornará um paraíso.

PARTE TRÊS

A Liberdade

O homem reduziu a mulher a uma escrava, e a mulher reduziu o homem a um escravo. E, é claro, ambos odeiam a escravidão, ambos resistem a ela. Eles estão constantemente brigando; por qualquer desculpa, a briga começa.

Mas, no fundo, a briga verdadeira acontece num lugar mais profundo; a briga verdadeira acontece porque eles estão precisando de liberdade. Eles não podem dizer isso com tanta clareza, podem ter se esquecido completamente. Há milhares de anos, é assim que as pessoas têm vivido. Elas viram os pais e as mães vivendo da mesma maneira, os avós vivendo da mesma maneira. É dessa maneira que as pessoas vivem, e elas aceitaram isso. A liberdade delas está destruída.

É como se estivéssemos tentando voar no céu com uma só asa. Algumas pessoas têm a asa do amor e algumas a da liberdade — ambas são incapazes de voar. As duas asas são necessárias.

CAPÍTULO NOVE

Tábula Rasa

Os filósofos sempre acreditaram que a essência precede a existência, que o ser humano já nasce com a predestinação do que irá ser. Como uma semente, ele contém todo o programa; depois, é só uma questão de desenvolvimento. Não existe liberdade... Essa tem sido a atitude de todos os filósofos do passado, pensar que o ser humano tem uma certa sina, um destino. A pessoa irá se tornar uma certa entidade que já está estabelecida; o enredo já foi escrito. Você não está ciente dele, esse é um outro assunto, mas, o que quer que você faça, não é *você* quem está fazendo. Isso está sendo feito, através de você, por forças naturais e inconscientes, ou por Deus.

Essa é a atitude do determinista, do fatalista. Toda a humanidade sofreu imensamente com isso, porque esse tipo de abordagem significa que não existe possibilidade de nenhuma mudança radical. Absolutamente nada pode ser feito com respeito à transformação humana; tudo irá acontecer da maneira predeterminada. Por causa dessa atitude, o Oriente sofreu mais. Quando nada pode ser feito, a pessoa começa a aceitar tudo — escravidão, pobreza, feiúra; ela precisa aceitar. Isso não é compreensão, não é consciência, não é o que Gautama Buda chama de "aceitação daquilo que é", *tathata*. Isso é pura desesperança, falta de esperança ocultando-se em belas palavras.

Mas a conseqüência será desastrosa. Pode-se perceber isso, em sua forma mais desenvolvida, na Índia: pobreza, mendigos, doenças, pessoas mutiladas, cegas. E ninguém dá importância a isso, porque é assim que a vida é, sempre foi e sempre será. Um tipo de letargia se infiltra na própria alma.

Mas todo o ponto de vista é basicamente falso. Ele é um consolo, não uma descoberta que resulta da investigação da realidade. De certa forma, trata-se da tentativa de esconder as próprias feridas — é uma racionalização. E sempre que racionalizações começam a esconder sua realidade, é fatal que você caia em reinos mais e mais sombrios.

A essência não precede a existência; pelo contrário, a existência precede a essência. O ser humano é o único ser sobre a terra que tem liberdade. Um cachorro nasce cachorro, viverá como cachorro e morrerá como cachorro; não existe liberdade. Uma rosa permanecerá uma rosa; não existe possibilidade de nenhuma transformação; ela não pode se tornar um lótus. Não existe a questão da escolha, não existe liberdade. Nisso o ser humano é totalmente diferente. Essa é a dignidade do ser humano, sua especialidade na existência, sua singularidade.

Por isso eu digo que Charles Darwin não está certo, porque ele começa a categorizar o ser humano com outros animais; ele nem mesmo prestou atenção nessa diferença básica. A diferença básica é que todos os animais nascem com um programa, e somente o ser humano nasce sem um programa. Ele nasce como uma tábula rasa, uma lousa em branco; nada está escrito nela. Você precisa escrever tudo o que deseja escrever nela; ela irá ser sua criação.

O ser humano não é somente livre; o ser humano é *liberdade*. Esse é seu âmago essencial, sua própria alma. No momento em que você nega a liberdade ao ser humano, negou-lhe seu tesouro mais precioso, seu próprio reinado. Assim, ele é um mendigo, e numa situação muito pior do que a de outros animais, porque pelo menos eles têm um certo programa. Então, o ser humano fica simplesmente perdido.

Uma vez entendido isso, que o ser humano nasce *como liberdade*, todas as dimensões se abrem para serem desenvolvidas, e cabe a você decidir o que se tornar e o que não se tornar; tudo será criação sua. Dessa maneira, a vida se torna uma aventura — não um desdobramento, mas uma aventura, uma investigação, uma descoberta. A verdade ainda não lhe foi dada; você terá de criá-la. De certa maneira, a cada momento você está criando a si mesmo.

Mesmo que você aceite a teoria da sina, essa também é uma decisão que você toma sobre a sua vida. Ao aceitar o fatalismo, você escolheu a vida de escravo — a escolha é sua! Você escolheu entrar numa prisão, escolheu ser acorrentado, mas ainda é escolha sua. Você pode sair da prisão.

É claro que as pessoas estão com medo de serem livres, porque a liberdade é arriscada. Nunca se sabe o que se irá fazer, aonde a pessoa irá, qual será o resultado final de tudo isso. Se você não vem já pronto, toda a responsabilidade é sua. Você não pode jogá-la sobre os ombros de alguém. No fim, você ficará diante da existência totalmente responsável por você mesmo. Tudo o que você for, quem você for, você não pode esquivar-se disso, escapar disso — esse é o medo. Por causa desse medo, as pessoas escolhem todos os tipos de atitude determinista.

E é estranho: os religiosos e os não-religiosos concordam somente num ponto, o de que não existe liberdade. Em todos os outros pontos eles discordam, mas num ponto a concordância deles é curiosa. Os comunistas se dizem ateus, irreligiosos, mas dizem que o ser humano é determinado pelas situações sociais, econômicas e políticas. O ser humano não é livre; a consciência humana é determinada por forças externas. Trata-se da mesma lógica! Pode-se chamar a força externa de estrutura econômica. Hegel a chama de "História", com H maiúsculo, lembre-se. E os religiosos a chamam de "Deus", de novo em maiúsculo. Deus, História, Economia, Política, Sociedade — todas forças externas, mas todos concordam em algo, que você não é livre.

Eu lhe digo, você é absolutamente livre, incondicionalmente livre. Não evite a responsabilidade; evitar não adiantará nada. Quanto mais cedo você a aceitar, melhor, porque imediatamente você pode começar a criar a si mesmo. E, no momento em que você cria a si mesmo, surge uma grande alegria e, quando você se completou, da maneira que *você* queria, existe uma imensa satisfação. Como quando um pintor termina sua pintura, o último toque e um grande contentamento surge em seu coração. Um trabalho bem-feito traz grande paz. A pessoa sente que participou com o todo.

A única prece que existe é ser criativo, pois é somente por meio da criatividade que você participa do todo; não existe outra maneira de participar. Deus não precisa ser levado em conta, você só precisa participar de alguma maneira. Você não pode ser um observador, mas somente um participante, e somente assim saboreará o mistério. Criar uma pintura não é nada, criar um poema não é nada, criar uma música não é nada, comparado com a tarefa de criar a si mesmo, de criar a sua consciência, de criar seu próprio ser.

Mas as pessoas têm medo e existem razões para esse medo. Primeiro, isso é arriscado, porque somente você é responsável. Segundo, a liberdade pode ser malempregada, pois você pode optar por ser a coisa errada. Liberdade significa que você pode escolher o certo ou o errado; se você for livre somente para escolher o certo, não se trata de liberdade. Será como Ford, quando fez seus primeiros carros — eles eram todos pretos. E ele levava seus clientes para o *showroom* e lhes dizia: "Vocês podem escolher qualquer cor, contanto que seja preta!"

Que tipo de liberdade é essa? — *contanto que* seja o certo, contanto que siga os Dez Mandamentos, contanto que esteja de acordo com o Gita ou o Alcorão, contanto que esteja de acordo com Buda, Mahavira ou Zaratustra. Dessa maneira, não se trata de liberdade. A liberdade basicamente significa, intrinsecamente significa que você é capaz de ambos: escolher o certo ou o errado.

E o perigo é que o errado é sempre o mais fácil a fazer — daí o medo. O errado é uma tarefa ladeira abaixo, e o certo é uma tarefa ladeira acima. Ir ladeira acima é difícil, árduo e, quanto mais alto você for, mais árduo se torna. Porém, ir ladeira abaixo é muito fácil. Você não precisa fazer nada; a gravidade faz tudo por você. Você pode simplesmente rolar do topo do morro como uma pedra, e a pedra chegará lá embaixo; nada precisa ser feito. Mas, se você deseja se elevar em consciência, se deseja se elevar no mundo da beleza, da verdade, da bem-aventurança, então está ansiando pelos cumes mais elevados possíveis, e esses certamente são difíceis.

Em segundo lugar, quanto mais alto você for, maior será o perigo de cair, porque o caminho se torna estreito e por todos os lados você fica circundado por vales escuros. Um único passo em falso e você simplesmente cairá no abismo, desaparecerá. É mais confortável e conveniente caminhar no plano e não se importar com as alturas.

A liberdade lhe dá a oportunidade de cair abaixo dos animais ou de se elevar acima dos anjos. A liberdade é uma escada. Uma ponta da escada alcança o inferno, a outra toca o céu. É a *mesma* escada; a escolha é sua, a direção precisa ser tomada por você.

E, para mim, se você *não* for livre, não poderá usar mal sua falta de liberdade. A falta de liberdade não pode ser mal usada. O prisioneiro não pode usar mal sua situação — ele está acorrentado, não está livre para fazer coisa alguma. E essa é a situação de todos os outros animais, exceto o ser humano; eles não são livres. Eles nascem para ser um certo tipo de animal, e satisfarão isso. Na verdade, a própria natureza satisfará isso; eles não precisam fazer nada. Não existe desafio na vida deles. Somente o ser humano precisa encarar o desafio, o grande desafio. E muito poucas pessoas escolheram arriscar, ir às alturas, descobrir seus apogeus.

Somente poucas, muito poucas — Buda, Cristo... Elas podem ser contadas nos dedos.

Por que toda a humanidade não escolheu alcançar o mesmo estado de bem-aventurança que Buda, o mesmo estado de amor que Cristo, o mesmo estado de celebração que Krishna? Por quê? Pela simples razão de que é perigoso até mesmo almejar essas alturas. É melhor não pensar a respeito, e a melhor maneira de não pensar é aceitar que não existe liberdade — de antemão, você já está determinado. Existe um certo enredo que se apresenta a você antes de seu nascimento, e você precisa apenas cumpri-lo.

Somente a liberdade pode ser mal-empregada; a escravidão não pode ser mal-empregada. É por isso que se vê tanto caos no mundo de hoje. Antes ele não era tão grande, pela simples razão de que o ser humano não era tão livre. Percebe-se mais caos nos Estados Unidos pela simples razão de que eles estão desfrutando a maior das liberdades já desfrutadas em qualquer lugar do mundo, em toda a História. Sempre que há liberdade, o caos emerge. Mas esse caos vale a pena, porque somente a partir desse caos nascem as estrelas.

Não estou dando a você disciplina alguma, porque toda disciplina é um tipo sutil de escravidão. Não estou lhe dando mandamento algum, porque qualquer mandamento dado por alguém vindo de fora irá aprisioná-lo, escravizá-lo. Estou somente lhe ensinando a ser livre e, então, deixo-o em paz para fazer o que quiser com a sua liberdade. Se você quiser cair abaixo dos animais, isso é decisão sua e você tem toda permissão para fazer isso, porque se trata da sua vida. Se você decidir dessa maneira, então é a sua prerrogativa. Mas, se você entender a liberdade e o seu valor, não começará a cair, não irá abaixo dos animais; você começará a se elevar acima dos anjos.

O ser humano não é uma entidade, ele é uma ponte, uma ponte entre duas eternidades: o animal e o deus, o inconsciente e o consciente. Cresça em consciência, cresça em liberdade. Dê cada passo a partir de sua própria escolha. Crie a si mesmo e assuma toda a responsabilidade por isso.

CAPÍTULO DEZ

A Escravidão Básica

O sexo é o instinto mais poderoso no ser humano. Os políticos e os sacerdotes entenderam desde o princípio que o sexo é a maior força motriz do ser humano. Ela precisa ser reduzida, precisa ser cortada. Se permitirem ao ser humano total liberdade no sexo, não haverá possibilidade de dominá-lo, será impossível torná-lo um escravo.

Você já não viu isso sendo feito? Quando se quer que um touro puxe uma carroça, o que se faz? Ele é castrado, aniquila-se sua energia sexual. E você já percebeu a diferença entre um touro e um boi? Que diferença! Um boi é um triste fenômeno, um escravo. Um touro é uma beleza, um fenômeno glorioso, um grande esplendor. Veja um touro andando, ele anda como um imperador! E veja um boi puxando uma carroça.

O mesmo se fez com o ser humano: o instinto sexual foi restringido, cortado, mutilado. Agora o ser humano não é mais um touro, ele é um boi, e cada ser humano está puxando mil e uma carroças. Olhe e descobrirá, atrás de você, mil e uma carroças, e você as está puxando.

Por que não se pode colocar um touro para puxar uma carroça? O touro é poderoso demais. Ao ver uma vaca passando, ele atira ambos longe, você e a carroça, e vai atrás da vaca! Ele não se importa nem um pouco com você e não escuta. É impossível controlar o touro. A energia sexual é a energia da vida, e ela é incontrolável. E o político e o sacerdote não estão interessados em você, mas em canalizar sua energia para outras direções. Assim, existe um certo mecanismo por trás disso, que precisa ser entendido.

A repressão sexual, o tabu sexual, é a verdadeira base da escravidão humana. O ser humano não pode ser livre a menos que o sexo seja livre. O ser humano não pode ser realmente livre a menos que seja permitido à sua energia sexual um desenvolvimento natural.

Estas são as cinco estratégias pelas quais o ser humano foi convertido em escravo, num fenômeno vil, num mutilado.

O primeiro é:

Mantenha o ser humano tão fraco quanto possível, se você quiser dominá-lo. Se o sacerdote ou o político desejam dominá-lo, eles precisam deixá-lo o mais fraco possível. E a melhor maneira de manter uma pessoa fraca é não dar liberdade total ao amor. Amor é nutrição. Agora os psicólogos descobriram que, se uma criança não recebe amor, ela atrofia e fica fraca. Você pode lhe dar leite, pode lhe dar remédios, pode lhe dar tudo o mais, mas não dê amor. Não a abrace, não a beije, não a deixe sentir o calor do seu corpo e ela começará a ficar cada vez mais fraca. Existem mais chances de a criança morrer do que de sobreviver.

O que acontece? Por quê? Basta abraçar, beijar, dar calor humano para a criança se sentir nutrida, aceita, amada, necessária. Ela começa a sentir-se digna, a sentir um certo sentido em sua vida.

Ora, desde a tenra infância nós a deixamos à mingua; não damos tanto amor quanto necessário. Então, tentamos forçar os jovens a não se apaixonar, a menos que se casem. Aos catorze anos de idade eles se tornam sexualmente maduros. Porém, a educação deles pode levar mais tempo, mais dez anos, até que tenham vinte e quatro, vinte e cinco anos. Depois, eles obterão seus mestrados, seus doutorados... Dessa maneira, tentamos forçá-los a não amar.

A energia sexual atinge seu clímax em torno dos dezoito anos de idade. Nunca mais um homem será tão potente, e nunca mais uma mulher será capaz de ter um orgasmo mais intenso do que será capaz em torno dos dezoito anos. Mas nós os forçamos a não fazer amor — meninos e meninas são mantidos separados, e entre eles fica todo o mecanismo da polícia, dos professores, dos zeladores, dos vice-diretores, dos diretores. Todos eles estão lá, exatamente no meio, impedindo os meninos de procurarem as meninas e impedindo as meninas de procurarem os meninos. Por quê? Por que se toma tanto cuidado? Eles estão tentando matar o touro e criar um boi.

Quando você atinge os dezoito anos de idade, está no auge de sua energia sexual, da sua energia amorosa. E, quando você se casa, está na casa dos vinte e cinco, vinte e seis, vinte e sete anos... e a idade está aumentando cada vez mais. Quanto mais culto um país, mais tempo se espera, porque é preciso aprender mais, procurar um emprego, isso e aquilo. Quando você se casa, o seu poder sexual já está praticamente em declínio. Você ama, mas o amor nunca fica realmente quente, nunca chega ao ponto em que a pessoa evapora; ele permanece morno. E não sendo capaz de amar totalmente, você não poderá amar seus filhos, porque você não sabe como. Você não conheceu o apogeu, como poderá ensinar seus filhos, como poderá ajudá-los a chegar ao apogeu?

Ao longo dos tempos, o amor foi negado ao ser humano, para que ele permanecesse fraco.

Segundo:

Mantenha o ser humano tão ignorante e iludido quanto possível, para que ele possa ser facilmente enganado. E, se você deseja criar um tipo de idiotice, que é uma necessidade para o sacerdote e para o político e suas conspirações, então o melhor é não permitir que ele mergulhe livremente no amor. Sem amor, a inteligência da pessoa diminui. Você não observou isso? Quando você se apaixona, de repente todas as suas capacidades ficam no auge, em ascensão. Um momento atrás você parecia entediado e, então, encontra a pessoa amada; de repente, uma grande alegria emerge de seu ser, você fica radiante. Enquanto as pessoas amam, elas atuam em seu máximo. Quando o amor desaparece ou quando ele não está presente, elas atuam em seu mínimo.

As pessoas mais inteligentes são as mais sexuais. Isso precisa ser entendido, porque a energia do amor é basicamente inteligência. Se você não pode amar, de algum modo fica fechado, frio; você não pode fluir. Amando, a pessoa flui; amando, a pessoa se sente tão confiante que pode tocar as estrelas. Por isso, a mulher se torna uma grande inspiração, o homem se torna uma grande inspiração. Quando uma mulher é amada, ela fica mais bela, *imediatamente*, instantaneamente! Um momento atrás ela era apenas uma mulher comum, e agora o amor se derramou sobre ela — ela é banhada por uma energia totalmente nova, uma nova aura surge à sua volta. Ela caminha mais graciosamente, uma dança surgiu em seu passo. Agora seus olhos têm imensa beleza, sua face brilha, ela fica luminosa. E o mesmo acontece com o homem.

Quando as pessoas estão amando, elas atuam da melhor maneira possível. Não permita o amor, e elas permanecerão no mínimo. Quando elas permanecem no mínimo, ficam estúpidas, ignorantes, não se importam em saber. E, quando as pessoas são ignorantes, estúpidas e iludidas, podem ser facilmente enganadas.

Quando as pessoas são sexualmente reprimidas, reprimidas no amor, começam a almejar outra vida, pensam no céu, no paraíso, mas não pensam em criar o paraíso aqui e agora. Quando você está amando, o paraíso é aqui e agora. Então, você não se importa. Então, quem vai ao sacerdote, quem se importa se deveria ou não haver um paraíso? Você já está nele! Você não se interessa. Mas, quando sua energia amorosa é reprimida, você começa a pensar: "Aqui não há nada, o agora é vazio. Em algum lugar deve haver algum objetivo..." Você vai ao sacerdote e pergunta sobre o paraíso, e ele pinta belas imagens do paraíso. O sexo foi reprimido para que você possa ficar interessado na outra vida. E, quando as pessoas estão interessadas na outra vida, naturalmente não se interessam por *esta*.

Esta vida é a única vida. A outra vida está oculta nesta vida! Não é contrária a ela, não está distante dela; a outra está *dentro* desta. Mergulhe nesta vida — ela é isto! Penetre nela e também descobrirá a outra. Deus está oculto no mundo, está oculto no aqui e agora. Se você amar, será capaz de senti-lo.

O terceiro segredo:

Mantenha o ser humano tão amedrontado quanto possível. E a maneira segura é não lhe permitir o amor, porque o amor aniquila o medo, expulsa o medo. Quando você está amando, não tem medo. Quando está amando, pode lutar contra o mundo inteiro, sente-se infinitamente capaz de qualquer coisa. Mas, quando você não está amando, tem medo de coisas pequenas. Quando você não está amando, fica mais interessado em segurança, em proteção. Quando você está amando, fica mais interessado em aventura, em investigação. As pessoas não tiveram permissão para amar porque essa é a única maneira de deixá-las com medo. E, quando elas estão com medo e trêmulas, estão sempre de joelhos, curvando-se para o sacerdote e para o político.

Essa é uma grande conspiração contra a humanidade, contra *você*! Seus políticos e seus sacerdotes são seus inimigos, mas fingem ser servidores públicos. Eles dizem: "Estamos aqui para servi-lo, para ajudá-lo a atingir uma vida melhor, para criar uma vida boa para você." E eles são os destruidores da própria vida.

O quarto:

Mantenha o ser humano tão infeliz quanto possível, porque uma pessoa infeliz fica confusa, não tem auto-estima, condena-se e sente que deve ter feito algo errado. Uma pessoa infeliz não tem base; pode-se empurrá-la para lá e para cá e ela pode se transformar muito facilmente num joguete. E uma pessoa infeliz está sempre disposta a ser comandada, a receber ordens, a ser disciplinada, porque ela sabe: "Por mim mesma, sou simplesmente miserável. Talvez alguém possa disciplinar a minha vida." Ela é uma vítima.

E o quinto:

Mantenha as pessoas tão alienadas umas das outras quanto possível, para que não possam se unir para algum propósito que o sacerdote e o político possam não aprovar. Mantenha as pessoas separadas umas das outras, não deixe que elas tenham muita intimidade. Quando as pessoas estão separadas, isoladas, alienadas umas das outras, elas não podem se unir. E existem mil e um truques para mantê-las separadas.

Por exemplo: se você estiver segurando a mão de um homem — você é um homem e está segurando a mão de um homem, andando na rua a cantar —, você se sentirá culpado, porque as pessoas começarão a olhar para você. Você é bicha, homossexual ou algo assim? Dois homens não têm permissão de estarem felizes juntos, não têm permissão de darem as mãos, de se abraçarem. Eles são condenados como homossexuais, e surge o medo. Se seu amigo vem e segura sua mão, você olha à volta: "Estão olhando ou não?" E você fica com pressa de soltá-la.

O aperto de mãos é apressado. Você observou isso? Você simplesmente toca a mão do outro, balança-a e está acabado. Você não segura a mão, não abraça o outro; você tem receio. Você se lembra de seu pai abraçando você? Você se lembra de sua mãe abraçando você depois que você ficou sexualmente maduro? Por que não? O medo foi criado. Um jovem e sua mãe se abraçando? Talvez algum clima sexual surgirá entre eles, alguma idéia, alguma fantasia. O medo foi criado; o pai e o filho, o pai e a filha, não; o irmão e a irmã, não; o irmão e o irmão, não!

As pessoas são mantidas em compartimentos separados com fortes paredes à volta delas. Todos são classificados e existem mil e uma barreiras. Sim, um dia, depois de vinte e cinco anos de todo esse treinamento, você tem permissão de fazer amor com sua esposa. Mas agora, o treinamento penetrou muito fundo em você e, de repente, você não sabe o que fazer. Como amar? Você não aprendeu a linguagem. É como se uma pessoa fosse proibida de falar por vinte e cinco anos. Escute: por vinte e cinco anos ela não teve permissão de falar uma única palavra e, de repente, você a coloca num palco e lhe diz: "Dê uma boa palestra." O que acontecerá? Ela cairá ali mesmo. Ela poderá desmaiar, poderá morrer... vinte e cinco anos de silêncio e, agora, de repente, espera-se que ela dê uma grande palestra? Isso é impossível.

E é isso o que está acontecendo! Vinte e cinco anos de antiamor, de medo e, de repente, a lei lhe permite amar — você tem uma licença e agora pode amar essa mulher. "Essa é sua esposa, você é o marido dela e vocês têm permissão de amar um ao outro." Mas onde vão parar aqueles vinte e cinco anos de treinamento errado? Eles estarão presentes.

Sim, você "amará"... fará gestos. Não será explosivo, não será orgástico; será muito comedido. É por isso que você fica frustrado depois de fazer amor — noventa e nove por cento das pessoas ficam frustradas depois de fazer amor, mais frustradas do que jamais estiveram. E elas sentem: "O que é isso? Não existe nada! Isso não é verdadeiro!"

Primeiro, o sacerdote e o político deram um jeito para que você não fosse capaz de amar e, depois, vêm e pregam que não existe nada significativo no amor. E certamente a pregação deles parece correta, parece estar exatamente de acordo com a sua experiência. Primeiro eles criam a experiência de futilidade, de frustração e, depois, o ensinamento... E juntos, ambos parecem lógicos, uma peça só. Esse é um grande truque, o maior já feito para enganar o ser humano.

Essas cinco estratégias podem ser usadas por meio de uma só: o tabu contra o amor. É possível cumprir todos esses objetivos impedindo, de alguma maneira, as pessoas de se amar. E o tabu foi apresentado de maneira científica. Esse tabu é uma grande obra de arte — demonstra grande habilidade e astúcia. Trata-se realmente de uma obra-prima! Esse tabu precisa ser entendido.

Primeiro, ele é indireto, oculto. Ele não é aparente, porque sempre que um tabu for muito óbvio, ele não funcionará. O tabu precisa ser muito oculto, para que você não saiba como ele funciona; tão oculto que você não possa nem imaginar que seja possível algo contra ele. Ele precisa penetrar no inconsciente, e não no consciente. Como fazê-lo ser tão sutil e indireto?

O truque é o seguinte: primeiro, insista em ensinar que o amor é maravilhoso, para que as pessoas nunca pensem que os sacerdotes e os políticos são contra o amor. Continue a ensinar que o amor é maravilhoso, que ele é a coisa certa a fazer e depois não permita nenhuma situação em que o amor possa acontecer. Não permita que a oportunidade surja, não dê oportunidade e insista em ensinar que a comida é fantástica, que comer é uma grande alegria, "Coma tão bem quanto puder." Mas não ofereça nada que seja comestível. Mantenha as pessoas famintas e insista em falar sobre o amor. Assim, todos os sacerdotes ficam falando sobre o amor. O amor é mais louvado do que qualquer outra coisa; ele só perde para Deus, e é negada toda a possibilidade de o amor acontecer. Diretamente, eles o encorajam; indiretamente, eles cortam suas raízes. Essa é a obra-prima.

Nenhum sacerdote fala como causou o mal. É como se você ficasse dizendo a uma árvore, "Seja verde, floresça, dê frutos", e então corte as raízes dela, de tal modo que a árvore não possa ser verde. E ao ver que a árvore não está verde, você pode saltar sobre ela e dizer: "Escute! Você não escuta, não nos segue. Cansamos de dizer 'Seja verde, floresça, dê frutos, dance'...", e enquanto isso, continua a cortar as raízes dela.

O amor é negado a tal ponto... E o amor é a coisa mais rara do mundo, ele não deveria ser negado. Se uma pessoa puder amar cinco pessoas, deveria amar cinco pessoas. Se puder amar cinqüenta, deveria amar cinqüenta. Se puder amar quinhentas, deveria amar quinhentas. O amor é tão raro que, quanto mais você puder espalhá-lo, melhor. Mas existem grandes estratégias — você é forçado a ficar num cantinho estreito, muito estreito. Você pode amar somente a sua esposa, o seu marido, somente isso e aquilo — as condições são inúmeras. É como se houvesse uma lei dizendo que você pode respirar somente quando está com sua esposa, somente quando está com seu marido. Assim, a respiração será impossível! Assim, você morrerá e não será nem mesmo capaz de respirar enquanto estiver com sua esposa ou seu marido. Você precisa respirar vinte e quatro horas por dia.

Seja amoroso.

E há uma outra estratégia: eles falam sobre um "amor mais elevado", e aniquilam o inferior. Eles dizem que o inferior precisa ser negado: o amor corporal é ruim e o amor espiritual é bom.

Você já viu um espírito sem corpo? Você já viu uma casa sem alicerces? O inferior é o alicerce do superior. O corpo é a sua moradia; o espírito vive no corpo, com o corpo. Você é um espírito com corpo e um corpo com alma — você é ambos. O inferior e o superior não estão separados, eles são um só — degraus da mesma escada. O inferior não deve ser negado, mas transformado no superior. O inferior é bom. Se você se estagnar no inferior, a falta é sua, e não do inferior. Nada está errado com o degrau mais baixo da escada. Se você parar nele, *você* está parado; trata-se de algo em você.

Mexa-se.

O sexo não está errado. *Você* está errado se ficar estagnado ali. Vá para cima. O mais elevado não é contrário ao mais inferior; o mais inferior torna possível que exista o mais elevado.

E essas estratégias criaram muitos outros problemas. Toda vez que você está amando, você se sente culpado; surge uma culpa. E, quando existe culpa, você não pode entrar totalmente no amor — a culpa o impede, o mantém preso. E existe culpa mesmo ao fazer amor com sua esposa ou seu marido: você acha que isso é pecado, acha que está fazendo algo errado, "os santos não fazem isso" — você é um pecador. Dessa maneira, você não pode se mover totalmente, mesmo quando tem permissão, superficialmente, de amar sua esposa. O sacerdote está escondido atrás de você, em seu sentimento de culpa; dali ele o puxa, puxa as suas cordas.

Quando a culpa surge, você começa a sentir que está errado; você perde a auto-estima, perde respeito por si mesmo. E surge um outro problema: quando existe a culpa, você começa a fingir. Os pais não permitem que seus filhos saibam que eles estão fazendo amor; eles fingem, fingem que o sexo não existe. Mais cedo ou mais tarde, o fingimento deles vai ser descoberto pelos filhos. E, quando os filhos descobrem o fingimento, perdem toda a confiança. Eles se sentem traídos, ludibriados.

E os pais dizem que os filhos não os respeitam — você é a causa disso; como eles podem respeitá-lo? Você os tem enganado de todas as maneiras, tem sido desonesto, indigno. Você tem dito a eles para não fazer amor, "Tomem cuidado!", e você faz amor o tempo todo. E mais cedo ou mais tarde virá o dia em que eles se darão conta de que nem mesmo o pai e a mãe foram verdadeiros com eles. Como eles podem respeitá-los?

Primeiro, a culpa cria o fingimento. Depois, o fingimento cria a alienação das pessoas. Mesmo o filho, o próprio filho, não se sentirá sintonizado com você. Existe uma barreira — o seu fingimento. E, quando você sabe que todos estão fingindo... Um dia você vem a saber que está simplesmente fingindo e que os outros estão fazendo o mesmo. Quando todos estão fingindo, como você pode se relacionar? Quando todos são falsos, como você pode se relacionar? Como você pode ser amigável quando em todos os lugares existem fraudes e tapeações? Você fica muito, muito magoado com a realidade, fica muito amargo. Você a percebe somente como uma oficina do demônio.

E todos têm duas caras; ninguém é autêntico. Todos estão carregando máscaras e ninguém mostra sua face original. Você se sente culpado, sente que está fingindo e sabe que todos os outros estão fazendo o mesmo. Todos estão se sentindo culpados e todos se tornaram como uma feia ferida. Ora, é muito fácil tornar essas pessoas escravas — transformá-las em balconistas, agentes ferroviários, professores, cobradores, ministros, governadores, presidentes. Agora é muito fácil desviá-las. Elas foram desviadas de suas raízes.

O sexo é a raiz, daí o nome *muladhar* na linguagem do Tantra e da Yoga. *Muladhar* significa a energia-raiz.

Ouvi dizer:

Era a noite de núpcias e a arrogante Lady Jane estava cumprindo suas obrigações como esposa pela primeira vez.

"Meu senhor", ela perguntou ao noivo, "é isso o que as pessoas comuns chamam de fazer amor?"

"Sim, é, minha *lady*", respondeu o Lord Reginald, e continuou como antes.

Depois de um tempo, Lady Jane exclamou com indignação: "É bom demais para as pessoas comuns!"

As pessoas comuns não tiveram realmente permissão para fazer amor. "É bom demais para elas!" O problema é que, quando alguém envenena todo o mundo comum, ele também é envenenado. Se ele envenena o ar que as pessoas comuns respiram, o ar que o rei respira também será envenenado. Ele não pode ser separado — é tudo uma coisa só. Quando o sacerdote envenena as pessoas comuns, no final ele também é envenenado. Quando o político envenena o ar das pessoas comuns, no final ele também respira o mesmo ar — não existe outro ar.

Um vigário e um bispo estavam em lugares próximos no vagão do trem, fazendo uma longa viagem. Quando o bispo entrou, o vigário escondeu sua revista *Playboy* e começou a ler o *Jornal da Igreja*. O bispo o ignorou e ficou fazendo palavras cruzadas. O silêncio prevaleceu.

Depois de um tempo, quando o bispo começou a se mexer todo, o vigário tentou puxar assunto: "Posso ajudá-lo, senhor?"

"Talvez, só falta uma palavra. O que tem quatro letras, as últimas três são *u-t-a* e a chave é *provoca suor*?"

"Poderia ser 'luta'", disse o vigário, depois de uma breve pausa.

"Claro, claro!", exclama o bispo. "Você pode me emprestar uma borracha?"

Quando se reprime coisas na superfície, todas elas entram fundo no inconsciente. Elas estão lá. Felizmente o sexo não foi destruído. Ele não foi destruído, foi só envenenado. Ele *não pode* ser destruído; ele é a energia da vida. Ele ficou poluído e pode ser purificado.

Seus problemas na vida podem ser reduzidos basicamente a seu problema sexual. Você pode continuar resolvendo os outros problemas, mas nunca será capaz de resolvê-los, porque eles não são verdadeiros. Se você resolver seu problema sexual, todos os problemas desaparecerão, porque você resolveu o problema básico. Mas você tem medo até de investigá-lo.

Ele é simples. Se você puder colocar de lado seu condicionamento, ele é muito simples, tão simples quanto esta história.

Uma solteirona frustrada era um transtorno para a polícia. Ela ficava telefonando, dizendo que havia um homem debaixo da cama dela. Finalmente, ela foi levada a um hospital psiquiátrico, onde recebeu as drogas mais modernas que havia. Depois de algumas semanas, um médico foi vê-la para saber se ela tinha sido curada.

"Senhorita Rustifan", perguntou o médico, "você ainda vê um homem debaixo da cama?"

"Não, de jeito nenhum", ela respondeu. Mas no momento em que o médico estava assinando sua alta, ela disse, "Agora vejo dois."

O médico disse à equipe do hospital que havia somente um tipo de injeção que a curaria de seu mal, que ele chamou de "virgindade maligna". Ele sugeriu que Big Dan, o carpinteiro do hospital, fosse até a cama dela.

Big Dan foi trazido e lhe contaram qual era a queixa da mulher e que ele seria trancado com ela por uma hora, mas ele disse que não precisava de tanto tempo. Um grupo ansioso se juntou perto da porta, e ouviram: "Não, pare com isso, Dan. Mamãe nunca me perdoará!"

"Fique quieta, isso precisa ser feito. Deveria ter sido feito há anos!"

"Só se for na marra, seu bruto!"

"Isso é o que seu marido teria feito, se você tivesse um."

O pessoal do hospital não pôde esperar e todos entraram no quarto.

"Eu a curei", disse o carpinteiro.

"Ele me curou!", gritou a senhorita Rustifan.

Ele serrou as pernas da cama!

Algumas vezes a cura é muito simples. E você fica fazendo mil e uma coisas... E o carpinteiro fez bem, simplesmente serrou as pernas da cama e pronto! Agora, onde o homem poderia se esconder?

O sexo é a raiz de praticamente todos os seus problemas. Precisa ser assim, por causa de milhares de anos de envenenamento. Uma grande purificação é necessária. Reivindique sua liberdade, reivindique sua liberdade para amar, sua liberdade para ser e a vida não será mais um problema. Ela é um mistério, um êxtase, uma bênção.

CAPÍTULO ONZE

Tome Cuidado com os Papas

Ouvi dizer que o papa, dirigindo-se a jovens da América Latina, aconselhou: "Meus queridos, tomem cuidado com o demônio. Ele os tentará com drogas, com o álcool e, principalmente, com o sexo antes do casamento." Ora, quem é esse demônio? Eu nunca o encontrei, ele nunca me tentou e acho que nenhum de vocês jamais encontrou o demônio nem foi tentado por ele.

Os desejos vêm da sua própria natureza; não se trata de um demônio tentando você. Mas é uma estratégia dos religiosos jogar a responsabilidade sobre uma figura imaginária, o demônio, para que você não sinta que está sendo condenado. Você *está* sendo condenado, mas de modo indireto. O papa está lhe dizendo que *você* é o demônio. Mas ele não tem coragem de dizer isso, então diz que o demônio é uma outra coisa, um agente separado, cuja única função é tentar as pessoas.

É muito estranho... milhões de anos se passaram e o demônio ainda não se cansou e continua tentando as pessoas. E o que ele ganha com isso? Em nenhuma escritura descobri qual é sua recompensa por todo esse árduo trabalho que ele faz há milhões de anos. Quem o está pagando? Quem o contratou? Essa é uma coisa...

E a segunda: seu Deus não é onipotente? É isso o que suas escrituras dizem, que Deus é todo-poderoso. Se ele é todo-poderoso, não poderia fazer algo muito simples? Fazer esse demônio parar de tentar as pessoas? Em vez de se dirigir a cada pessoa e dizer, "Não caia em tentação", por que não eliminar o demônio? Ou por que não dar a ele seja lá o que for que ele queira?

Isso é algo a ser decidido entre Deus e o demônio. Que negócio é esse de ficarmos entre os dois para sermos esmagados desnecessariamente? Em milhões de anos, Deus não foi capaz de persuadir o demônio ou de mudá-lo ou de acabar com ele. E, se Deus é tão impotente diante do demônio, o que dizer de seu pobre povo, a quem esses representantes de Deus insistem em dizer: "Não caiam em tentação"? Se Deus é tão fraco e impotente diante do demônio, o que seres humanos comuns podem fazer?

Durante séculos essas pessoas têm contado essas mentiras e nem uma só vez elas tentaram ser responsáveis. Isso é irresponsabilidade, dizer aos jovens: "Tomem cuidado, o demônio vai tentá-los." Na verdade, esse homem colocou a tentação na mente dessas pessoas. Elas poderiam não estar pensando em drogas, em álcool e em sexo antes do casamento. Elas foram escutar o papa, ouvir um sermão espiritual, e voltarão para casa pensando em sexo antes do casamento, em como ser tentado pelo demônio, onde encontrar traficantes de drogas.

Mas o álcool certamente não é uma tentação do demônio, porque Jesus Cristo bebia álcool e, não somente bebia, como o tornava acessível aos apóstolos. O cristianismo não é contra o álcool — ele o aceita perfeitamente, porque negar o álcool seria colocar Jesus em risco. Jesus não era membro dos Alcoólicos Anônimos. Ele gostava de beber e jamais disse que beber é pecado. Como ele poderia dizer isso? Agora o papa parece ser bem mais religioso do que Jesus Cristo.

E eu certamente posso imaginar que, se o filho único de Deus bebe, o pai deve ser um beberrão e o Espírito Santo também. Essas pessoas podem ser a causa, afinal, com quem Jesus teria aprendido? Certamente o demônio não poderia tentá-*lo*. Sabemos que o demônio costumava tentar seduzi-lo, e ele dizia ao demônio: "Afaste-se, não serei tentado por você."

Mas essas pessoas parecem ser mentalmente doentes. Você nunca encontra o demônio e não fala com ele desta maneira: "Afaste-se e deixe-me seguir o meu caminho. Não me impeça, não tente me seduzir." E, se você disser essas coisas e alguém escutar, essa pessoa irá informar a delegacia de polícia mais próxima: "Tem uma pessoa que está falando com o demônio e não vemos demônio em lugar nenhum."

Jesus também está contaminado pelos rabinos e sacerdotes. Trata-se da mesma companhia, apenas com rótulos e marcas registradas diferentes. Mas o negócio é o mesmo, a companhia é a mesma, seu trabalho é o mesmo — eles corrompem os seres humanos, acabam com a inocência deles. Esse papa está preocupado com o sexo antes do casamento — o sexo deve estar na mente dele; senão, como esse alerta poderia vir dele? E esse é o ponto em que ele mais insistiu!

Mas o que há de errado com o sexo antes do casamento? No passado, ele era um problema, mas estamos ou não em outro século? Ele era um problema no passado porque o sexo podia levar à gravidez, gerar filhos, e surgia o problema de quem iria educar essas crianças, quem iria casar com essa moça que teve um filho. Havia complicações e dificuldades. Não precisa haver, isso está apenas na mente.

Na verdade, a maioria das dificuldades matrimoniais ocorre porque o sexo antes do casamento é negado. É como se lhe dissessem que até os vinte e um anos de idade você não pudesse nadar. Não seja seduzido pelo demônio, nadar antes da idade adulta é um pecado. Tudo bem, um dia você chega aos vinte e um, mas não sabe nadar. E achando que agora, com vinte e um anos, você tem permissão para nadar, você salta no rio. Você está saltando para a morte! Porque não há relação entre essas duas coisas, o mero fato de ter vinte e um anos de idade não significa que exista uma lei intrínseca de que você será capaz de nadar. E quando você irá aprender? Na verdade, o que essas pessoas estão dizendo? Elas estão dizendo que, antes de entrar no rio, você deveria aprender a nadar; e, se você entrar no rio, estará cometendo um pecado. Mas onde você vai aprender a nadar? Na sua cama, no seu colchão? Para nadar, você precisa entrar na água.

Existem tribos indígenas que são muito mais humanas e naturais, onde o sexo antes do casamento é defendido e incentivado pela sociedade, porque essa é a época de aprender. Aos catorze anos de idade, a garota fica sexualmente madura; aos dezoito anos de idade, o rapaz fica sexualmente maduro. E essa faixa etária está diminuindo — à medida que as sociedades ficam mais científicas, mais tecnológicas, há alimento suficiente e a saúde recebe cuidados, a faixa etária cai. Nos Estados Unidos, as meninas ficam maduras mais cedo do que na Índia. E, é claro, na Etiópia, como a pessoa pode ficar sexualmente madura? Ela morrerá muito antes. Nos Estados Unidos, a idade caiu dos catorze para os treze e daí para os doze, porque fisicamente as pessoas são mais robustas, têm alimentos melhores, uma vida mais confortável. Elas ficam sexualmente maduras mais cedo e também são sexualmente ativas por um período mais prolongado do que em países pobres.

Na índia, as pessoas simplesmente não podem acreditar quando lêem nos jornais que algum americano, na casa dos noventa anos, vai se casar. Os indianos não podem acreditar — o que está acontecendo com esses americanos? Quando um indiano chega aos noventa anos, ele já está na cova há mais de vinte anos; somente seu fantasma pode se casar, ele não. E, mesmo se estiverem vivos, um homem de noventa anos de idade casando com uma mulher de oitenta e sete anos... Fantástico, simplesmente inacreditável! E eles têm lua-de-mel. Eles realmente têm muita prática, fizeram isso durante toda a vida, muitas e muitas vezes — casar, ter lua-de-mel — e foram uns felizardos, pois, ao longo de uma vida, viveram pelo menos cinco, seis, sete vidas.

O sexo antes do casamento é uma das coisas mais importantes a serem decididas pela sociedade humana.

A moça nunca mais terá tanto vigor sexual quanto aos catorze anos e o rapaz nunca mais terá tanto vigor sexual quanto aos dezoito. Quando a natureza está no seu apogeu, você os restringe. Quando o rapaz tem trinta anos, tem permissão para se casar. Ele já está declinando em sua sexualidade. Sua energia vital já está em declínio, ele já está perdendo o interesse. Biologicamente, ele está catorze ou dezesseis anos atrasado — há muito tempo ele perdeu o trem.

Muitos problemas matrimoniais surgem por causa disso, e muitos conselheiros matrimoniais prosperam porque ambos os parceiros já passaram da sua época de apogeu, e nessa época é que deveriam conhecer o que é o orgasmo. Agora eles lêem a respeito em livros, sonham, fantasiam sobre ele — e o orgasmo não acontece. Eles estão muito atrasados. Os papas interferiram.

Eu gostaria de lhe dizer: não seja tentado pelos papas. Esses são os verdadeiros perniciosos. Eles estragarão toda a sua vida. Eles estragaram as vidas de milhões de pessoas.

Quando você tem trinta anos de idade, não pode ter aquela qualidade, aquela intensidade, aquele fogo que tinha aos dezoito anos. Mas aquela era a época de ser celibatário, de não ser seduzido pelo demônio. Sempre que o demônio o tentar, comece a rezar a Deus, a repetir um mantra, *om mani padme hum*. É isso o que os tibetanos fazem.

Sempre que você perceber um tibetano entoando rapidamente, "Om mani padme hum", pode estar certo de que ele está sendo tentado pelo demônio, porque esse mantra é usado para deixar o demônio com medo. E, quanto mais rápido você o entoar, mais rápido o demônio fugirá.

Na Índia, existe um livrinho, o *Hanuman Chalisa*. É uma prece ao deus macaco, Hanuman, que é considerado celibatário e protetor de todos aqueles que querem continuar celibatários. Assim, todos que querem continuar celibatários são adoradores de Hanuman. E esse livreto pode ser decorado com muita facilidade. As pessoas ficam repetindo essa prece e Hanuman continua protegendo o celibato delas, protegendo-as do demônio, que está sempre à espreita, esperando uma chance para apanhá-las e seduzi-las.

Ninguém está tentando você. Trata-se simplesmente da natureza, não do demônio. E a natureza não está contra você, ela está toda a seu favor.

Em uma sociedade humana melhor, o sexo pré-conjugal é valorizado assim como em algumas tribos indígenas. A razão é muito simples. Primeiro, a natureza o preparou para algo e você não deve abrir mão do seu direito natural. Se a sociedade não estiver pronta para que você tenha relação sexual, esse é um problema dela, não seu. A sociedade deveria encontrar uma maneira. Os indígenas encontraram. É muito raro a moça engravidar. Se ela engravida, o rapaz e a moça se casam. Não existe vergonha com respeito a isso, nenhum escândalo, nenhuma condenação. Pelo contrário, os mais velhos abençoam o jovem casal, porque provaram ser vigorosos; a natureza é poderosa neles, a biologia deles é mais robusta do que a de outros. Mas isso raramente acontece.

O que acontece é que todo rapaz e toda moça ficam treinados. Nas sociedades indígenas que visitei, é uma regra que a moça, depois dos catorze anos de idade, e o rapaz, depois dos dezoito anos, não tenham mais permissão para dormir em casa. Eles têm um salão comum no meio da aldeia, onde todas as moças e todos os rapazes dormem. Não é preciso que eles se escondam no carro. Isso é feio, é a sociedade forçando as pessoas a serem ladras, trapaceiras, mentirosas. E a primeira experiência de amor dos jovens acontece em situações muito feias, escondendo-se, com medo, com culpa, sabendo que se trata de uma tentação do demônio. Eles não conseguem aproveitá-la numa época em que são capazes de aproveitar o sexo ao máximo e de vivê-lo em seu apogeu.

O que estou dizendo é que, se os jovens tivessem vivido o sexo em seu apogeu, a obsessão por ele acabaria. Eles não passariam a vida inteira olhando revistas como a *Playboy*; não haveria essa necessidade. E não ficariam sonhando com sexo, tendo fantasias sexuais, lendo histórias de quinta categoria e assistindo a filmes... Tudo isso só é possível porque negaram a eles um direito nato.

Nas sociedades indígenas, eles ficam juntos à noite. Eles só têm de seguir uma regra: "Não fiquem com uma moça por mais de três dias, porque ela não é propriedade sua e vocês não são propriedade dela. Vocês precisam se familiarizar com todas as moças e elas precisam se familiarizar com todos os rapazes, antes de escolher seus parceiros de vida."

Ora, isso parece absolutamente saudável. Antes de escolher um parceiro para a vida inteira, você deveria ter uma chance de se familiarizar com todas as mulheres disponíveis, com todos os homens disponíveis. No mundo inteiro, percebe-se que nem os casamentos arranjados são bem-sucedidos nem os chamados casamentos por amor. Ambos fracassam, e a razão básica para isso é que, em ambos os casos, o casal é inexperiente; não teve liberdade suficiente para encontrar a pessoa certa.

Para encontrar a pessoa certa, não existe outra maneira a não ser a experiência. Coisinhas muito pequenas podem atrapalhar. O cheiro do corpo de uma pessoa pode ser suficiente para estragar toda a união. Isso não é grande coisa, mas é suficiente; todos os dias... por quanto tempo se pode tolerar? Mas, outra pessoa, esse cheiro pode agradar; talvez seja o aroma de que ela gosta.

Deixe as pessoas terem experiência, particularmente agora, quando os problemas da gravidez não existem mais. Aqueles indígenas foram corajosos por fazer aquilo durante milhares de anos — e, mesmo então, não havia muitos problemas. De vez em quando a moça pode engravidar; então, o casal se casa; do contrário, não há problema.

Nessas tribos, não existem divórcios, porque, é claro, depois que você olhou todas as mulheres, ficou com todas as mulheres ou homens da tribo, e então escolheu, o que mais poderia ser mudado? A pessoa escolheu com base na experiência. Nessas sociedades não há necessidade, não existe a questão do divórcio, ela não vem à tona. Não que o divórcio não seja permitido; a própria questão do divórcio não vem à tona nessas tribos. Eles não pensam no assunto, ele nunca foi um problema e ninguém diz que deseja se separar.

Todas as sociedades civilizadas sofrem de problemas matrimoniais, porque marido e mulher são praticamente inimigos. Pode-se chamá-los de "inimigos íntimos", mas isso não faz a menor diferença — é melhor que os inimigos fiquem longe um do outro do que serem tão íntimos! Se eles forem íntimos, isso significa que se trata de uma guerra de vinte e quatro horas por dia, continuamente, dia após dia. E a simples razão para isso é a idéia estúpida desses professores religiosos: "Tomem cuidado com o sexo antes do casamento."

Se você quiser tomar cuidado, tome cuidado com o sexo dentro do casamento, porque é aí que está o problema. O sexo pré-conjugal não é um problema, e particularmente agora, quando existe todo tipo de método contraceptivo.

Todo colégio, toda universidade, toda escola deveria insistir para que os alunos, rapazes ou moças, passassem por todos os tipos de experiência, conhecessem todos os tipos de pessoa, e finalmente escolhessem. Essa escolha será baseada e enraizada no conhecimento, no entendimento.

Mas, para o papa, não é problema que toda a humanidade esteja sofrendo com o casamento, que todos os casais estejam sofrendo com o casamento e que, por causa desse sofrimento, os filhos comecem a aprender os caminhos do sofrimento — ele não está preocupado com isso. Toda a preocupação dele é que os métodos contraceptivos não deveriam ser usados. Na verdade, o papa não está dizendo para tomar cuidado com o demônio, mas para tomar cuidado com os métodos contraceptivos.

Os problemas reais não são tratados, somente os irreais, os fictícios. E ele continua a alertar o mundo inteiro...

CAPÍTULO DOZE

Existe Vida Após o Sexo?

Numa certa idade, o sexo fica importante — não que você o faça importante, não é algo que você faça acontecer; *acontece*. Em torno dos catorze anos, de repente sua energia passa a transbordar sexo. É como se as comportas se abrissem em você. Fontes sutis de energia, que ainda não tinham sido abertas, abrem-se, e toda a sua energia se torna sexual, matizada de sexo. Você pensa sexo, canta sexo, caminha sexo — tudo se torna sexual, todo ato assume esse aspecto. Isso acontece, você nada fez a respeito, é natural.

A transcendência também é natural. Se o sexo for vivido totalmente, sem condenações, sem nenhuma idéia de se livrar dele, exatamente como aconteceu aos catorze anos, quando o sexo se abriu e toda a energia se tornou sexual, em torno dos quarenta e dois essas comportas se fecham de novo. E isso também é tão natural quanto o sexo ter sido despertado; ele começa a desaparecer.

O sexo é transcendido não por causa de qualquer esforço de sua parte. Se você fizer algum esforço, isso será repressivo, porque esse processo nada tem a ver com você; ele está programado em seu corpo, em sua biologia. Você nasce na condição de ser sexual e não há nada de errado nisso. Essa é a única maneira de nascer. Ser humano é ser sexual. Quando você foi concebido, seu pai e sua mãe não estavam rezando, não estavam escutando o sermão do sacerdote, não estavam na igreja; eles estavam fazendo amor. Parece difícil pensar que sua mãe e seu pai estavam fazendo amor quando você foi concebido. Eles estavam fazendo amor, suas energias sexuais estavam se encontrando e se fundindo uma na outra e você foi concebido; num profundo ato sexual você foi concebido. A primeira célula foi uma célula sexual e, a partir dessa célula, outras células surgiram. Mas, basicamente, toda célula permanece sexual. Todo o seu corpo é sexual, é composto de células sexuais. Agora existem milhões delas.

Lembre-se, você existe como um ser sexual. Uma vez aceito isso, o conflito criado ao longo dos séculos se dissolve. Uma vez aceito profundamente, sem restrições, quando o sexo for considerado como algo simplesmente natural, você o vive. Você não me pergunta como transcender o ato de comer, como transcender o ato de respirar — porque nenhuma religião lhe ensinou a transcender o ato de respirar, é por isso. Senão, você perguntaria: "Como transcender o ato de respirar?" Respire! Você é um animal que respira e também é um animal sexual. Mas há uma diferença. No começo, catorze anos de sua vida são praticamente não-sexuais, ou só existem, no máximo, jogos sexuais rudimentares, que não são realmente sexuais — são apenas uma preparação, um ensaio, isso é tudo. Aos catorze anos, de repente a energia amadurece.

Observe... nasce uma criança e imediatamente, em três segundos, ela precisa respirar, senão morrerá. Depois a respiração continua pelo resto da vida, porque ela começou no primeiro estágio da vida. Ela não pode ser transcendida. Talvez antes de você morrer, três segundos antes, ela pare, mas não antes disso. Lembre-se sempre, os dois extremos da vida, o começo e o fim, são parecidos, simétricos. A criança nasce e começa a respirar em três segundos. Quando a pessoa está velha e morrendo, três segundos depois que ela pára de respirar, ela morre.

O sexo se inicia num estágio muito tardio: durante catorze anos a criança viveu sem sexo. E, se a sociedade não for tão repressiva e, portanto, obcecada por sexo, a criança pode viver completamente alheia ao fato de que existe sexo, ou algo como o sexo. A criança pode continuar absolutamente inocente. Essa inocência também não é possível, porque as pessoas são muito reprimidas. Quando a repressão acontece, ao mesmo tempo acontece também a obsessão.

Os sacerdotes insistem em reprimir, e existem também os anti-sacerdotes, Hugh Hefners e outros, que criam mais e mais pornografia. Assim, por um lado existem os sacerdotes, que reprimem, e existem os outros, os anti-sacerdotes, que tornam a sexualidade mais e mais fascinante. Ambos existem juntos, são lados da mesma moeda. Só quando as igrejas desaparecerem que revistas como a *Playboy* vão desaparecer, e não antes. Eles são sócios no mesmo negócio. Parecem inimigos, mas não se iluda com isso. Eles falam um contra o outro, mas é assim que as coisas funcionam.

Eu ouvi dizer de dois sócios que fecharam um negócio, depois da falência, e decidiram criar outro, muito simples. Eles começaram a viajar, a ir de cidade em cidade. Primeiro chegava um e, à noite, jogava óleo queimado nas janelas e nas portas das casas. Depois de dois ou três dias, o outro vinha para limpar. Ele anunciava que podia limpar até mesmo óleo queimado e era contratado pelas pessoas. Enquanto isso, o outro fazia a outra parte do trabalho na cidade seguinte. Dessa maneira, eles começaram a ganhar muito dinheiro.

É isso o que está acontecendo entre a igreja e os que estão criando pornografia. Eles estão juntos, são parceiros na mesma conspiração. Sempre que a pessoa é muito reprimida, começa a ter interesses pervertidos. O interesse pervertido é o problema, e não o sexo.

Assim, nunca carregue em sua mente uma única idéia contra o sexo, senão, nunca será capaz de transcendê-lo. As pessoas que transcendem o sexo são as que o aceitam muito naturalmente. É difícil, eu sei, porque você nasceu numa sociedade com neuroses sexuais. De uma maneira ou de outra, mas neurótica do mesmo jeito. É muito difícil sair dessa neurose, mas, se você estiver um pouco alerta, poderá se livrar dela. O x da questão não é como transcender o sexo, mas como transcender essa ideologia perversa da sociedade: esse medo do sexo, essa repressão do sexo, essa obsessão com o sexo.

O sexo é belo. Ele, propriamente, é um fenômeno natural e ritmado. Ele acontece quando a criança está pronta para ser concebida, e é bom que isso aconteça; senão, a vida não existiria. A vida existe por meio do sexo; o sexo é o veículo. Se você entender a vida, se amar a vida, saberá que o sexo é sagrado, é sacrossanto. Então, você o vive, deleita-se nele e, tão naturalmente quanto veio, ele se vai por si mesmo. Em torno dos quarenta e dois anos, o sexo começa a desaparecer tão naturalmente quanto veio. Mas isso não acontece dessa maneira.

Você deve ficar surpreso quando digo por volta dos quarenta e dois anos. Você conhece pessoas que têm setenta, oitenta anos, e ainda assim não foram além. Você conhece "os velhos sujos". Eles são vítimas da sociedade. Como eles não puderam ser naturais, acontece uma ressaca — pois eles reprimiram quando poderiam ter aproveitado e se deleitado. Nesses momentos de deleite, eles não estavam totalmente entregues. Esses momentos não foram extasiantes; foram mornos.

Sempre que você for morno em alguma coisa, ela se prolonga por mais tempo. Se estiver comendo, mas só comer um pouco, sem matar a fome, você continuará pensando em comida o dia todo. Você pode tentar jejuar e vai notar: continuará pensando o tempo todo em comida. Mas, se você comer bem... quando digo comer bem, não quero dizer somente que você encheu a barriga. Comer bem é uma arte, e não é apenas se empanturrar. É uma grande arte saborear a comida, cheirá-la, tocá-la, mastigá-la, digeri-la, e digeri-la como algo divino. Ela é divina, é uma dádiva de Deus.

Os hindus dizem, *Anam Brahma*, a comida é divina. Assim, com profundo respeito, você come e, enquanto estiver comendo, se esquece de tudo, porque se trata de uma prece, de uma prece existencial. Você está se alimentando de Deus e Deus está nutrindo você. Trata-se de uma dádiva a ser aceita com profundo amor e gratidão. E você não empanturra o corpo, porque empanturrar o corpo é ser contra o corpo. Esse é o outro pólo. Existem pessoas que ficam obcecadas com o jejum e existem pessoas que ficam obcecadas com o excesso de comida. Os dois tipos estão errados, porque nos dois casos o corpo perde o equilíbrio.

Alguém que realmente ama o corpo come somente até o ponto em que o corpo se sente perfeitamente sereno, equilibrado, tranqüilo; em que o corpo sente que não está pendendo nem para a direita nem para a esquerda, mas está exatamente no meio. É uma arte entender a linguagem do corpo, a linguagem de seu estômago; entender o que é necessário, dar somente o necessário e dar de uma maneira artística, estética.

Os animais comem, o ser humano come. Qual é a diferença? O ser humano faz do ato de comer uma grande experiência estética. Qual é o propósito de se ter uma bela mesa de jantar? Qual o propósito de ter velas acessas ali? Qual o propósito do incenso? Qual o propósito de convidar os amigos? É para fazer do ato uma arte, e não simplesmente se empanturrar. Mas esses são sinais externos da arte; os sinais internos são compreender a linguagem do corpo, ouvi-lo, ser sensível às suas necessidades. E *depois* você come, e por todo o dia você não se lembrará de comida. Somente quando o corpo estiver com fome, mais uma vez virá a lembrança. Então, é natural.

Com o sexo o mesmo acontece. Se não tiver uma atitude contrária a ele, você o considera como uma dádiva natural e divina, com muita gratidão. Você o desfruta, com uma prece você o desfruta. O Tantra diz que, antes de fazer amor com uma mulher ou com um homem, primeiro reze, porque vai ser um encontro divino de energias. Deus o circundará — onde dois amantes estiverem, Deus estará presente. Sempre que as energias de duas pessoas enamoradas estiverem se encontrando e se mesclando, existe vida, vitalidade, em seu máximo; Deus as envolve. As igrejas estão vazias e as alcovas estão repletas de Deus. Se você saboreou o amor da maneira que o Tantra diz para saboreá-lo, se conheceu o amor da maneira que o Tao diz para conhecê-lo, quando você atingir quarenta e dois anos de idade, o sexo começará a desaparecer espontaneamente. E você diz adeus a ele com profunda gratidão, pois você está preenchido. Ele foi muito agradável, uma bênção; você se despede dele.

E quarenta e dois anos é a idade da meditação, a idade certa. O sexo desaparece; aquela energia transbordante não está mais presente. A pessoa fica mais tranqüila. A paixão se foi, a compaixão surge. Agora, não existe mais a febre; a pessoa não está mais interessada no outro. Com o desaparecimento do sexo, o outro não é mais o foco. A pessoa começa a retornar para a sua própria fonte; começa a jornada de volta.

O sexo é transcendido não por causa do seu empenho. Isso acontece se você o viveu totalmente. Assim, minha sugestão é abandonar todas as atitudes contrárias, as atitudes contrárias à vida, e aceitar o fato: o sexo *existe*, então quem é você para abandoná-lo? E quem está tentando abandoná-lo? Apenas o ego. Lembre-se, o sexo cria o maior dos problemas para o ego.

Existem dois tipos de pessoa: as muito egocêntricas são sempre contra o sexo, as humildes nunca são contra o sexo. Mas quem escuta as pessoas humildes? Na verdade, as humildes não vão pregar, somente as egocêntricas.

Por que existe conflito entre o sexo e o ego? Porque o sexo é algo em sua vida em que você não pode ser egocêntrico, em que o outro se torna mais importante do que você. Sua mulher, seu homem, torna-se mais importante do que você. Em todos os outros casos, você continua sendo o mais importante. Num relacionamento de amor, o outro se torna muito, muito importante, imensamente importante. Você se torna um satélite e o outro o núcleo, e o mesmo está acontecendo com o outro: você se torna o núcleo e ele se torna um satélite. Trata-se de uma entrega recíproca. Ambos estão se entregando ao deus do amor e ambos se tornam humildes.

O sexo é a única energia a lhe dar indícios de que existe algo que você não pode controlar. O dinheiro você pode controlar, a política você pode controlar, os negócios você pode controlar, o conhecimento você pode controlar, a ciência você pode controlar, a moralidade você pode controlar. De alguma maneira, o sexo traz um mundo totalmente diferente: você não pode controlá-lo. E o ego é o grande controlador. Ele fica feliz se puder controlar; e fica infeliz se não puder controlar. Assim, aí começa um conflito entre o ego e o sexo. Lembre-se, essa é uma batalha perdida. O ego não pode vencê-la, porque o ego é superficial. O sexo está profundamente enraizado, ele é a sua vida; o ego é apenas a sua mente, a sua cabeça. O sexo tem raízes que se estendem por você inteiro, e o ego tem raízes somente em suas idéias — é muito superficial, apenas na cabeça.

Dessa maneira, quem tentará transcender o sexo? A cabeça tentará. Se você estiver demasiadamente na cabeça, desejará transcender o sexo, porque ele o leva de volta às suas entranhas. Ele não deixa que você fique na cabeça. Todo o resto você pode manejar daí, menos o sexo. Você não pode fazer amor com a cabeça. Você precisa baixar, descer das alturas, aproximar-se da terra.

O sexo é humilhante para o ego; portanto, as pessoas egocêntricas são sempre contra o sexo. Elas ficam descobrindo maneiras e meios de transcendê-lo, mas nunca conseguem. No máximo, podem ficar pervertidas. Desde o começo, todo o esforço delas está fadado ao fracasso. Você pode fingir que venceu o sexo, mas uma subcorrente... Você pode racionalizar, pode encontrar razões, pode fingir, pode criar uma concha muito dura à sua volta, mas no fundo, a razão real, a realidade, ficará intocável. E a causa real explodirá; não se pode ocultá-la, é impossível.

Assim, você pode tentar controlar o sexo, mas uma subcorrente de sexualidade correrá e ela se mostrará de muitas maneiras. A partir de todas as suas racionalizações, ela repetidamente se manifestará.

Não vou sugerir que você faça qualquer esforço para transcendê-lo. O que sugiro é justamente o contrário: esqueça-se de transcendê-lo. Mergulhe nele tão profundamente quanto puder. Enquanto a energia estiver presente, mova-se tão profundamente quanto puder, ame tão profundamente quanto puder e faça dele uma arte. Ele não é apenas para ser "feito" — esse é todo o significado de fazer do ato de amor uma arte. Existem nuanças sutis, as quais somente as pessoas que entram com um grande senso estético serão capazes de conhecer. Do contrário, você pode fazer amor durante toda a vida e ainda ficar insatisfeito, porque você não sabe que a satisfação é algo muito estético. Ela é como uma música sutil brotando da sua alma.

Se por meio do sexo você entrar em harmonia, se por meio do amor você ficar descontraído e relaxado, se o amor não for apenas jogar fora energia, porque você não sabe o que fazer com ela, se ele não for apenas um alívio, mas um relaxamento, se você relaxar com sua mulher e ela relaxar com você, se por alguns segundos, por alguns momentos ou por algumas horas você se esquecer de quem você é e ficar completamente perdido em repouso, você sairá dele mais puro, mais inocente, mais virgem e terá um tipo diferente de ser — descontraído, centrado, enraizado.

Se isso acontecer, um dia, de repente, você perceberá que a torrente se foi e o deixou muito, muito enriquecido. Você não se lamentará por ele ter ido embora. Você será grato, porque agora mundos mais ricos se abrem. Quando o sexo o deixa, as portas da meditação se abrem. Quando o sexo o deixa, você não fica tentando se perder no outro. Você se torna capaz de se perder em si mesmo. Surge agora um outro mundo de orgasmo, o orgasmo interior de estar consigo mesmo. Mas isso surge somente por meio do estar com o outro.

A pessoa cresce, amadurece por meio do outro; então, vem o momento em que você pode ficar sozinho e imensamente feliz. Não há necessidade de mais ninguém; a necessidade desapareceu, mas você aprendeu muito com isso — aprendeu muito sobre você mesmo. O outro se tornou o espelho e você não quebrou espelho. Você aprendeu muito sobre você mesmo e agora não há necessidade de olhar no espelho. Você pode fechar os olhos e perceber a sua face ali. Mas você não seria capaz de perceber essa face se não houvesse espelho desde o começo.

Deixe sua mulher ser seu espelho, deixe seu homem ser seu espelho. Investigue os olhos dela e perceba a sua face, penetre nela para conhecer a si mesmo. Então, um dia o espelho não será necessário. Mas você não será contra o espelho. Você será muito grato a ele. Como poderá estar contra ele? Você estará muito agradecido. Como poderá estar contra ele? Então, acontece a transcendência.

Transcendência não é repressão. Transcendência é uma superação natural — você se eleva, vai além, assim como uma semente quebra a casca e um broto começa a se erguer acima do solo. Quando o sexo desaparece, a semente desaparece. No sexo, você era capaz de dar nascimento a uma outra pessoa, a uma criança. Quando o sexo desaparece, toda a energia começa a dar nascimento a *você mesmo*. É a isso o que os hindus chamam de *dwija*, o segundo nascimento. Um nascimento lhe foi proporcionado pelos seus pais, o outro está esperando... Ele precisa lhe ser proporcionado por você mesmo. Você precisa ser pai e mãe de si mesmo.

Então, toda a sua energia se volta para dentro, ela se torna um círculo interno. No momento, será difícil para você fazer um círculo interno. Será mais fácil conectá-lo com um outro pólo — uma mulher ou um homem — e depois o círculo ficará completo. Então, você poderá desfrutar as bênçãos do círculo. Mas, aos poucos, você será capaz de fazer um círculo interno sozinho, porque também em seu interior você é homem e mulher, mulher e homem.

Ninguém é apenas homem e ninguém é apenas mulher, porque você vem da comunhão de um homem e de uma mulher. Ambos participaram; sua mãe lhe deu algo, seu pai lhe deu algo. Eles contribuíram igualmente com você; ambos estão presentes. Existe uma possibilidade de que ambos possam se encontrar dentro de você; novamente seu pai e sua mãe podem amar — dentro de você. Então, sua realidade nascerá. Uma vez eles se encontraram quando seu corpo nasceu; agora, se eles puderem se encontrar dentro de você, sua alma nascerá. Transcender o sexo é isso. Trata-se de um sexo superior.

Quando transcende o sexo, você atinge um sexo superior. O sexo comum é grosseiro; o sexo superior não é grosseiro. O sexo comum é um movimento para fora; o sexo superior é um movimento para dentro. No sexo comum, dois corpos se encontram e o encontro acontece no exterior. No sexo superior, suas próprias energias internas se encontram. Ele não é físico, ele é espiritual — ele é transcendência.

CAPÍTULO TREZE

Além da Família

O ser humano superou a família. A utilidade da família acabou, ela já durou demais. A família é uma das instituições mais antigas que existem, por isso somente pessoas muito perceptivas podem ver que ela já está morta. Levará tempo até que as outras percebam o fato de que a família está morta.

Ela cumpriu sua função e não é mais relevante no novo contexto, não é mais relevante para a nova humanidade que está nascendo.

A família foi boa e ruim. Ela foi útil — o ser humano sobreviveu por meio dela — e foi muito prejudicial, pois corrompeu a mente humana. Mas no passado não havia alternativa, não havia maneira de escolher uma outra coisa. Ela era um mal necessário. No futuro, isso não precisa ser assim. O futuro pode ter estilos alternativos.

A meu ver, o futuro não terá um padrão fixo; ele terá muitos, muitos estilos alternativos. Se algumas pessoas ainda optarem por ter uma família, elas deverão ter liberdade para tê-la. Será uma percentagem muito pequena. Existem famílias no mundo, muito raras, não mais do que um por cento, que são realmente belas, realmente benéficas, na qual o crescimento acontece, na qual não existe autoridade, jogos de poder, possessividade, na qual as crianças não são destruídas, na qual a mulher não está tentando destruir o marido e o marido não está tentando destruir a mulher, em que o amor e a liberdade estão presentes, em que as pessoas se juntam pela alegria que isso dá e não por outros motivos, em que não existe política. Sim, esses tipos de família existiram sobre a terra e ainda existem. Para essas pessoas, não há necessidade de mudar. No futuro, elas podem continuar a viver em família.

Mas, para a grande maioria, a família é algo feio. Você pode perguntar aos psicanalistas e eles dirão que todos os tipos de doença mental surgem por causa da família. Todos os tipos de psicose e neurose surgem da família. A família cria um ser humano muito, muito doente.

Não há necessidade; estilos alternativos deveriam ser possíveis. Para mim, um estilo alternativo é a comunidade — ele é o melhor.

Uma comunidade significa pessoas vivendo numa família fluida. As crianças pertencem à comunidade, pertencem a todos. Não existe propriedade privada, nenhum ego pessoal. Um homem vive com uma mulher porque eles sentem vontade de viver juntos, porque cultivam isso, gostam disso. No momento em que sentirem que o amor não está mais acontecendo, eles não se apegam um ao outro. Eles se despedem com toda a gratidão, com toda a amizade. Eles começam a procurar outras pessoas.

No passado, o único problema era o que fazer com os filhos. Na comunidade, as crianças podem pertencer à comunidade, e isso será muito melhor. Elas terão mais oportunidade de crescer com muito mais tipos de pessoa. De outra forma, a criança cresce só com a mãe — durante anos, a mãe e o pai são as únicas duas imagens de seres humanos que ela tem. Naturalmente ela começa a imitá-los. As crianças se tornam imitadoras dos pais e perpetuam o mesmo tipo de doença no mundo, como os pais delas fizeram. Elas se tornam cópias. Isso é muito destrutivo. E não há como as crianças agirem de outra forma; elas não têm outra fonte de informação.

Se cem pessoas viverem juntas numa comunidade, haverá muitos homens e muitas mulheres; a criança não precisa ficar fixa num só padrão de vida e obcecada por ele. Ela pode aprender com o pai, com os tios e com todos os homens da comunidade. Ela terá uma alma maior.

As famílias aniquilam as pessoas e lhes dão almas muito pequenas. Na comunidade, a criança terá uma alma maior, terá mais possibilidades, será muito mais rica em seu ser. Ela verá muitas mulheres e não terá só uma idéia de mulher. É muito destrutivo ter somente uma única idéia de mulher, porque ao longo de toda a sua vida você ficará procurando a sua mãe. Sempre que você se apaixona por uma mulher, observe! Existe toda a possibilidade de você ter encontrado alguém semelhante à sua mãe, e essa semelhança pode ser o que você deveria ter evitado.

Toda criança tem raiva da mãe. A mãe precisa proibir muitas coisas, precisa dizer não — isso não pode ser evitado. Mesmo uma boa mãe algumas vezes precisa dizer não, restringir e negar. A criança fica furiosa, sente raiva. Ela odeia a mãe e também a ama, porque ela é sua sobrevivência, sua fonte de vida e energia. Assim, ela odeia a mãe e também a ama. E esse se torna o padrão. Você amará a mulher e odiará a mesma mulher. E você não tem outra escolha. Você sempre continuará a procurar, inconscientemente, pela sua mãe. E isso também acontece com as mulheres, elas procuram os pais. Toda a vida delas é uma busca para encontrar o papai na condição de marido.

Ora, seu pai não é a única pessoa no mundo; o mundo é muito mais rico. E, na verdade, se você conseguir encontrar o seu pai, não ficará feliz. Você só pode ser feliz com o ser amado, com um amante, e não com o papai. Se você conseguir encontrar sua mãe, não ficará feliz com ela. Você já a conhece; não existe mais nada para investigar. Isso já é familiar, e a familiaridade produz desdém. Você deveria procurar algo novo, mas você não tem outra imagem.

Na comunidade, a criança terá uma alma mais rica. Ela conhecerá muitas mulheres e muitos homens e não ficará viciada numa ou duas pessoas.

A família cria uma obsessão em você, e a obsessão é contra a humanidade. Se seu pai estiver brigando com alguém e você perceber que ele está errado, isso não importa — você precisa ficar com o seu pai, ficar ao lado dele. Como as pessoas costumam dizer, "Certo ou errado, meu país é o meu país!", assim elas dizem, "Meu pai é meu pai, esteja ele certo ou errado. Minha mãe é minha mãe, preciso ficar ao lado dela." Senão, seria uma traição. Essa situação ensina você a ser injusto. Você pode ver que sua mãe está errada e está brigando com o vizinho, que está certo, mas você precisa apoiar a sua mãe. Esse é o ensinamento de uma vida injusta.

Na comunidade, você não ficará apegado demais a uma só família — não haverá família a qual se apegar. Você será mais livre, menos obsessivo, mais justo e terá amor de muitas fontes. Você sentirá que a vida é amorosa.

A família lhe ensina um tipo de conflito com a sociedade, com outras famílias. A família exige monopólio, ela lhe pede para ficar a favor dela e contra todos os outros. Você precisa estar a serviço da família, precisa continuar a lutar pelo nome e pela reputação da família. A família lhe ensina ambição, conflito, agressão. Numa comunidade, você será menos agressivo, estará mais à vontade com o mundo, porque conheceu muitas pessoas.

Assim, em vez da família, eu gostaria de ver uma comunidade onde todos fossem amigos. Nem mesmo os casais deveriam ser mais do que amigos. A união entre eles deveria ser apenas um acordo entre os dois — decidiram ficar juntos porque se sentem felizes juntos. No momento em que um deles percebe que a infelicidade está se instalando, eles se separam. Não há necessidade de divórcio — por não existir casamento, não existe divórcio. A pessoa vive espontaneamente.

Quando você vive infeliz, logo se habitua à infelicidade. Nunca, nem por um único momento, a pessoa deveria tolerar a infelicidade. Pode ter sido bom e prazeroso viver com um homem no passado, mas, se não for mais prazeroso, então você precisa se separar. E não há necessidade de ficar com raiva, ser destrutivo ou carregar ressentimento, porque nada pode ser feito com relação ao amor. O amor é como uma brisa. Você percebe... ele simplesmente vem. Se ele existe, ele existe. Então, ele vai embora. E, quando ele se vai, não há nada a fazer. O amor é um mistério; não se pode manipulá-lo. O amor não deveria ser manipulado, não deveria ser legalizado, não deveria ser forçado — por nenhuma razão.

Na comunidade, as pessoas viverão juntas pela pura alegria de estarem juntas, e por nenhuma outra razão. E, quando a alegria desaparece, elas se separam. Talvez haja tristeza, mas elas precisam se separar. Talvez a nostalgia do passado ainda se prolongue na mente, mas elas precisam se separar. Elas prometeram uma à outra que não deveriam viver na infelicidade; senão, a infelicidade se torna um hábito. Elas se separam com o coração pesado, mas sem ressentimento. Elas procurarão outros parceiros.

No futuro, não haverá casamento como existia no passado, e nenhum divórcio como existia no passado. A vida será mais fluida, mais confiante. Haverá mais confiança nos mistérios da vida do que nas diretrizes da lei, mais confiança na própria vida do que em qualquer outra coisa — a justiça, a polícia, o sacerdote, a igreja. E as crianças deverão pertencer a todos — elas não deverão carregar os brasões de suas famílias. Elas pertencerão à comunidade; a comunidade tomará conta delas.

Esse será o passo mais revolucionário na história humana, pessoas começando a viver em comunidades e começando a ser verdadeiras, honestas, confiantes e deixando a lei cada vez mais de lado.

Numa família, mais cedo ou mais tarde, o amor acaba. Ele pode nem ter chegado a existir. Pode ter sido um casamento arranjado por outros motivos, por dinheiro, poder, prestígio. Desde o começo pode não ter existido amor, e as crianças nascem de laços conjugais que são mais amarras do que laços — as crianças nascem do desamor. Desde o começo elas se tornam desérticas. E esse estado de desamor na casa as torna melancólicas e pouco amorosas. Elas aprendem a primeira lição da vida com os pais, que não têm amor um pelo outro e vivem uma vida de ciúme, briga e raiva constantes. As crianças ficam constantemente vendo a carranca dos pais.

A própria esperança delas é destruída. Elas não podem acreditar que o amor irá acontecer na vida delas, se ele não aconteceu na vida dos pais. E elas também observam outros pais, outras famílias. As crianças são muito perceptivas, elas ficam olhando tudo à volta e observando. Quando elas percebem que não há possibilidade de amor, começam a sentir que o amor está somente na poesia, que ele existe somente para os poetas, para os sonhadores e não existe na vida de verdade. E uma vez aprendida a idéia de que o amor é apenas poesia, ele nunca acontecerá, porque você se fecha para ele.

Ver o amor acontecer é a única maneira de deixá-lo acontecer mais tarde na sua própria vida. Se você perceber seu pai e sua mãe sentindo um amor profundo, um grande amor, um pelo outro, importando-se um com o outro, tendo compaixão e respeito um pelo outro, então você viu o amor acontecer. Surge a esperança, uma semente cai em seu coração e começa a crescer. Você sabe que ele também irá acontecer a você.

Se você não o viu, como pode acreditar que ele irá acontecer a você? Se ele não aconteceu a seus pais, como pode acontecer a você? Na verdade, você fará tudo para impedi-lo de acontecer a você — senão, parecerá uma traição a seus pais.

Isso é o que eu observo com relação às pessoas: no fundo do inconsciente, as mulheres dizem: "Olhe, mamãe, estou sofrendo como você sofreu." Mais tarde, os meninos dizem a eles mesmos: "Papai, não se preocupe, minha vida é tão infeliz quanto a sua. Não fui além de você, não o traí. Continuo sendo a mesma pessoa infeliz que você foi. Carrego a corrente, a tradição. Sou seu representante, papai, não o traí. Olhe, estou fazendo a mesma coisa que você costumava fazer à mamãe, estou fazendo isso para a mãe de meus filhos. E o que você costumava fazer comigo, estou fazendo a meus filhos. Estou criando-os da mesma maneira que você me criou."

Ora, a própria idéia de criar os filhos é absurda. No máximo, você pode ajudar; você não pode "criá-los". A própria idéia de criar os filhos é absurda, e não somente absurda, mas muito prejudicial, imensamente prejudicial. Você não pode criar... Uma criança não é uma coisa, não é como uma construção. Uma criança é como uma árvore. Sim, você pode ajudar, pode preparar o solo, pode colocar fertilizantes, regar, observar se o sol bate na planta ou não, e isso é tudo. Não é que você esteja criando a planta; ela está brotando por si mesma. Você pode ajudar, mas não pode criá-la.

As crianças são imensos mistérios. No momento que você começa a criá-las, começa a criar padrões e caráter à volta delas, você as está aprisionando. Elas nunca serão capazes de perdoá-lo. Essa é a única maneira que elas aprenderão, e farão o mesmo com os filhos, e assim por diante. Cada geração transmite suas neuroses às novas pessoas que vêm ao mundo. E a sociedade persiste com todas as suas loucuras e infelicidades.

Não, algo diferente é necessário agora. O ser humano amadureceu e a família é coisa do passado; ela realmente não tem futuro. A comunidade será o que pode substituir a família, e ela será muito mais benéfica.

Numa comunidade, somente pessoas meditativas podem ficar juntas. Somente quando você souber celebrar a vida, poderá viver em comunidade; somente quando conhecer aquele espaço que chamo de meditação, poderá conviver com outras pessoas, poderá ser amoroso. O velho contra-senso de monopolizar o amor precisa ser abandonado, e somente então se pode viver numa comunidade. Se você insistir em carregar suas velhas idéias de monopólio, que sua mulher não pode segurar a mão de mais ninguém e seu marido não pode rir com mais ninguém, se você carregar essas idéias absurdas na cabeça, não poderá se tornar parte de uma comunidade.

Se seu marido estiver rindo com alguém, isso é bom. Seu marido está rindo — a gargalhada é sempre boa. Não importa com quem ela aconteça, a gargalhada é boa, é valiosa. Se sua mulher estiver segurando a mão de outra pessoa, bom! Demonstrar calor humano é fluir — o fluxo do calor humano é bom, é valioso. Não importa com quem isso esteja acontecendo.

E se estiver acontecendo à sua mulher com relação a muitas pessoas, também acontecerá com você. Se parou de acontecer com alguém, irá parar de acontecer com você também. Toda a velha idéia é tão idiota! É como se no momento em que seu marido sai, você lhe dissesse: "Não respire em nenhum outro lugar. Quando você voltar para casa, pode respirar tanto quanto quiser, mas pode respirar somente quando estiver comigo. Lá fora, prenda a respiração, torne-se um yogue. Não quero que você respire em outro lugar." Ora, isso parece estúpido, mas então, por que o amor não deveria ser como o ato de respirar?

O amor *é* respiração. A respiração é a vida do corpo, e o amor é a vida da alma. Ele é muito mais importante do que a respiração. Ora, quando seu marido sai, você deixa claro que ele não pode rir com mais ninguém, pelo menos não com uma outra mulher. Ele não pode ser amoroso com mais ninguém. Assim, por vinte e três horas ele não é amoroso; e por uma hora, quando estiver na cama com você, ele finge amar? Você matou o amor no seu marido, ele não está mais fluindo. Se ele tiver que permanecer um yogue por vinte e três horas, segurando o amor, com medo, você acha que ele conseguirá relaxar de repente, por uma hora? É impossível. Você destruiu o homem, destruiu a mulher, e ele então fica farto, entediado e começa a sentir: "Ela não me ama!" E foi você que criou toda a situação. Ele começa a sentir que você não o ama, e você deixa de ser tão feliz como era.

Quando as pessoas se encontram numa praia, num jardim, quando saem com alguém e nada está estabelecido e tudo é fluido, ambos ficam muito felizes. Por quê? Porque eles são livres. O pássaro voando é uma coisa e o mesmo pássaro numa gaiola é outra. Eles estão felizes porque são livres.

O ser humano não pode ser feliz sem liberdade, e sua velha estrutura familiar destruiu a liberdade. E porque ela destruiu a liberdade, destruiu a felicidade e o amor.

A família tem sido um tipo de medida de sobrevivência. Sim, de alguma maneira ela protegeu o corpo, mas destruiu a alma. Agora não há necessidade dela. Precisamos também proteger a alma; ela é muito mais essencial e importante.

Não existe futuro para a família, não no sentido em que ela foi entendida até o momento. Existe um futuro para o amor e para as uniões amorosas. "Marido" e "esposa" vão se tornar palavras feias e vis.

E sempre que você monopoliza a mulher ou o homem, naturalmente você monopoliza também os filhos. Concordo totalmente com o Dr. Thomas Gordon, que diz: "Acho que todos os pais são sedutores de menores em potencial, porque a maneira básica de educar as crianças é por meio do poder e da autoridade. Considero destrutivo quando muitos pais têm a idéia: 'Esse é meu filho, posso fazer o que quiser com ele'. Isso é violento, é destrutivo." Uma criança não é uma coisa, não é uma cadeira, não é um carro. Você não pode fazer o que quiser com ela. Ela vem por meio de você, mas não pertence a você. Ela pertence à existência. No máximo, você é um guardião; não seja possessivo.

Mas toda a idéia da família é a da posse — possua a propriedade, a mulher, o homem, os filhos. E possessividade é veneno; daí eu ser contra a família. Não estou dizendo que os realmente felizes vivendo em família, fluindo, vivos e amando, precisam destruí-la. Não, não há necessidade. A família deles já é uma comunidade, uma pequena comunidade.

E, é claro, uma comunidade maior será muito melhor, com mais possibilidades, mais pessoas. Pessoas diferentes trazem canções diferentes, estilos de vida diferentes, brisas diferentes, raios de luz diferentes, e as crianças deveriam ser banhadas com tantos estilos de vida diferentes quanto possível, para que possam escolher, para que possam ter a liberdade de escolha.

E elas deveriam ser enriquecidas com a possibilidade de conhecer tantas mulheres a ponto de não ficar obcecadas pelo rosto da mãe ou pelo estilo da mãe. Assim, elas serão capazes de amar muito mais mulheres, muito mais homens. A vida será mais uma aventura.

Ouvi dizer...

> Uma mãe, ao visitar uma grande loja, levou o filho ao departamento de brinquedos. Ao ver um gigantesco cavalo de balanço, o menino montou nele e balançou durante uma hora.
>
> "Vamos, filho", a mãe implorou, "preciso ir para casa aprontar o jantar de seu pai." O garoto se recusou a sair dali e todos os esforços dela foram em vão. Um dos gerentes da loja também tentou persuadir o pequeno, também sem sucesso. Finalmente, em desespero, eles chamaram o psicólogo de recursos humanos da loja.
>
> Gentilmente ele se aproximou do garoto e sussurrou algumas palavras em seu ouvido. Imediatamente ele desceu do cavalo e correu para perto da mãe.
>
> "Como você fez isso?", a mãe perguntou surpresa. "O que você disse?"
>
> O psicólogo hesitou por um momento e respondeu: "Tudo o que eu disse foi, 'Se você não sair imediatamente desse cavalo, filho, arranco as suas orelhas!'"

Mais cedo ou mais tarde as pessoas aprendem que o medo funciona, que a autoridade funciona, que o poder funciona. E as crianças são tão impotentes e dependentes dos pais que é fácil amedrontá-las. Essa se torna a técnica de explorá-las e de oprimi-las, e elas não têm como escapar.

Numa comunidade, elas terão muitos lugares para ir. Elas terão muitos tios, muitas tias e muitas outras pessoas, e não serão tão impotentes. Elas não estarão em suas mãos tanto quanto estão hoje. Elas terão mais independência e serão menos impotentes. Você não será capaz de coagi-las tão facilmente.

E tudo o que elas vêem em casa é infelicidade. Sim, eu sei, algumas vezes o marido e a mulher são amorosos, mas sempre que são amorosos, estão em privacidade. Os filhos nada sabem sobre isso e vêem somente os rostos carrancudos, o lado feio. Quando o pai e a mãe estão amando, as portas estão fechadas. Eles ficam quietos, nunca permitem que os filhos vejam o que é o amor. Os filhos vêem somente os conflitos — censuras, brigas, insultos, humilhações, desentendimentos, explícitos ou sutis. Os filhos observam o que está acontecendo.

> Um homem está sentado em seu quarto lendo jornal quando a esposa entra e lhe dá um tapa.
>
> "Por que isso?", perguntou o marido indignado.
>
> "Porque você não é bom de cama."
>
> Um pouco mais tarde, o marido vai até onde a mulher está assistindo à televisão e lhe dá um sonoro bofetão.
>
> "Por que isso?", ela grita.
>
> "Por você saber a diferença!"

Isso continua indefinidamente e os filhos assistem ao que acontece. Isso é vida? A vida é para isso? É só isso o que existe? Eles começam a perder a esperança. Antes de começarem a vida, já são fracassados, já aceitaram o fracasso. Se os pais, que são tão sábios e poderosos, não podem ser bem-sucedidos, que esperança existe para eles? É impossível.

E eles aprenderam os truques — o truque de ser infeliz, de ser agressivo. As crianças nunca vêem o amor acontecendo. Numa comunidade, haverá mais possibilidades. O amor deveria ser um pouco mais aberto, as pessoas deveriam saber que o amor acontece. As crianças pequenas deveriam saber o que é amor. Elas deveriam ver pessoas demonstrando afeto umas pelas outras.

Mas essa é uma idéia muito antiga, uma idéia obsoleta, a de que você pode brigar em público, mas não pode ser amoroso em público. Brigar tudo bem. Você pode matar, isso é permitido. Na verdade, quando duas pessoas estão brigando, uma multidão se junta para ver o que está acontecendo e todos se divertem com a briga! Por isso as pessoas lêem e apreciam histórias de assassinatos, de suspense, de detetives.

O assassinato é permitido, o amor não é permitido. Se você estiver amando em público, isso é considerado obsceno. Ora, isso é absurdo — o amor é obsceno e o assassinato não é obsceno? Os enamorados não deveriam ser amorosos em público, e generais podem caminhar em público mostrando todas as suas medalhas? Esses são os assassinos e essas medalhas são pelos assassinatos! Essas medalhas mostram o quanto eles assassinaram, quantas pessoas eles mataram. Isso não é obsceno?

Deveria ser obsceno. Ninguém deveria ter permissão de brigar em público. Isso é obsceno, a violência é obscena. Como o amor pode ser obsceno? Mas o amor é considerado obsceno. Você precisa escondê-lo na escuridão, precisa fazer amor de tal modo que ninguém saiba. Você precisa fazê-lo tão silenciosamente, tão furtivamente... é natural que você não o aprecie muito. E as pessoas não se dão conta do que é o amor. As crianças, particularmente, não têm como saber o que é o amor.

Num mundo melhor, com mais compreensão, o amor estará por toda a parte. As crianças verão o que é carinho, verão a alegria que dá quando você é afetuoso com alguém. O amor deveria ser mais aceito e a violência deveria ser mais rejeitada. O amor deveria ser mais acessível. Duas pessoas fazendo amor não deveriam evitar que outros soubessem. Elas deveriam rir, cantar, gritar de alegria, para que toda a vizinhança saiba que alguém está sendo amoroso com alguém — alguém está fazendo amor.

O amor deveria ser uma tal dádiva, deveria ser tão divino... Ele é sagrado.

Pode-se publicar um livro sobre um homem sendo morto, isso tudo bem, não é pornografia — para mim, isso é pornografia. Não se pode publicar um livro sobre um homem despido envolvendo amorosamente uma mulher num profundo abraço — isso é pornografia. Até agora, este mundo tem existido contra o amor. Sua família é contra o amor, sua sociedade é contra o amor, seu Estado é contra o amor. É um milagre que o amor ainda exista até certo ponto, é inacreditável que ele ainda continue — não como deveria ser; ele é apenas uma pequena gota e não um oceano. Mas é um milagre que ele sobreviva a tantos inimigos. Ele não foi destruído completamente — ele é um milagre.

Minha visão de uma comunidade é a de pessoas amorosas vivendo juntas sem antagonismo, sem competição, com o amor que é fluido, mais acessível, sem ciúme e sem posses. E as crianças pertencerão a todos, porque elas pertencem à existência — todos cuidam delas. E essas crianças são pessoas tão belas, quem não cuidaria delas? E elas têm tantas possibilidades de ver tantas pessoas amando, e cada pessoa vive da sua própria maneira. Elas ficarão mais enriquecidas. E, eu lhe digo, se essas crianças existirem no mundo, nenhuma delas lerá *Playboy*; não haverá necessidade. E nenhuma delas lerá o *Kama Sutra*, de Vatasayana; não haverá necessidade. Figuras nuas e despidas desaparecerão. Elas simplesmente mostram um sexo faminto, um amor faminto. O mundo se tornará praticamente não-sexual e será muito amoroso.

Seus sacerdotes e seus policiais criaram todos os tipos de obscenidade no mundo. Eles são a fonte de tudo o que é feio. E sua família desempenhou uma grande parte nisso. A família precisa desaparecer, desaparecer na visão maior de uma comunidade, de uma vida não baseada em pequenas identidades, de uma vida mais desprendida.

Numa comunidade, haverá budistas, haverá hindus, haverá jainistas, haverá cristãos e haverá judeus. Se as famílias desaparecerem, as igrejas desaparecerão automaticamente, porque as famílias pertencem às igrejas. Numa comunidade, existirão todos os tipos de pessoa, todos os tipos de religião, todos os tipos de filosofia, e a criança terá oportunidade de aprender. Um dia ela irá com um tio à igreja; outro dia, com um outro tio ao templo, e ela aprenderá tudo o que existe ali e poderá fazer uma escolha. Ela poderá escolher e decidir a qual religião gostaria de pertencer. Nada será imposto.

A vida pode se tornar um paraíso aqui e agora. As barreiras precisam ser removidas, e a família é uma das maiores barreiras.

PERGUNTAS

• ***Você disse que o amor pode nos libertar. Mas, em geral, percebemos que o amor vira uma prisão e, em vez de nos libertar, nos deixa amarrados. Portanto, diga-nos algo sobre o apego e a liberdade.***

O amor vira uma prisão porque não existe amor. Você estava apenas representando, enganando a si mesmo. A prisão é a realidade; o amor era apenas uma preliminar. Assim, sempre que você se apaixona, mais cedo ou mais tarde descobre que se tornou um instrumento e toda a infelicidade começa. Que mecanismo é esse? Por que isso acontece?

Há alguns dias, um homem me procurou e ele estava se sentindo muito culpado. Ele disse: "Eu amava uma mulher, amava-a muito. No dia em que ela morreu, chorei e me lamentei, mas, de repente, me dei conta de uma certa liberdade, como se um fardo tivesse sido tirado dos meus ombros. Respirei fundo, como se tivesse me libertado."

Naquele momento ele ficou consciente de uma segunda camada de seu sentimento. Por fora ele estava chorando, se lamentando e dizendo: "Não posso viver sem ela. Agora será impossível, a vida perdeu o sentido." Mas, no fundo, ele dizia: "Eu me dei conta de que estou me sentindo muito bem, de que agora sou livre."

E veio à tona uma terceira camada: ele começou a se sentir culpado. Essa camada lhe perguntou: "O que você está fazendo?" E ele me disse que o corpo dela estava ali, diante dele. Ele começou a sentir uma grande culpa. Ele me disse: "Ajude-me. O que aconteceu com minha mente? Eu a traí tão cedo?"

Nada aconteceu, ninguém traiu ninguém. Quando o amor vira uma prisão, ele se torna um fardo, uma escravidão. Mas por que o amor vira uma prisão? A primeira coisa a ser entendida é que, se o amor vira uma prisão, você estava apenas iludido de que se tratava de amor. Você estava apenas se enganando e achando que era amor. Na verdade, você estava precisando se prender. E, se você for ainda mais fundo, descobrirá que também estava precisando se tornar um escravo.

Existe um medo sutil da liberdade e todos querem ser escravos. Todos, é claro, falam da liberdade, mas ninguém tem a coragem de ser realmente livre, porque, quando é realmente livre, você está só. Você só será livre se tiver a coragem de ficar só.

Mas ninguém é corajoso o suficiente para ficar só. Você precisa de alguém. Por que você precisa de alguém? Você tem medo de sua própria solidão. Você fica entediado com você mesmo. E, realmente, quando você está sozinho, nada parece ter sentido. Ao lado de alguém, você fica ocupado e cria significados artificiais à sua volta.

Você não consegue viver por si mesmo, então começa a viver pela outra pessoa. E o mesmo acontece com ela; ela não consegue viver só, então procura alguém. Duas pessoas com medo de suas próprias solidões se juntam e começam um jogo, um jogo de amor. Mas, no fundo, elas estão procurando a prisão, o compromisso, a escravidão.

Assim, mais cedo ou mais tarde, tudo o que você deseja acontece. Essa é uma das maiores desgraças deste mundo. Tudo o que você deseja acaba acontecendo. Mais cedo ou mais tarde você conseguirá o que quer e a preliminar acabará. Quando sua função estiver cumprida, ela acabará. Quando você tiver se tornado esposa ou marido, escravos um do outro, quando o casamento acontecer, o amor desaparecerá, porque o amor era apenas uma ilusão, na qual duas pessoas poderiam se tornar escravas uma da outra.

Você não pode pedir diretamente pela escravidão; é muito humilhante. E você não pode dizer a alguém diretamente: "Seja meu escravo." A pessoa se revoltará! Nem pode dizer: "Eu quero ser seu escravo." Assim, você diz: "Não posso viver sem você." Mas o sentido está ali, ele é o mesmo. E, quando o desejo verdadeiro for satisfeito, o amor desaparecerá. Então, você sente o cativeiro, a escravidão e começa a lutar para se libertar.

Lembre-se disto, este é um dos paradoxos da mente: tudo o que você obtiver acabará deixando-o entediado, e tudo o que não obtiver criará em você um grande anseio. Quando você estiver sozinho, ansiará pela escravidão, pelo cativeiro. Quando estiver num cativeiro, começará a ansiar pela liberdade. Realmente, só os escravos anseiam pela liberdade — e as pessoas livres tentam ser escravas de novo. A mente segue em frente como um pêndulo, movendo-se de um extremo a outro.

O amor não vira uma prisão. A prisão era a necessidade e o amor era apenas a isca. Você estava procurando um peixe chamado prisão e o amor era apenas a isca para apanhar o peixe. Quando o peixe é pego, a isca é jogada fora. Lembre-se disso, e sempre que você estiver fazendo algo, mergulhe fundo em você mesmo para descobrir a causa básica.

Se houver um amor verdadeiro, ele nunca se tornará uma prisão. Qual é o mecanismo que faz com que o amor vire uma prisão? No momento em que você diz à pessoa amada, "Ame somente a mim", começou a possuir. E, no momento em que você possui uma pessoa, insultou-a profundamente, porque fez dela um objeto.

Quando eu o possuo, você não é uma pessoa, mas apenas um item a mais entre meus móveis — um objeto. Então, eu o uso e você é meu objeto, minha posse, e não permitirei que ninguém mais o use. Essa é uma barganha na qual sou possuído por você e você me torna um objeto. É a barganha de que agora ninguém mais pode usá-lo. Ambos os parceiros se sentem amarrados e escravizados. Eu faço de você um escravo, e você, em troca, faz de mim um escravo.

A luta tem início. Quero ser uma pessoa livre e ainda assim desejo que você seja possuído por mim; você quer manter sua liberdade e ainda me possuir — essa é a contenda. Se eu o possuir, serei possuído por você. Se eu não quero ser possuído por você, não deveria possuí-lo. Não deveria haver essa questão de posse entre nós. Temos de continuar sendo indivíduos e viver como consciências independentes e livres. Podemos nos aproximar, podemos nos fundir um no outro, mas ninguém possui ninguém. Assim, não existe escravidão nem aprisionamento.

Aprisionar-se é uma das coisas mais feias que existem. E, quando digo das mais feias, não quero dizer apenas religiosamente, mas também esteticamente. Se você está preso a alguém, perdeu sua solitude, perdeu tudo. Apenas para se sentir bem, por alguém precisar de você e estar com você, você perdeu tudo — perdeu a si mesmo.

O truque é que você tenta ser independente e fazer do outro uma posse — e o outro faz o mesmo.

Assim, não possua se não quer ser possuído. A certa altura, Jesus disse: "Não julgue, para não ser julgado." É a mesma coisa: "Não possua, para não ser possuído." Não faça de ninguém um escravo; senão, você se tornará um escravo.

Os que se intitulam amos são sempre escravos de seus próprios escravos. Você não pode se tornar amo de alguém sem se tornar escravo — isso é impossível. Você só pode ser um amo quando ninguém for seu escravo.

Isso parece paradoxal, porque quando digo que você só pode ser amo quando ninguém for seu escravo, você perguntará: "Então, o que é ser amo? Como ser um amo quando ninguém é meu escravo?" Mas, eu digo, somente então você será um amo. Então, ninguém será seu escravo e ninguém tentará fazer de você um escravo.

Amar a liberdade, tentar ser livre, significa basicamente que você chegou a um profundo entendimento de si mesmo. Agora você sabe que se basta. Você pode compartilhar com alguém, mas você não é dependente. Posso compartilhar a mim mesmo com alguém, posso compartilhar meu amor, minha felicidade, minha bem-aventurança, meu silêncio com alguém. Mas esse é um compartilhar, e não uma dependência. Se ninguém estiver presente, serei igualmente feliz e bem-aventurado. Se alguém estiver presente, isso também é bom e posso compartilhar.

Só quando você perceber sua consciência interior, seu centro, é que o amor deixará de ser uma prisão. Se você não conhecer seu centro interior, o amor se tornará um aprisionamento. Se você conhecer seu centro interior, o amor se tornará uma devoção. Mas, primeiro, você precisa estar presente para amar, e você não está.

No momento, você não está. Se você diz, "Quando amo alguém, isso se torna uma prisão", você está dizendo que você não está presente. Dessa maneira, tudo o que você fizer sairá errado, porque o agente estará ausente. O ponto interior da consciência não estará presente, de tal modo que tudo o que você fizer sairá errado. Primeiro seja, e então poderá compartilhar o seu ser. E esse compartilhar será o amor. Antes disso, tudo o que você fizer se tornará um aprisionamento.

E, por fim, se você estiver lutando contra o aprisionamento, tomou o rumo errado. Você pode lutar — muitos monges, eremitas e *saniasins* estão fazendo isso. Eles sentem que estão apegados à casa deles, às suas propriedades, à esposa, aos filhos, e se sentem engaiolados, aprisionados. Eles fogem, saem de casa, abandonam a mulher, os filhos e as posses e se tornam mendigos, fogem para uma floresta, para um retiro. Mas vá lá e os observe. Eles se apegarão ao novo ambiente.

Eu estava visitando um amigo eremita que morava sob uma árvore numa densa floresta, mas havia também outros ascéticos. Aconteceu um dia de eu estar com esse eremita sob sua árvore e um novo buscador chegou enquanto meu amigo estava ausente. Ele tinha ido tomar banho no rio. O jovem *saniasin* começou a meditar sob a árvore do meu amigo.

O homem voltou do rio, empurrou o jovem para longe da árvore e disse: "Essa árvore é minha. Vá embora e encontre outra, em algum outro lugar. Ninguém pode sentar sob a minha árvore." Esse homem havia deixado sua casa, sua esposa, seus filhos e, agora, a árvore se tornou uma posse. "Você não pode meditar sob a minha árvore."

Não se pode escapar tão facilmente do apego. Ele tomará novas formas, novos formatos. Você será enganado, mas ele estará ali. Portanto, não lute contra a prisão; apenas tente compreender por que ela existe. E conheça a causa profunda: por você *não* estar presente, a prisão está.

Dentro, seu próprio ser está tão ausente que você tenta se apegar a qualquer coisa, a fim de se sentir seguro. Você não está enraizado, então tenta fazer de qualquer coisa as suas raízes. Quando você estiver enraizado em seu ser, quando souber quem é você, o que é esse ser que está dentro de você e o que é essa consciência que está dentro de você, então você não se apegará a ninguém.

• ***Meu namorado tem cada vez menos vontade de fazer amor. Isso me deixa chateada, frustrada e eu chego até a ser agressiva com ele. O que posso fazer?***

O primeiro ponto: sempre surge um momento na vida em que um dos parceiros não sentirá vontade de ter relações sexuais. Em maior ou menor intensidade, isso acontece com todos os casais. Quando uma pessoa não quer ter relação sexual, a outra se apega a isso mais do que nunca e começa a sentir que, se não houver sexo, o relacionamento terminará.

Quanto mais você pedir, mais medo ele sentirá. O relacionamento desaparecerá não porque o sexo desapareceu, mas porque você insiste em pedir e ele se sente continuamente importunado. Ele não sente vontade de fazer amor, mas pode se forçar a fazer, e com isso ele se sentirá mal; ou, se ele ficar na dele, também se sentirá mal por estar fazendo você infeliz; ele se sente culpado.

Uma coisa precisa ser entendida: o sexo nada tem a ver com o amor. No máximo, ele é um começo. O amor é maior do que o sexo, mais elevado do que o sexo. O amor pode florescer sem o sexo.

(A autora da pergunta interrompe: "Mas ele nunca diz que me ama.")

Não, você o está deixando com medo, porque, se ele disser que a ama, você estará pronta para pedir por sexo. Na sua cabeça, amor é praticamente sinônimo de sexo, isso eu posso perceber. Por isso, ele fica até mesmo com medo de tocá-la e de abraçá-la. Se ele a abraçar e a tocar, você estará pronta...

Você o está deixando com medo e não está percebendo o x da questão. Sem saber, você o está afastando. Ele ficará com medo até de conversar com você, porque ele fala e de novo a situação surge, argumentos, isso e aquilo...

Você não pode argumentar a respeito do amor, não pode convencer ninguém a respeito do amor. Se ele não o sentir, não há o que fazer. Ele ama você, senão a deixaria. E você o ama, mas tem um entendimento errado sobre sexo.

O meu entendimento é que o amor começa a crescer pela primeira vez quando o sexo febril e ardente se vai, aos poucos diminui. Então, o amor fica mais e mais sereno, refinado, superior. Algo delicado começa a acontecer. Mas você não está permitindo que isso aconteça. Ele está pronto para amá-la, mas você está se apegando ao sexo. Você insiste em puxá-lo para baixo. Esse puxar para baixo pode destruir toda a união.

Eu posso entender, porque a mente feminina sempre se apega ao sexo quando o homem não está interessado. Se o homem estiver interessado, a mulher fica completamente desinteressada. Percebo isso todos os dias. Se o homem estiver atrás de você, você faz o jogo de que não está interessada. Quando o homem não está interessado, você fica com medo e os papéis mudam. Você começa a fazer o jogo de que precisa de sexo, de que sem ele ficará maluca, de que não pode viver sem ele. E tudo isso é pura tolice! Ninguém jamais enlouqueceu sem sexo.

Se você amar a pessoa, sua energia será transformada. Se você não amar a pessoa, caia fora. Se você amar a pessoa, a energia terá agora uma chance de se transformar numa realidade superior. Use essa oportunidade. E pegar no pé não vai ajudar, tornará tudo mais feio e causará o resultado contrário do que você deseja.

• ***Ultimamente, minha vida sexual ficou muito pacata. Não que eu não queira sexo ou que não seja corajoso o suficiente para abordar as mulheres, mas simplesmente não acontece. Posso gostar de ficar com uma mulher, mas, quando chega no sexo, a energia muda, como se ela estivesse adormecida. O que estou fazendo de errado?***

O que está acontecendo com você não é uma maldição, mas uma bênção. Trata-se apenas de sua velha mente interpretando isso como se algo estivesse errado. Tudo está indo bem, da maneira que deveria ir. O sexo precisa desaparecer num deleite tranqüilo e espirituoso, numa harmonia de dois seres silenciosos — não se encontrando em seus corpos, mas se encontrando em suas próprias almas. Isso vai acontecer a toda pessoa que medita. Não se force a fazer algo contra o que está acontecendo espontaneamente. Qualquer coisa que você tente forçar será um obstáculo para o seu crescimento espiritual.

Isso é algo muito importante a ser lembrado e esclarecerá por que todas as religiões foram contra o sexo. Foi um mal-entendido, mas um mal-entendido muito natural. Todos os que entram em meditação passam pela transformação das energias — as energias que se moviam para baixo começam a se mover para cima, abrindo seus centros superiores de consciência, trazendo novos céus a seu ser. Mas você não está familiarizado com eles, eles são desconhecidos para você; daí, a pessoa pode ficar amedrontada. E, se isso estiver acontecendo somente com um parceiro, haverá problemas. Ambos os parceiros em meditação precisam se transformar simultaneamente — somente então podem se manter no mesmo passo. Do contrário, eles se separarão.

Isso criou a idéia do celibato. Porque no casamento, se descobria sempre que, se um parceiro se interessava pela meditação, o casamento passava a correr risco. Era melhor não se envolver, não ferir os sentimentos de outra pessoa e ficar sozinho. Mas essa foi uma decisão errada.

A decisão correta seria pensar que, se um cônjuge ou amigo estivesse crescendo, ele deveria ajudar o outro a também explorar esses novos espaços. Ele não deveria deixar o outro para trás. Essa teria sido uma imensa revolução na consciência humana, mas, como as religiões escolheram o celibato, todo o mundo continuou sem meditação.

E aqueles que escolheram o celibato — foi algo escolhido, não aconteceu a eles — se tornaram pervertidos sexualmente. Eles não foram além do sexo, daí o celibato. Eles tentaram da outra maneira: primeiro o celibato, achando que depois viria a transformação. Não funciona dessa maneira. A transformação precisa acontecer primeiro. Depois, sem nenhuma inibição, sem brigar com o sexo, sem condenar o sexo, a transformação vem por si mesma. Mas ela não vem pelo celibato; ela vem pela meditação. E ela não vem pela repressão, ela vem por uma atmosfera amorosa. O celibatário vive numa atmosfera de repressão, de inibição, de perversão; toda a sua atmosfera é psicologicamente doente. Esse foi um ponto fundamental em que todas as religiões erraram.

Em segundo lugar, todo meditador descobre que o sexo começa a desaparecer e a se transformar em algo imensamente diferente; passa da biologia para algo espiritual. Em vez de criar um cativeiro, uma possessividade, ele abre as portas da liberdade. Todos os relacionamentos desaparecem e a pessoa sente, em sua solitude, uma satisfação absoluta, um preenchimento com que ela não poderia nem mesmo sonhar.

Pelo fato de os meditadores descobrirem isso, sem nenhuma exceção, as pessoas que queriam meditar cometeram o equívoco de achar que a repressão do sexo talvez as ajudasse na transformação de suas energias. Por isso todas as religiões organizadas começaram a ensinar uma vida de condenação, de renúncia, uma vida basicamente negativa. Esse foi um mal-entendido.

Por meio da repressão do sexo a pessoa pode perverter a energia, mas não convertê-la. A conversão vem quando você fica mais silencioso, quando seu coração fica mais harmonioso, quando sua mente fica mais e mais pacífica. Quando você começa a se aproximar mais e mais de seu ser, de seu centro, acontece espontaneamente uma transformação que não vem de seu fazer. A energia que você conhecia como sexual se torna sua própria espiritualidade. Trata-se da mesma energia, apenas a direção mudou. Ela não vai para baixo, ela vai para cima.

O que está acontecendo com você irá acontecer com todo buscador, sem exceção. Portanto, mais cedo ou mais tarde sua questão será a de todos. E sempre que isso acontece, o parceiro que fica para trás não deveria se sentir ofendido; pelo contrário, deveria se sentir abençoado e feliz por estar presenciando uma bela experiência acontecendo pelo menos ao seu amado ou ao seu amigo, e esperar se juntar a ele ou a ela o mais breve possível. Seu esforço deveria ser o de entrar mais fundo em meditação, para que possa manter a companhia de seu parceiro e que possam dançar juntos em direção ao objetivo supremo da vida.

Mas, lembre-se, à medida que você crescer em sua espiritualidade, sua sexualidade irá acabar. Haverá um novo tipo de amor — uma pureza, uma profunda inocência, sem possessividade, sem ciúme, mas com toda a compaixão do mundo, para ajudar um ao outro no crescimento interior.

Assim, você não deveria sentir que algo saiu errado com você; de repente, algo deu certo com você. Você não estava alerta, foi pego desprevenido.

> O pequeno Hymie estava andando na rua com a pequena Betty, de quatro anos de idade. Quando estavam para atravessar a rua, Hymie se lembrou do que a mãe lhe ensinara.
>
> "Deixe-me segurar sua mão", ele ofereceu.
>
> "Tudo bem," respondeu Betty, "mas quero avisá-lo de que você está brincando com fogo."

Todo envolvimento entre um homem e uma mulher é brincar com fogo, particularmente se você também começar a ser um meditador. Você ficará cercado por um fogo selvagem, porque muitas mudanças irão acontecer para as quais você não está preparado e não pode estar preparado. Você irá viajar num território desconhecido a cada momento, a cada dia. E haverá muitas vezes em que você ficará para trás ou seu parceiro ficará para trás, e isso será uma profunda angústia para ambos.

No começo, quando isso começa, a dedução natural é que a relação está acabada, que vocês não estão mais se amando. Certamente vocês não estão mais no amor que estavam antes — o antigo amor não é mais possível. Aquele era um amor animal, e é bom que ele tenha acabado. Agora, uma qualidade superior, algo mais divino tomará o lugar dele. Mas vocês precisam ajudar um ao outro.

Esses são os períodos realmente difíceis, quando você descobre se ama seu parceiro e se seu parceiro ama você, quando surge uma grande distância entre vocês e vocês sentem que estão se afastando um do outro. Esses são os momentos cruciais, um teste de fogo, quando você deveria tentar trazer para mais perto a outra pessoa que ficou para trás. Você deveria ajudar a outra a ser meditativa.

A idéia natural seria se rebaixar, para que o outro não fique ofendido. Essa é uma atitude errada. Assim, você não está ajudando o outro e está se machucando. Uma boa oportunidade é perdida... Quando você poderia ter puxado o outro para as alturas, você caiu.

Não se preocupe se o outro ficar ofendido. Faça todo o esforço para trazer o outro também para o mesmo espaço, para a mesma mente meditativa, e o outro ficará grato, e não ofendido. Mas esses não são os momentos em que vocês têm de se separar. Esses são os momentos em que vocês têm de fazer todo o esforço possível para manter o contato um com o outro, com tanta compaixão quanto possível. Porque, se o amor não puder ajudar o outro a transformar energias animais em energias espirituais superiores, então seu amor não é amor — será indigno de ser chamado de amor.

E os mesmos problemas serão encarados e defrontados por todos. Assim, quando um problema surge, nunca pense duas vezes. Faça a pergunta sem medo, não importa o quão estúpido você possa parecer ao perguntá-la. Porque ela vai ajudar não somente a você, mas a muitos outros que também estão lutando na mesma situação e que não foram suficientemente corajosos para elaborá-la. Eles estão tentando, por conta própria, se acomodar à situação de algum jeito.

Não é uma questão de se acomodar. É bom que o estado antigo e cômodo tenha acabado, é bom que você se sinta incomodado e que o problema tenha surgido. Agora, depende de você e de sua inteligência o modo como aproveitar a oportunidade, em favor de seu crescimento ou contra ele. Fazer a pergunta pode ajudá-lo.

Duas coisas... primeira, lembre-se de que você é um felizardo pelo fato de parecer que o sexo está saindo da sua vida. E segunda, não pense que a outra pessoa está se sentindo ofendida. Abra o seu coração para ela. Não tente se colocar na posição da outra pessoa, mas tente de todas as maneiras possíveis segurar a mão dela e levá-la ao estágio mais elevado, em que vocês, de repente, encontram a si mesmos.

Será difícil somente no começo; logo ficará muito fácil. Quando duas pessoas estão crescendo juntas, muitas vezes surgem espaços entre elas, porque as pessoas não conseguem manter o mesmo passo; cada uma tem seu próprio ritmo, tem seu padrão único de crescimento. Mas, se você ama, pode esperar um pouco até que o outro chegue e, depois, de mãos dadas, vocês podem seguir adiante.

Eu quero que particularmente o meu pessoal nunca pense em celibato. Se o celibato surgir naturalmente, esse é outro assunto; você não é responsável por ele. E, nesse caso, ele nunca causará nenhuma perversão; ele trará uma grande conversão de energias.

• ***Como posso saber se é o desapego ou a indiferença que está crescendo em mim?***

Não é difícil saber. Como você sabe quando tem uma dor de cabeça, e como você sabe quando não tem uma dor de cabeça? É simplesmente claro. Quando você estiver abandonando o apego, ficará mais saudável, mais feliz, sua vida se tornará uma vida de alegria. Esse é o critério de tudo o que é bom.

A alegria é o critério. Se você estiver ficando cada vez mais alegre, estará crescendo e avançando em direção ao lar. Com a indiferença, não existe possibilidade de a alegria crescer. Na verdade, se você tiver alguma alegria, ela desaparecerá.

Felicidade é saúde e, para mim, a religiosidade é basicamente hedonista. O hedonismo é a própria essência da religião. Ser feliz é tudo. Assim, lembre-se, se as coisas estiverem indo bem e você estiver avançando na direção certa, cada momento trará mais alegria — como se você estivesse avançando na direção de um belo jardim. Quanto mais perto você estiver, o ar será mais fresco, mais agradável, mais fragrante. Essa será a indicação de que você está seguindo na direção certa. Se o ar ficar menos fresco, menos agradável, menos fragrante, você está seguindo na direção oposta.

A vida é feita de alegria. Essa é sua verdadeira matéria. A alegria é a matéria com a qual a existência é feita. Portanto, sempre que você estiver se tornando mais existencial, ficará mais e mais repleto de alegria, de deleite, por absolutamente nenhuma razão. Se você estiver penetrando no desapego, o amor crescerá, a alegria crescerá, e somente as amarras cairão — porque amarras trazem infelicidade, trazem escravidão, aniquilam sua liberdade.

Mas, se você estiver ficando indiferente... A indiferença é uma moeda falsa, ela só *parece* desapego. Nada crescerá nela. Você simplesmente murchará e morrerá. Vá e veja: existem tantos monges no mundo — católicos, hindus, jainistas, budistas —, observe-os. Eles não transmitem um sentimento radiante, não têm a aura da fragrância, não parecem mais vivos do que você; na verdade, eles parecem menos vivos, mutilados, paralisados. Controlados, é claro, mas não numa disciplina interior profunda; controlados, mas não conscientes. Seguindo uma certa idéia que a sociedade lhes deu, mas ainda não conscientes, ainda não livres, ainda não indivíduos. Eles vivem como se já estivessem na cova, apenas esperando morrer. A vida deles se torna sombria, monótona, triste — é um tipo de desespero.

Fique alerta. Sempre que algo der errado, existirão indicações em seu ser. A tristeza é um indicador, a depressão é um indicador. A alegria, a celebração também são indicadores. Mais canções lhe acontecerão, se você estiver avançando em direção ao desapego. Você dançará mais e ficará mais amoroso.

Lembre-se, amor não é apego. O amor não conhece o apego, e aquilo que conhece o apego não é amor, e sim, possessividade, dominação, dependência, medo, cobiça — pode ser mil e uma coisas, mas não é amor. Em nome do amor, outras coisas estão desfilando; em nome do amor, outras coisas estão se escondendo por trás, mas no recipiente está grudado o rótulo *Amor*. Dentro, você encontrará muitos tipos de coisa, mas não amor.

Observe. Se está apegado alguém, você está amando? Ou você está com medo da solidão e, portanto, se apega? Porque não consegue ficar sozinho, você usa essa pessoa para ter companhia. Então, você tem medo. Se a pessoa for para outro lugar ou se ela se apaixonar por outra pessoa, você a matará e dirá: "Eu estava muito apegado." Ou você poderá se matar e dizer: "Eu estava tão apegado que não podia viver sem ela ou sem ele."

Isso é pura estupidez. Isso não é amor, mas outra coisa. Você está com medo da solidão, não é capaz de ficar com você mesmo, precisa de alguém para distraí-lo. E você quer possuir a outra pessoa, quer usá-la como um meio para seus próprios fins. Usar outra pessoa como meio de conseguir alguma coisa é uma violência.

Immanuel Kant fez disso um de seus fundamentos da vida moral, e é. Ele costumava dizer que tratar uma pessoa como um meio é o ato mais imoral que existe. E é isso mesmo, porque, quando você trata alguém como meio, para a sua gratificação, para o seu desejo sexual, para o seu medo ou para qualquer outra coisa, quando você usa alguém como um meio de conseguir alguma coisa, está reduzindo o outro a uma coisa, está destruindo a liberdade dele, está matando a alma dele.

A alma só pode crescer na liberdade, e o amor dá liberdade. E, quando dá liberdade, você fica livre; desapego é isso. Se você forçar um cativeiro sobre o outro, estará aprisionando também a si mesmo. Se você amarrar o outro, o outro amarrará você; se você limitar o outro, o outro limitará você; se você tentar possuir o outro, o outro possuirá você.

É assim que os casais ficam brigando, a vida toda, por dominação. O homem à sua própria moda, a mulher à sua própria moda, mas ambos lutam. É um contínuo ralhar e brigar. E o homem acha que, de algumas maneiras, ele controla a mulher, e a mulher acha que, de algumas maneiras, ela controla o homem. Controle não é amor.

Nunca considere uma pessoa como um meio. Considere todos como um fim em si mesmo, e você não se apegará, não ficará amarrado. Você ama, mas o seu amor dá liberdade. E, quando você dá liberdade ao outro, você é livre. Somente em liberdade sua alma se desenvolve. Você se sentirá muito, muito feliz.

O mundo se tornou um lugar muito infeliz. Não porque o mundo seja um lugar infeliz, mas porque fizemos algo errado com ele. O mesmo mundo pode se tornar uma celebração.

Você pergunta: *Como posso saber se é o desapego ou a indiferença que está crescendo em mim?* Se você estiver se sentindo feliz, se estiver se sentindo feliz com tudo o que estiver se desenvolvendo, mais centrado, mais enraizado, mais vivo do que antes, então siga arrojadamente com isso. Então, não existe medo. Deixe que a felicidade seja o meio de avaliar, seja o critério — nada mais pode ser o critério.

Tudo o que as escrituras dizem não é um critério, a menos que seu coração esteja palpitante de felicidade. Tudo o que eu disser não pode ser o critério para você, a menos que seu coração esteja palpitante de felicidade. No momento em que você nasceu, um sutil indicador foi colocado dentro de você. Faz parte da vida que você sempre possa saber o que está acontecendo, possa sempre sentir se está feliz ou infeliz. Ninguém pergunta como saber se somos felizes ou infelizes. Ninguém jamais perguntou. Quando você está infeliz, você sabe; quando está feliz, você sabe. Trata-se de um valor intrínseco. Você sabe, nasceu sabendo, então deixe essa indicação intrínseca ser usada, e ela nunca falsificará a sua vida.

• ***Em sua visão de uma sociedade modelo, haveria uma grande comunidade ou uma série de comunidades? Se houver mais do que uma, qual seria o relacionamento entre elas? Você imagina pessoas de diferentes comunidades sendo capazes de ser interdependentes, compartilhando idéias e habilidades?***

A questão levanta algo muito importante, o conceito da interdependência. O ser humano viveu em dependência e desejou e lutou pela independência, mas ninguém investiga a realidade, que a dependência e a independência são, ambas, extremos.

A realidade está exatamente no meio; ela é interdependência. Tudo é interdependente. A menor folha de grama e a maior estrela são ambas interdependentes. Essa é toda a base da ecologia. Pelo fato de o ser humano ter agido sem compreender a realidade da interdependência, ele destruiu muito da unidade orgânica da vida. Ele tem cortado suas próprias mãos, suas próprias pernas, sem saber.

Florestas desapareceram, milhões de árvores são cortadas todos os dias. Os cientistas estão alertando, embora ninguém esteja disposto a ouvir, que, se todas as árvores desaparecerem da terra, o ser humano não poderá sobreviver. Vivemos numa profunda troca. O ser humano inspira oxigênio e expira dióxido de carbono; as árvores inalam dióxido de carbono e exalam oxigênio. Nem você pode existir sem as árvores nem elas podem existir sem você.

Esse é um exemplo simples; a vida está entrelaçada de mil e uma maneiras. Como muitas árvores desapareceram, acumulou-se tanto dióxido de carbono na atmosfera que a temperatura de todo o planeta se elevou em quatro graus. Para você, pode parecer insignificante, quatro graus, mas não é. Em breve essa temperatura será suficiente para derreter tanto gelo que o nível dos oceanos subirá. Dessa maneira, as cidades costeiras — e todas as grandes cidades são costeiras — serão inundadas.

Se a temperatura continuar a subir, como é provável, porque ninguém está escutando... Árvores são cortadas sem nenhum entendimento, por coisas inúteis — para fazer jornais de terceira categoria é preciso papel, e a vida é destruída. Existe uma possibilidade de que, se o gelo eterno do Himalaia começar a derreter, o que nunca aconteceu antes, então o nível de todos os oceanos se elevará seis metros e eles encobrirão quase toda a terra. Muitas de suas cidades serão destruídas, Mumbaim, Calcutá, Nova York, Londres, San Francisco... Talvez algumas pessoas que vivem nas montanhas possam sobreviver.

Tamanha é a interdependência que, quando os primeiros astronautas chegaram à lua, nós nos demos conta, pela primeira vez, de que toda a terra está circundada por uma espessa camada de ozônio, que é uma forma de oxigênio. Essa camada de ozônio envolve toda a terra como um cobertor. Por causa desse cobertor de ozônio, a vida se tornou possível neste planeta, porque o ozônio não permite que entrem raios mortíferos que vêm do sol. Ela permite a passagem somente dos raios da vida e impede a dos raios da morte; ela os reflete.

Mas em nossa estupidez para chegar à lua, fizemos buracos no cobertor. E os esforços continuam. Agora estamos tentando chegar em Marte! Sempre que um foguete ultrapassa a atmosfera da terra, a uns trezentos e vinte quilômetros da superfície, ele provoca grandes buracos. Através desses buracos, raios da morte começaram a entrar. Os cientistas estão dizendo que esses raios da morte aumentarão a taxa de câncer em aproximadamente trinta por cento, e outras doenças não estão incluídas nessa estatística, doenças menos graves não estão incluídas.

Os políticos idiotas não estão escutando. E, se os chamar de idiotas, você é preso, é punido; falsas acusações são feitas contra você. Mas não vejo do que mais chamá-los. Idiotas parece ser a palavra mais gentil e civilizada para eles. Eles não a merecem; merecem algo pior.

A vida é uma profunda interdependência.

Minha visão de comunidade é que as nações desapareçam, grandes cidades desapareçam, porque elas não dão espaço suficiente para cada ser humano — e cada ser humano tem uma certa necessidade psicológica de espaço territorial, como os outros animais. Nas grandes cidades, o ser humano está continuamente em meio à multidão. Isso gera grande ansiedade, tensão, agonia e não dá à pessoa um tempo para relaxar, um tempo, um lugar para ser ele mesmo, para ficar sozinho, para ficar com as árvores, que são fontes de vida, para ficar com o oceano, que é uma fonte de vida.

Minha visão de um novo mundo, o mundo das comunidades, significa ausência de nações, de grandes cidades, de famílias, mas milhões de pequenas comunidades espalhadas por toda a terra, em densas florestas, em verdejantes florestas, em montanhas, em ilhas. A menor comunidade viável, a qual já tentamos, pode ser de cinco mil pessoas, e a maior pode ser de cinqüenta mil. De cinco mil a cinqüenta mil — mais do que isso ficaria inviável, pois novamente surgiria a questão da ordem e da lei, da polícia e do tribunal, todos precisariam ser trazidos de volta.

Pequenas comunidades... cinco mil parece ser o número perfeito, pois tentamos isso. Todos se conhecem, todos são amigos. Não existe casamento e as crianças pertencem à comunidade. A comunidade tem hospitais, escolas, colégios. E a comunidade toma conta das crianças e os pais podem visitá-las. É simplesmente irrelevante se os pais estão morando juntos ou estão separados. Para a criança, ambos estão disponíveis; ela pode visitá-los e eles podem visitá-la.

Todas as comunidades deveriam ser interdependentes, mas não trocariam dinheiro. O dinheiro teria de ser erradicado; ele fez um imenso mal à humanidade. Agora é tempo de dizer adeus a ele! Essas comunidades precisariam trocar as coisas. Uma tem mais laticínios e pode dá-los a uma outra comunidade, porque precisa de mais roupas e aquela comunidade pode provê-la com mais roupas — um simples sistema de permuta, para que nenhuma comunidade fique rica.

O dinheiro é algo muito estranho. Você pode acumulá-lo, e esse é o segredo mais estranho do dinheiro. Não se pode acumular laticínios, não se pode acumular hortaliças. Se uma comunidade tiver mais hortaliças, precisará dividi-las com outra que não tenha hortaliças suficientes. Mas o dinheiro pode ser acumulado. E, se uma comunidade fica mais rica do que outra, pela porta dos fundos surge a pobreza, a riqueza e todo o pesadelo do capitalismo, e as classes baixas e altas e o desejo de dominar. Se uma for rica, poderá escravizar outras comunidades. O dinheiro é um dos inimigos do ser humano.

As comunidades fariam trocas. Um sistema de comunicação entre elas informaria que tais e tais produtos estão disponíveis. Qualquer um que tiver certos produtos que elas precisem pode entrar em contato com elas, e os produtos podem ser trocados de uma maneira amigável, sem disputa, sem exploração. Mas a comunidade não deveria ficar muito grande, porque isso também é perigoso. O critério para estabelecer o tamanho de uma comunidade deveria ser o de que todos se conheçam; esse deveria ser o limite. Uma vez ultrapassado esse limite, a comunidade deveria se dividir em duas. Como dois irmãos se separam, quando uma comunidade ficar grande demais, ela se divide em duas, duas comunidades irmãs.

E haverá uma profunda interdependência, troca de idéias e habilidades, sem nenhuma das atitudes que se desenvolvem a partir da possessividade, como o nacionalismo e o fanatismo. Nada haverá para ser fanático, não haverá razão para existir uma nação.

Um grupo pequeno de pessoas pode desfrutar a vida mais facilmente, porque ter tantos amigos, tantas relações, é uma alegria. Hoje, nas grandes cidades, vive-se na mesma casa e não se conhece o vizinho. Num prédio, mil pessoas podem estar vivendo juntas, e elas não se conhecem. Morando numa multidão e ainda assim sozinho.

Minha idéia de comunidade é a de viver em pequenos grupos que dão espaço suficiente a todos e, ainda assim, possibilitam que se viva numa relação próxima e amorosa. A comunidade toma conta de seus filhos, de suas necessidades, da sua saúde. A comunidade se torna uma autêntica família, sem quaisquer das doenças que as famílias criaram no passado. Trata-se de uma família livre e em constante movimento.

Não existe casamento e não existe divórcio. Se duas pessoas quiserem viver juntas, podem viver e, se um dia não quiserem ficar mais juntas, tudo bem. A decisão de ficarem juntas foi delas; agora elas podem escolher outros amigos. Na verdade, numa vida, por que não viver muitas vidas? Por que não torná-la mais rica? Por que um homem deveria se apegar a uma mulher ou uma mulher se apegar a um homem, a menos que eles se gostem tanto que desejem ficar juntos por toda a vida?

Mas, olhando o mundo, a situação é clara. As pessoas gostariam de ser independentes da família; os filhos querem ser independentes da família. Outro dia, um menino na Califórnia fez algo único e especial. Ele queria sair e brincar. Isso não tem nada de especial, todas as crianças deveriam ter permissão para sair e brincar. Mas a mãe e o pai insistiram: "Não, não saia, brinque dentro de casa." E o menino deu um tiro em cada um, na mãe e no pai. Ele brincou dentro de casa! Existe um limite, sempre escutando "não, não, não..."

Nos Estados Unidos, as pessoas trocam de marido ou de mulher, em média, a cada três anos. É a mesma freqüência com que as pessoas trocam de emprego ou de cidade. Parece acontecer algo especial em três anos! Esse parece ser o limite que a pessoa consegue tolerar. Depois disso, a coisa fica insuportável. Assim, as pessoas mudam de esposa e de marido, mudam de cidade, mudam de empregos.

Numa comunidade, não há necessidade de se fazer nenhum estardalhaço. Vocês podem se despedir a qualquer momento e ainda ser amigos, afinal, quem sabe? Depois de dois anos você poderá se apaixonar novamente pelo mesmo homem, pela mesma mulher. Em dois anos, você poderá ter esquecido todos os problemas e querer tentar outra vez ou, talvez, você tenha caído nas mãos de um homem ou de uma mulher ainda pior, tenha se arrependido e queira voltar atrás! Será uma vida mais rica, você conhecerá muitos homens e muitas mulheres. Cada homem e cada mulher têm sua própria singularidade.

As comunidades também podem passar por uma troca de pessoas, se alguém quiser entrar numa outra comunidade e essa comunidade estiver disposta a aceitar. A outra comunidade pode dizer: "Se alguém quiser entrar em sua comunidade, a troca é possível, porque não queremos aumentar nossa população." As pessoas podem decidir. Você pode ir e anunciar a si mesmo; alguma mulher pode gostar de você, algumas pessoas podem virar seus amigos. Alguém pode estar entediado com a comunidade em que vive e querer mudar.

O mundo inteiro deveria ser uma só humanidade, dividida somente por pequenas comunidades sob bases práticas. Nenhum fanatismo, nenhum racismo, nenhum nacionalismo. Então, pela primeira vez, poderemos abandonar a idéia de guerras. Poderemos viver a vida com honestidade, uma vida digna de ser vivida, de ser desfrutada; divertida, meditativa, criativa, e dar a todo homem e a toda mulher oportunidades iguais de crescer e de levar seus potenciais ao florescimento.

PARTE QUATRO

A Solitude

Todos os esforços feitos para evitar a solidão falharam, e falharão, porque eles são contra os princípios básicos da vida. Você precisa não de algo que o ajude a esquecer a solidão. Você precisa é ficar consciente da sua solitude, que é uma realidade. E é tão belo experimentá-la, senti-la, porque ela é sua liberdade da multidão e dos outros. Ela é sua liberdade do medo de ficar só.

CAPÍTULO CATORZE

A Solitude é sua Natureza

O primeiro ponto a perceber é que, querendo ou não, você está sozinho. A solitude é sua verdadeira natureza. Você pode tentar esquecê-la, tentar não ficar sozinho fazendo amigos, tendo amantes, misturando-se à multidão... Mas tudo o que você fizer fica apenas na superfície. No fundo de você, sua solitude é inatingível, intocável.

Um curioso fato acontece com todo ser humano: quando ele nasce, a própria situação de seu nascimento começa numa família. E não existe outra maneira, porque o recém-nascido humano é o recém-nascido mais frágil em toda a existência. Outros animais nascem completos. O cachorro vai continuar sendo um cachorro durante toda a vida; ele não vai evoluir, não vai se desenvolver. Sim, ele ficará mais velho, mas não ficará mais inteligente, mais consciente, não se tornará iluminado. Nesse sentido, todos os animais permanecem exatamente no ponto em que nasceram; nada de especial muda neles. A morte e o nascimento deles são horizontais — numa só linha.

Somente o ser humano tem a possibilidade de seguir na vertical, para cima, e não apenas na horizontal. Mas a maioria das pessoas se comporta como os outros animais: a vida é apenas um envelhecer, e não um amadurecer. Amadurecer e envelhecer são experiências totalmente diferentes.

O ser humano nasce numa família, entre seres humanos. Desde o primeiro momento, ele não está sozinho; portanto, ele adquire um certo padrão psicológico de sempre permanecer com pessoas. Em solitude, ele começa a ficar com medo... medos desconhecidos. Ele não está exatamente consciente do que está com medo, mas, quando ele se afasta da multidão, algo dentro dele fica pouco à vontade. Quando está com os outros, ele se sente aconchegado, à vontade, confortável.

Por essa razão, ele nunca vem a conhecer a beleza da solitude; o medo o impede. Por ter nascido num grupo, ele continua fazendo parte de um grupo. E, à medida que envelhece, começa a formar novos grupos, novas associações, novos amigos. As coletividades já existentes não o satisfazem — a nação, a religião, o partido político — e ele cria suas próprias novas associações, Rotary Club, Lions Club... Mas todas essas estratégias estão a serviço de um só objetivo: nunca ficar sozinho.

Toda a experiência de vida é a de conviver com outras pessoas. A solitude parece uma morte. De certa maneira, ela é uma morte, a morte da personalidade que você criou na multidão. Esse é um presente das outras pessoas para você. No momento em que você se afasta da multidão, também se afasta da sua personalidade.

Na multidão, você sabe exatamente quem você é; sabe seu nome, sua posição social, sua profissão, sabe tudo o que é necessário para seu passaporte, para sua carteira de identidade. Mas, no momento em que você se afasta da multidão, qual é a sua identidade? Quem é você? De repente, você fica consciente de que você não é seu nome — seu nome foi dado a você. Você não é sua raça — que relação tem a raça com a sua consciência? Seu coração não é hindu ou muçulmano, seu ser não está confinado à fronteira política de uma nação, sua consciência não é parte de alguma organização ou igreja. Quem é você?

De repente, sua personalidade começa a se dispersar. Este é o medo: a morte da personalidade. Agora você precisará começar a descobrir, precisará, pela primeira vez, perguntar quem você é. Você precisará começar a meditar sobre a questão, quem sou eu? — e existe o temor de que você possa não ser absolutamente nada! Talvez você não seja nada, mas uma combinação de todas as opiniões da multidão; nada, exceto sua personalidade.

Ninguém quer ser nada, ninguém quer ser ninguém e, na verdade, todo mundo *é* um ninguém.

Existe uma história muito bela...

Alice chegou no País das Maravilhas. Ela encontrou o rei e ele perguntou: "Alice, você encontrou um mensageiro no caminho até aqui?"

Ela respondeu: "Eu encontrei ninguém."

O rei questionou: "Se você encontrou Ninguém, por que ele ainda não chegou?"

Alice ficou muito confusa e disse: "Você não está me entendendo direito. Ninguém é ninguém."

O rei disse: "É óbvio que Ninguém é Ninguém, mas onde está ele? A esta altura ele deveria ter chegado. Isso simplesmente significa que Ninguém anda mais devagar do que você."

E naturalmente Alice ficou muito incomodada e se esqueceu de que estava falando com o rei. Ela disse: "Ninguém anda mais rápido do que eu!"

Toda a conversa continua com aquele "ninguém". Ela entende que o rei estava dizendo: "Ninguém anda mais devagar do que você."

"Eu ando rápido. Vim do outro mundo até o País das Maravilhas, que é um mundo pequeno, e ele está me insultando!" Naturalmente ela retruca: "Ninguém anda mais rápido do que eu!"

O rei disse: "Se isso for verdade, por que ele não chegou?"

E dessa maneira a discussão continua.

Todo mundo é um ninguém.

Assim, o primeiro problema para um buscador é entender exatamente a natureza da solitude. Ela significa ser ninguém, significa abandonar sua personalidade, que é um presente a você da multidão. Quando você se afasta, quando sai da multidão, não pode levar esse presente com você em sua solitude. Em sua solitude, precisará descobrir de novo, descobrir outra vez, e ninguém pode garantir que você encontrará alguém ali dentro ou não.

Aqueles que atingiram a solitude não encontraram ninguém lá. *Realmente* quero dizer ninguém — sem nome, sem forma, mas uma pura presença, uma pura vida, inominável, amorfa. Essa é exatamente a verdadeira ressurreição e ela certamente precisa de coragem. Somente pessoas muito corajosas foram capazes de aceitar com alegria o seu ser ninguém, o seu ser nada. O ser nada delas é o puro ser delas; é uma morte e uma ressurreição, as duas coisas.

Justamente hoje minha secretária me mostrou um belo quadrinho: Jesus, pendurado na cruz e olhando para o céu, está dizendo: "Teria sido melhor se, além de Deus, o pai, eu tivesse Alá, o tio. Teria sido melhor...; se Deus não escutou, pelo menos Alá poderia ter ajudado."

Tendo apenas Deus durante toda a sua vida, ele ficava muito feliz ao proclamar: "Sou o filho único de Deus." E ele nunca falou sobre a família de Deus, seu irmão, sua esposa, seus outros filhos e filhas. O que Deus tem feito por toda a eternidade? Ele não tem televisão para desperdiçar o tempo, para passar o tempo. Ele não tem possibilidade de ter um cinema. O que esse pobre sujeito fica fazendo?

É um fato conhecido que, em países pobres, a população aumenta, pela simples razão de que o pobre não tem outro entretenimento grátis. O único entretenimento grátis é produzir filhos. Embora a longo prazo seja muito dispendioso, no momento não há ingresso, nenhum problema, nenhuma necessidade de ficar na fila...

O que Deus tem feito por toda a eternidade? Ele produziu somente um filho. Agora, na cruz, Jesus percebe que teria sido melhor se Deus tivesse alguns irmãos, irmãs, tios. "Se ele não me escutasse, eu poderia pedir ajuda a mais alguém." Jesus está rezando e, com raiva, está dizendo: "Por que você me esqueceu? Você desistiu de mim?" Mas não há resposta. Ele está esperando pelo milagre. Toda a multidão, que se juntou para ver o milagre, aos poucos começa a se dispersar. Está muito quente e eles estão esperando desnecessariamente. Nada vai acontecer; se algo tivesse de acontecer, já teria acontecido.

Depois de seis horas, só havia sobrado três mulheres que ainda acreditavam que um milagre poderia acontecer. Uma era a mãe de Jesus — naturalmente, as mães insistem em acreditar que seus filhos são gênios. Toda mãe, sem exceção, acredita ter dado à luz um gigante. Uma outra mulher que amava Jesus era uma prostituta, Maria Madalena. Essa mulher, embora prostituta, deve ter amado Jesus. Mesmo os discípulos, os chamados apóstolos, que na história do cristianismo se tornaram, depois de Jesus, os mais importantes, todos os doze fugiram com medo de serem pegos e reconhecidos, porque estavam sempre ao lado Jesus, aonde ele ia. Nunca se pode confiar na multidão; se eles fossem pegos, poderiam ser crucificados ou espancados e apedrejados até a morte. Haviam sobrado somente três mulheres. A terceira era uma outra mulher que amava Jesus. Nos últimos momentos, foi o amor que permaneceu, na forma dessas três mulheres.

Todos aqueles discípulos devem ter ficado com Jesus apenas para entrar no paraíso. Sempre é bom ter bons contatos, e não se pode encontrar melhor contato do que o filho único de Deus. Atrás dele, eles também poderiam entrar nos portões do paraíso. Seu discipulado era uma espécie de exploração de Jesus; portanto, não havia coragem. Tratava-se de esperteza e astúcia, não de coragem.

Somente o amor pode ser corajoso. Você ama a si mesmo? Você ama esta existência? Você ama esta bela vida, que é uma dádiva? Ela lhe foi dada sem mesmo você estar preparado para ela, sem você a merecer, sem você ser digno dela. Se você amar esta existência, que lhe deu a vida, que a cada momento lhe provê com vida e nutrição, você encontrará coragem. E essa coragem o ajudará a ficar sozinho como um cedro-do-líbano — alto, alcançando as estrelas, mas sozinho.

Na solitude, você desaparecerá como ego e como personalidade e descobrirá a si mesmo como a própria vida, imortal e eterna. A menos que você seja capaz de ficar só, sua busca pela verdade será um fracasso.

Sua solitude é a sua verdade, é a sua divindade.

A função de um mestre é ajudá-lo a ficar só. A meditação é apenas uma estratégia para eliminar sua personalidade, seus pensamentos, sua mente, sua identidade com o corpo e deixá-lo absolutamente só por dentro, apenas um fogo vivo. E, depois de encontrar seu fogo vivo, você conhecerá todas as alegrias e todos os êxtases de que a consciência humana é capaz.

> A velha observava o neto tomar sopa com a colher errada, segurar a faca pela extremidade errada, comer o prato principal com as mãos e despejar chá no pires e assoprá-lo.
>
> "Você não aprendeu nada vendo seu pai e sua mãe à mesa?", ela perguntou.
>
> "Aprendi", disse o menino, mastigando com a boca aberta, "nunca se case."

Ele aprendeu uma grande lição! Fique sozinho.

É realmente muito difícil ficar com os outros, mas desde o nascimento estamos acostumados a conviver com os outros. Pode ser desagradável, pode ser um sofrimento, uma tortura, mas estamos acostumados; pelo menos é algo bem conhecido. As pessoas têm medo de entrar na escuridão além do território, mas, a menos que você vá além do território da máscara coletiva, não poderá encontrar a si mesmo.

Groucho Marx fez uma bela afirmação para você se lembrar:

"Considero a televisão muito educativa. Toda vez que alguém liga o aparelho, vou para outro cômodo e leio um livro."

> A professora da classe de alunos de dez anos estava muito envergonhada por ter de dar aula de educação sexual, então ela pediu para a classe fazer um dever de casa sobre o assunto.

O pequeno Hymie pergunta ao pai, que murmura algo sobre a cegonha. A avó diz que ele nasceu num canteiro de repolhos e a bisavó fica corada e sussurra que as crianças vêm do grande oceano da existência.

No dia seguinte, Hymie é chamado pela professora para falar sobre o seu projeto. Ele diz à professora: "Acho que tem algo errado com minha família. Parece que lá ninguém faz amor há três gerações!"

Na verdade, muito poucas pessoas amaram. Elas fingiram, foram hipócritas, enganando não somente os outros, mas também a si mesmas. Você pode amar autenticamente somente quando você *é*. No momento, você é apenas uma parte de uma multidão, um dente de engrenagem na máquina. Como você pode amar, se você não é? Primeiro seja, primeiro conheça a si mesmo.

Em sua solitude, você descobrirá o que é ser. E, a partir dessa consciência de seu ser, o amor flui, e muito mais. A solitude deveria ser sua única busca.

E isso não quer dizer que você deva ir para as montanhas. Você pode ficar sozinho no meio da praça do mercado. Trata-se simplesmente de uma questão de estar consciente, alerta, de ser observador, lembrando-se de que você é somente seu estado de observação. Então, você estará só onde você estiver. Você pode estar na multidão ou nas montanhas, não faz diferença, você é exatamente o mesmo estado de observação. Na multidão, você observa a multidão; nas montanhas, você observa as montanhas. Com os olhos abertos, você observa a existência; com os olhos fechados, você observa a si mesmo. Você é somente uma coisa: o observador.

E esse observador é a maior realização. Essa é sua natureza búdica, sua iluminação, seu despertar. Essa deveria ser sua única disciplina. Somente isso o torna um discípulo, essa disciplina de conhecer sua solitude. Do contrário, o que o torna um discípulo? Você foi enganado em cada ponto na vida. Disseram-lhe que acreditar num mestre faz de você um discípulo. Isso está completamente errado; senão, todo mundo seria um discípulo. Alguém acredita em Jesus, alguém acredita em Buda, alguém acredita em Krishna, alguém acredita em Mahavira; todos acreditam em alguém, mas ninguém é um discípulo, porque ser discípulo *não* significa acreditar num mestre. Ser discípulo significa aprender a disciplina de ser você mesmo, de ser seu verdadeiro eu.

Nessa experiência está oculto o verdadeiro tesouro da vida. Nessa experiência, pela primeira vez, você se torna um imperador; do contrário, você permanecerá um mendigo na multidão. Existem dois tipos de mendigo, os pobres e os ricos, mas todos eles são mendigos. Mesmo os seus reis e as suas rainhas são mendigos.

Somente essas pessoas, as raras pessoas que permaneceram sozinhas em seu ser, em sua lucidez, em sua luz, que encontraram a própria luz, o próprio florescimento, o próprio espaço que podem chamar de lar, seu lar eterno — essas raras pessoas são os imperadores. Todo este Universo é o seu império. Elas não precisam conquistá-lo; ele já está conquistado.

Ao conhecer a si mesmo, você o conquistou.

CAPÍTULO QUINZE

Estranhos a Nós Mesmos

Nascemos sozinhos, vivemos sozinhos e morremos sozinhos. A solitude é nossa verdadeira natureza, mas não estamos cientes dela. Por não estarmos cientes, permanecemos estranhos a nós mesmos e, em vez de vermos nossa solitude como uma imensa beleza e bem-aventurança, silêncio, paz e um estar à vontade com a existência, a interpretamos erroneamente como solidão.

A solidão é uma solitude mal-interpretada. E, quando se interpreta a solitude como solidão, todo o contexto muda. A solitude tem uma beleza e uma imponência, uma positividade; a solidão é pobre, negativa, escura, melancólica.

A solidão é uma lacuna. Algo está faltando, algo é necessário para preenchê-la e nada jamais pode preenchê-la, porque, em primeiro lugar, ela é um mal-entendido. À medida que você envelhece, a lacuna também fica maior. As pessoas têm tanto medo de ficar consigo mesmas que fazem qualquer tipo de estupidez. Vi pessoas jogando baralho sozinhas, sem parceiros. Inventaram jogos de carta em que a mesma pessoa faz o papel dos dois adversários.

Aqueles que conheceram a solitude dizem algo completamente diferente. Eles dizem que não existe nada mais belo, mais sereno, mais agradável do que estar só.

A pessoa comum insiste em tentar esquecer sua solidão e o meditador começa a ficar mais e mais familiarizado com sua solitude. Ele deixou o mundo, foi para as cavernas, para as montanhas, para a floresta, apenas para ficar só. Ele quer saber quem ele é. Na multidão é difícil; existem tantas perturbações... E aqueles que conheceram suas solitudes conheceram a maior das bem-aventuranças possíveis aos seres humanos, porque seu verdadeiro ser é bem-aventurado.

Depois de entrar em sintonia com sua solitude, você poderá se relacionar, o que lhe trará grandes alegrias, porque a relação não acontecerá a partir do medo. Ao encontrar sua solitude, você poderá criar, poderá se envolver com tantas coisas quanto quiser, porque esse envolvimento não será mais fugir de si mesmo. Agora, ele será a sua expressão, será a manifestação de tudo o que é seu potencial.

Mas o básico é conhecer inteiramente sua solitude.

Assim, lembro a você, não confunda solitude com solidão. A solidão certamente é doentia; a solitude é saúde perfeita. Seu primeiro e mais fundamental passo em direção à descoberta do significado e do sentido da vida é mergulhar na sua solitude. Ela é seu templo, é onde vive seu deus, e você não pode encontrar esse templo em nenhum outro lugar.

CAPÍTULO DEZESSEIS

Solitário e Eleito

Jesus disse:
Bem-aventurado é o solitário e o eleito, porque ele encontrará o reino. Por vir dele, lá irá novamente.

(do Evangelho de São Tomás)

O mais profundo anseio do ser humano é ser totalmente livre. A liberdade, *moksha*, é o objetivo. Jesus a chama de "reino de Deus" — ser como os reis, apenas simbolicamente, de tal modo que não haja grilhões em sua existência, nenhum cativeiro, nenhuma fronteira; você existe como infinito, sem jamais colidir com outro alguém... como se estivesse só.

A liberdade e a solitude são dois aspectos do mesmo fenômeno. Por isso, o místico jainista Mahavira chamava esse conceito de liberdade de *kaivalya*. *Kaivalya* significa estar absolutamente só, como se ninguém mais existisse. Se você está absolutamente só, quem será um cativeiro para você? Se nada mais existe, quem será o outro?

Por isso, os que buscam a liberdade terão de encontrar suas solitudes, terão de encontrar uma maneira, um meio, um método para alcançar sua solitude.

O ser humano nasce como parte do mundo, como um membro de uma sociedade, de uma família, como parte de outras pessoas. Ele é educado não como um ser solitário, mas como um ser social. Todo treinamento, educação e cultura consistem em fazer de uma criança uma parte ajustada da sociedade, em fazê-la adaptar-se aos outros. Os psicólogos chamam isso de "ajustamento". E sempre que alguém é um solitário, ele parece desajustado.

A sociedade existe como uma rede, um padrão de muitas pessoas, uma multidão. Nela você pode ter um pouco de liberdade — a muito custo. Se você seguir a sociedade, se for uma contraparte obediente aos outros, eles lhe oferecerão um pequeno mundo de liberdade. Se você se tornar um escravo, a liberdade lhe será concedida. Mas é uma liberdade concedida, e ela pode ser tomada a qualquer momento. E ela tem um preço muito alto: ela é um processo de se ajustar aos outros e, portanto, os limites fatalmente estarão presentes.

Na sociedade, numa existência social, ninguém pode ser completamente livre. A própria existência do outro criará problema. Sartre diz, "O outro é o inferno", e em grande extensão ele está certo, pois o outro cria tensões em você; você está preocupado por causa do outro. Haverá uma colisão, porque o outro está em busca da liberdade absoluta e você também está em busca da liberdade absoluta — todos precisam da liberdade absoluta — e a liberdade absoluta pode existir somente para um.

Mesmo seus chamados reis não são livres, não podem ser. Eles podem ter uma aparência de liberdade, mas ela é falsa, pois eles precisam ser protegidos, eles dependem dos outros. A liberdade deles é apenas uma fachada. Mas, ainda assim, devido a esse anseio de ser completamente livre, a pessoa deseja se tornar um rei, um imperador. O imperador dá uma falsa impressão de que é livre.

A pessoa deseja ser muito rica, porque a riqueza também dá uma falsa impressão de que ela é livre. Como uma pessoa pobre pode ser livre? Suas necessidades serão seu cativeiro e ela não pode satisfazer suas necessidades. A todo lugar que vai, ela se depara com uma parede que não pode atravessar. Daí, a ânsia por riquezas. No fundo, é o desejo de ser completamente livre, e todos os desejos são criados por isso. Mas, se você tomar falsas direções, poderá continuar a avançar, mas nunca alcançará o objetivo, porque desde o começo a direção estava errada — você perdeu o primeiro passo.

No hebraico antigo, a palavra "pecado" é muito bela. Ela significa aquele que errou o alvo. Não existe a noção de culpa, na verdade; pecado significa aquele que errou o alvo, que se extraviou. E religião significa voltar ao caminho correto, para você não perder o objetivo.

O objetivo é a liberdade absoluta; a religião é apenas um meio para chegar a ela. Por isso, você precisa entender que a religião existe como uma força anti-social. Sua própria natureza é anti-social, porque na sociedade a liberdade absoluta não é possível.

Por outro lado, a psicologia está a serviço da sociedade. O psiquiatra tenta de todas as maneiras ajustá-lo novamente à sociedade; ele está a serviço da sociedade. A política, é claro, está a serviço da sociedade. Ela lhe dá um pouco de liberdade, de tal modo que você possa ser escravizado. Essa liberdade é apenas um suborno — ela pode ser tomada a qualquer momento. Se você achar que é realmente livre, logo poderá ser jogado na prisão.

A política, a psiquiatria, a cultura, a educação, todas servem à sociedade. Somente a religião é basicamente rebelde. Mas a sociedade o enganou, ela criou suas próprias religiões. O cristianismo, o hinduísmo, o budismo, o islamismo, esses são truques sociais. Jesus é anti-social. Olhe para ele — ele não era uma pessoa muito respeitável, não poderia ser. Ele andava com os elementos errados, sujeitos anti-sociais. Ele era um vagabundo, um excêntrico — precisava ser, porque não ouvia a sociedade e não se ajustaria a ela. Ele criou uma sociedade alternativa, um pequeno grupo de seguidores.

Existiram *ashrams* que foram forças anti-sociais — nem todos eram, porque a sociedade sempre tenta lhe dar moedas falsas. Se existirem cem *ashrams*, então pode haver um — e, ainda assim, é só uma possibilidade — que seja um *ashram* autêntico, porque este existirá como uma sociedade alternativa, contra essa sociedade, contra essa multidão anônima. Existiram escolas — por exemplo, o monastério de Buda, em Bihar — que tentaram criar uma sociedade que não era, em absoluto, uma sociedade. Eles criaram maneiras e meios para tornar as pessoas totalmente livres de fato, sem cativeiros, sem disciplinas de qualquer espécie, sem limites. As pessoas tinham permissão para ser infinitas, para ser o todo.

Jesus é anti-social, Buda é anti-social, mas o cristianismo e o budismo não são anti-sociais. A sociedade é muito esperta, ela imediatamente incorpora até mesmo fenômenos anti-sociais e os torna sociais. Ela cria uma fachada, dá a você uma moeda falsa e você fica feliz, como criancinhas a quem deram um seio falso, de plástico; uma chupeta. Elas a sugam e acham que estão sendo nutridas. A chupeta as aquieta; é claro, elas adormecerão. Sempre que uma criança estiver inquieta, isto precisa ser feito: um seio falso precisa ser dado. Ela suga, acreditando que está obtendo alimento. Ela continua a sugar, e o sugar se torna um processo monótono; nada está entrando, apenas o sugar, que se torna como um mantra! Então, a criança adormece. Entediada, sonolenta, ela cai no sono.

O budismo, o cristianismo, o hinduísmo e todos os outros "ismos" que se tornaram religiões estabelecidas são apenas chupetas. Elas lhe dão consolo e um bom sono, permitem uma existência sedada nessa escravidão torturante à volta. Elas lhe dão uma sensação de que tudo está bem, de que nada está errado. Elas são como tranqüilizantes, são drogas.

Não é só o LSD que é uma droga; o cristianismo também é, e uma droga muito mais complexa e sutil, que lhe dá um tipo de cegueira. Você não consegue ver o que está acontecendo, não consegue sentir que está desperdiçando a sua vida, não consegue ver a doença que você acumulou ao longo de muitas existências. Você está sentado num vulcão e eles ficam dizendo que tudo está bem. "Deus no céu e o governo na terra — tudo está bem." E os sacerdotes lhe dizem continuamente: "Você não precisa se incomodar, estamos aqui. Simplesmente deixe tudo em nossas mãos e tomaremos conta de você neste mundo e no outro também." E você *deixou* tudo nas mãos deles, e por isso está infeliz.

A sociedade não lhe pode dar liberdade. É impossível, porque a sociedade não pode conseguir fazer todos absolutamente livres. Então, o que fazer? Como ir além da sociedade? Essa é a questão para uma pessoa religiosa. Mas parece impossível: para onde você for, a sociedade estará lá. Você pode passar de uma sociedade para outra, mas a sociedade estará lá. Você pode até ir para o Himalaia, e criará uma sociedade lá. Você começará a falar com as árvores, porque é muito difícil ficar sozinho. Você começará a fazer amizades com os pássaros e outros animais e, mais cedo ou mais tarde, haverá uma família. Você esperará todos os dias pelo pássaro que vem pela manhã e canta.

Ora, você não entende que ficou dependente; o outro entrou na sua vida. Se o pássaro não vier, você sentirá uma certa ansiedade. O que aconteceu com ele? Por que ele não veio? A tensão surge e de maneira nenhuma ela é diferente de quando você ficava preocupado com sua esposa ou seu filho. Ela não é diferente, o padrão é o mesmo — o outro. Mesmo se você for para o Himalaia, criará uma sociedade.

Algo precisa ser entendido: a sociedade não está fora de você, ela é algo dentro de você. E, a menos que as causas básicas dentro de você desapareçam, onde você for a sociedade existirá. Mesmo se você for a uma comunidade *hippie*, passará a haver uma sociedade ali; ela se tornará uma força social. Se você for a um mosteiro, a sociedade também estará lá. A sociedade não o acompanha, ela é você. Você sempre cria sua sociedade à sua volta — você é um criador. Algo em você existe como uma semente que cria a sociedade. Isso realmente mostra que a menos que você seja transformado completamente, nunca poderá ir além da sociedade; você sempre criará sua própria sociedade. E todas as sociedades são as mesmas; as formas podem diferir, mas o padrão básico é o mesmo.

Por que você não pode viver sem a sociedade? Aí é que está a dificuldade! Mesmo no Himalaia você esperará por alguém. Você pode estar sentado sob uma árvore e esperará por alguém, um viajante, um caçador que passe por ali. E, se alguém se aproximar, você sentirá uma felicidade surgindo em você. Sozinho você fica triste — e, se um caçador chegar, vocês farão fofocas. Você perguntará: "O que está acontecendo no mundo? Você trouxe algum jornal?" Ou, "Conte as novidades! Estou ávido para saber."

Por quê? As raízes precisam ser trazidas à luz, para que você possa entender.

Uma coisa, você precisa ser necessário, você tem uma profunda necessidade de ser necessário. Se ninguém precisar de você, você se sentirá inútil, insignificante. Se alguém precisar de você, essa pessoa lhe dará significado, você se sentirá importante. Você fica dizendo, "Preciso cuidar da minha esposa e dos filhos", como se os tivesse carregando como um fardo — você está errado. Você fala como se isso fosse uma grande responsabilidade e você estivesse cumprindo uma obrigação. Você está errado! Simplesmente pense, se a esposa não estivesse ali e os filhos tivessem desaparecido, o que você faria? De repente, você sentiria que sua vida perdeu o sentido, porque eles precisavam de você. Os filhos pequenos esperavam por você, eles lhe davam significado, você era importante. Agora que ninguém precisa de você, você vai minguar. Porque, quando ninguém precisa de você, ninguém lhe presta atenção; esteja você ali ou não, não faz diferença.

O grosso da psicanálise e de seu negócio depende apenas do ouvir. Ela não vai muito além disso, realmente não vai, e tudo o que lhe diz respeito é praticamente uma embromação completa. Mas por que ela continua? Uma pessoa lhe presta muita atenção — e não uma pessoa qualquer, mas um psiquiatra famoso, bem conhecido, que escreveu muitos livros. Ele tratou muitas pessoas famosas, e você se sente bem. Ninguém mais o escuta, nem mesmo sua esposa ou marido. Ninguém o escuta, ninguém lhe presta atenção; você se move no mundo como uma não-entidade, como um ninguém — e você paga caro ao psiquiatra. Isso é um luxo e somente pessoas muito ricas podem pagar.

Mas por que elas fazem isso? Elas simplesmente se deitam no divã e falam, e o psicanalista escuta — mas ele *escuta*, ele presta atenção em você. É claro que você precisa pagar por isso, mas você se sente bem. Simplesmente porque o outro está prestando atenção, você se sente bem. Você sai do consultório caminhando de uma maneira diferente, sua qualidade mudou. Você tem uma dança em seus pés, você pode assobiar, pode cantar. Pode não ser para sempre — na semana seguinte você terá de ir novamente a seu consultório, mas, quando alguém o escuta, presta atenção em você, essa pessoa está dizendo: "Você é alguém, você merece que ouçam o que você diz." O psicanalista não parece entediado; ele pode não dizer nada, mas, mesmo assim, é muito bom.

Você tem uma profunda necessidade de ser necessário. Alguém tem de precisar de você; do contrário, você não tem chão sob os pés — a sociedade é a sua necessidade. Mesmo se alguém brigar com você, tudo bem, isso é melhor do que ficar sozinho, porque, pelo menos, essa pessoa presta atenção em você — você pode pensar a respeito do inimigo.

Sempre que você estiver amando, olhe para essa necessidade. Olhe para as pessoas enamoradas, observe, porque será difícil se você próprio estiver amando. Nesse caso, é difícil observar, pois você está quase maluco, não está em seu senso. Mas observe as pessoas que estão amando: elas dizem uma para outra, "Eu amo você", mas no fundo do coração, elas querem ser amadas. Amar não é o que interessa, ser amado é o que realmente interessa — e elas amam apenas para serem amadas. O básico não é amar, o básico é ser amado.

É por isso que elas se queixam uma da outra: "Você não me ama o suficiente." Nada é suficiente, nada pode jamais ser suficiente, porque a necessidade é infinita. Daí a escravidão ser infinita. Não importa o que o ser amado esteja fazendo, você sempre sentirá que algo mais é possível, você ainda pode nutrir mais expectativas, pode imaginar mais. E aquilo está faltando e você se sente frustrado. E todos os que amam pensam: "Eu amo, mas o outro não está respondendo bem." E o outro pensa nos mesmos termos. O que acontece?

Ninguém ama. E, a menos que você se torne um Jesus ou um Buda, você não pode amar, porque somente pode amar aquele que não tem mais necessidade de ser necessário.

No belo livro de Kahlil Gibran, *Jesus, o Filho do Homem*, ele criou uma história fictícia, porém bela — e algumas vezes, as ficções são mais factuais do que os fatos. Maria Madalena olha pela janela e vê Jesus sentado em seu jardim, sob uma árvore. O homem é bonito. Ela conheceu muitos homens, ela era uma prostituta famosa — mesmo reis costumavam bater à sua porta; ela era uma das flores mais adoráveis. Mas ela nunca conhecera um homem como aquele — porque uma pessoa como Jesus tem uma aura invisível à sua volta que lhe dá uma beleza que tem algo do outro mundo; ele não pertence a este mundo. Havia uma luz à sua volta, uma graça, a maneira que ele caminhava, a maneira como se sentava, como se fosse um imperador nas vestes de um mendigo... Ele parecia tanto do outro mundo que Madalena pediu aos seus serventes para convidá-lo a entrar, mas Jesus recusou. Ele disse: "Estou bem aqui. A árvore é bela e tem uma boa sombra."

Assim, Madalena precisou ir ela mesma e pedir, solicitar a Jesus — ela não podia acreditar que alguém pudesse recusar seu pedido. Ela disse: "Entre em minha casa e seja meu convidado."

Jesus disse: "Eu já entrei em sua casa, já me tornei um convidado. Agora não há mais necessidade."

Ela não conseguiu entender e insistiu: "Não, venha, não me recuse, ninguém jamais me recusou. Você não pode fazer esse gesto tão simples? Seja meu convidado. Jante comigo hoje, fique comigo esta noite."

Jesus disse: "Eu aceitei. E lembre-se, aqueles que dizem que a aceitam, nunca a aceitaram, e aqueles que lhe dizem que a amam, nenhum deles jamais a amou. E lhe digo, eu amo você e somente eu posso amá-la." E ele não entrou na casa; depois de descansar, ele foi embora.

O que ele disse? Ele disse: "Somente eu posso amá-la. Os outros que dizem que a amam, eles não podem amar, porque o amor não é algo que se possa fazer; ele é uma qualidade de seu ser."

O amor acontece quando você atinge uma alma cristalizada, uma individualidade. Com o ego, ele nunca acontece; o ego quer ser amado porque esse é um alimento de que ele precisa. Você ama para que se torne uma pessoa necessária. Você dá nascimento a crianças, não porque ama crianças, mas apenas para ser necessário, para que possa dizer: "Olhem quantas responsabilidades estou cumprindo, quantas obrigações eu cumpro! Sou pai, sou mãe..." Isso é apenas para glorificar seu ego.

A menos que essa necessidade de ser necessário seja abandonada, você não poderá ser solitário. Vá ao Himalaia e você criará uma sociedade. E, se essa necessidade de ser necessário for deixada de lado, onde você estiver, morando na praça do mercado, no centro da cidade, você estará só.

Tente entender as palavras de Jesus: *Bem-aventurado é o solitário e o eleito, porque ele encontrará o reino. Por vir dele, lá irá novamente.*

Penetre fundo em cada palavra. *Bem-aventurado é o solitário...* Quem é o solitário? Aquele cuja necessidade de ser necessário foi deixada de lado, aquele que está completamente satisfeito consigo mesmo como ele é, aquele que não precisa de ninguém para lhe dizer: "Você é importante." A sua importância está dentro dele; agora ela não vem dos outros. Ele não mendiga por ela, não pede por ela — a sua importância vem de seu próprio ser. Ele não é um mendigo e pode viver com ele mesmo.

Você não pode viver com você mesmo. Sempre que você está sozinho, fica inquieto; imediatamente sente incômodo, desconforto, uma profunda ansiedade. O que fazer? Aonde ir? Vá ao clube, à igreja, ao teatro, mas vá a algum lugar, encontre o outro. Ou simplesmente vá fazer compras. Para os ricos, fazer compras é o único jogo, o único esporte; eles vão ao *shopping*. Se você for pobre, não precisa entrar na loja, mas pode simplesmente andar na rua olhando as vitrinas. Mas vá!

Ficar sozinho é muito difícil, muito pouco comum, algo extraordinário. Por que essa ânsia? Porque sempre que você está sozinho, toda a sua importância desaparece. Vá e compre algo numa loja; pelo menos o vendedor lhe dará importância... o que você comprou não importa, porque você compra coisas sem utilidade. Você compra somente por comprar. Mas o vendedor ou o dono da loja olham para você como se você fosse um rei. Eles se comportam como se dependessem de você, e você bem sabe que se trata apenas de uma fachada. É assim que os comerciantes se comportam. O vendedor não se importa com você; seu sorriso é apenas um sorriso amarelo. Ele sorri para todos e não é algo especial para você. Mas você nunca observa essas coisas. Ele sorri, o cumprimenta e o recebe como um convidado bem-vindo. Você se sente satisfeito, você é alguém, existem pessoas que dependem de você; esse comerciante estava esperando por você.

Por toda a parte você está à procura de olhos que possam lhe dar uma certa importância. Sempre que uma mulher olha para você, ela lhe dá importância. Os psicólogos descobriram que, quando você entra numa sala — no saguão de um aeroporto, de uma estação de trem ou de ônibus ou de um hotel —, se uma mulher olhar duas vezes para você, ela está disposta a ser seduzida. Mas, se uma mulher olhar uma só vez, não a importune, simplesmente esqueça. Eles filmaram e observaram, e esse é um fato, porque uma mulher olha duas vezes somente se quiser ser apreciada e olhada.

Um homem entra num restaurante... a mulher pode olhar uma só vez, mas, se ele não valer a pena, ela não olhará de novo. E os paqueradores sabem muito bem disso, sabem disso há séculos! Os psicólogos vieram a saber apenas agora. Eles observam os olhos — se a mulher olhar de novo, ela está interessada. Agora muito é possível, ela deu o sinal, ela está a fim de sair com você ou de fazer o jogo do amor. Mas, se ela não olhar novamente para você, então a porta está fechada; melhor bater em outra porta, pois essa está fechada para você.

Sempre que uma mulher olha para você, você se torna importante, muito significante; naquele momento você é único. É por isso que o amor dá tanta radiância, tanta vida, vitalidade.

Mas esse é um problema, porque a mesma mulher ou o mesmo homem olhando para você todos os dias não será de muita ajuda. Por isso, os maridos ficam saturados das esposas e as esposas ficam saturadas dos maridos — porque como se pode ganhar a mesma importância dos mesmos olhos repetidamente? Você fica acostumado: ela é sua esposa, não há nada a conquistar. Daí a necessidade de se tornar um Byron, um Don Juan, e sair com uma mulher atrás da outra.

Essa não é uma necessidade sexual, lembre-se, nada tem a ver com o sexo, porque o sexo se aprofunda com uma só mulher, com um só homem, em profunda intimidade. Não é sexo, não é amor, absolutamente não, porque o amor deseja estar mais e mais com uma só pessoa, de uma maneira mais e mais profunda; o amor avança em profundidade. Não se trata nem de amor nem de sexo, mas de uma outra coisa: uma necessidade do ego. Se você conseguir conquistar uma nova mulher todos os dias, você se sentirá muito, muito importante, um conquistador.

Mas, se você terminar com uma só mulher ou um só homem, empacar aí e ninguém olhar para você, nenhuma outra mulher ou homem lhe der importância, você se sentirá acabado. É por isso que maridos e esposas parecem tão sem vida, tão apáticos. Você pode olhar e dizer à distância se o casal é casado ou não. Se eles não forem, você perceberá uma diferença; eles estarão felizes, rindo, conversando, apreciando um ao outro. Se eles forem marido e mulher, estarão apenas tolerando um ao outro.

As bodas de prata do Mulá Nasruddin chegaram e ele estava saindo para dar uma volta. A mulher dele ficou um pouco aborrecida, porque ela esperava que ele fosse fazer algo de diferente, e ele estava na mesma rotina. Então, ela perguntou: "Nasruddin, você esqueceu que dia é hoje?"

Nasruddin respondeu: "Eu sei."

E ela disse: "Então faça algo diferente!"

Nasruddin pensou e perguntou: "Que tal dois minutos de silêncio?"

Sempre que você sentir a vida estagnada, isso demonstra que você pode ter pensado que era amor, mas não era; era uma necessidade do ego, uma necessidade de conquistar, de ser necessário a cada dia para um novo homem, uma nova mulher, novas pessoas. Se você for bem-sucedido, se sentirá feliz por um tempo, por não se considerar uma pessoa comum. Essa é a cobiça do político, ser necessário para todo o país. O que Hitler estava tentando fazer? Ser necessário para todo o mundo!

Mas essa necessidade não pode permitir que você seja solitário. Um político não pode se tornar religioso — eles avançam em direções opostas. Por isso, Jesus diz: "É muito difícil um rico entrar no reino de Deus. Um camelo pode passar pelo olho da agulha, mas nenhum rico pode entrar no reino de Deus." Por quê? Porque uma pessoa que acumulou bens está tentando se tornar importante por meio da riqueza. Ela deseja ser alguém, e a porta do reino está fechada para quem deseja ser alguém.

Somente os joões-ninguém entram, somente aqueles que atingiram os seus nadas, somente aqueles cujos barcos estão vazios, que entenderam que as necessidades do ego são fúteis e neuróticas, que observaram e descobriram que as necessidades do ego são inúteis, e não somente inúteis, mas prejudiciais também. As necessidades do ego podem deixá-lo louco, mas nunca podem satisfazê-lo.

Quem é o solitário? Aquele cuja necessidade de ser necessário desapareceu, aquele que não pede para ser importante a seus olhos, a suas respostas. Não! Se você der o seu amor, ele será grato, mas, se não o der, não haverá queixa. Se você não der, ele ficará tão bem como sempre. Se você for visitá-lo, ele ficará feliz, mas, se você não for, ele ficará tão feliz como sempre. Se ele andar em meio a uma multidão, ele vai gostar, mas, se viver em retiro, vai gostar também.

Não se pode fazer uma pessoa solitária infeliz, porque ela aprendeu a viver consigo mesma e a ficar feliz consigo mesma. Sozinha, ela se basta. Por isso, as pessoas que se relacionam umas com as outras nunca desejam que o outro se torne religioso — se o marido começar a se interessar por meditação, a esposa ficará incomodada. Por quê? Ela pode até não perceber o que está acontecendo ou o motivo de estar incomodada. Se a esposa começar a se voltar para a religiosidade, o marido se sentirá incomodado. Por quê?

Um medo inconsciente entra na consciência. O medo de que o outro esteja tentando se bastar em si mesmo; esse é o medo. Assim, se derem a uma esposa a chance de escolher, "Você gostaria que seu marido se tornasse um meditador ou um alcoólatra?", ela escolheria um alcoólatra. Se dessem a um marido a chance de escolher, "Você gostaria que sua esposa se tornasse uma *saniasin* ou tomasse caminhos errados e se perdesse?", ele escolheria a última alternativa.

Um *saniasin* significa alguém que se basta, que não precisa de ninguém, que de maneira nenhuma é dependente. E isso dá medo — você se torna inútil para ele. Toda a sua existência girou em torno dessa necessidade, de que ele precisava de você. Sem você, ele não era nada; sem você, a vida dele era fútil, um deserto; somente com você ele florescia. Mas, se você vier a saber que ele pode florescer em sua solitude, haverá perturbação, porque seu ego ficará ferido.

Quem é um solitário? Jesus diz, *bem-aventurado é o solitário...* As pessoas que podem viver consigo mesmas tão facilmente como se todo o mundo estivesse ali com elas, que conseguem apreciar a si mesmas como fazem as criancinhas.

Crianças muito pequenas conseguem apreciar a si mesmas. Freud tem um termo particular para elas: polimorfas. A criança pequena aprecia a si mesma, brinca com o próprio corpo, é auto-erótica, suga o próprio polegar... Se ela precisa de outra pessoa, essa necessidade é somente para o corpo. Você lhe dá leite, troca as roupas dela — necessidades físicas. Ela realmente ainda não tem necessidades psicológicas. Ela não está preocupada com o que as pessoas estão pensando dela, se elas a acham bonita ou não. É por isso que toda criança é bonita, porque ela não se importa com a opinião dos outros.

Não nasceu até hoje uma criança feia, e todas as crianças, aos poucos, se tornam feias. É muito difícil encontrar um velho bonito, é raro. É muito difícil encontrar uma criança feia, é raro. Todas as crianças são belas, todos os velhos ficam feios. O que acontece? Se todas as crianças nascem belas, deveriam morrer belas! Mas a vida faz algo...

Todas as crianças são auto-suficientes, e essa é a beleza delas; elas existem como uma luz para si mesmas. Todos os velhos são inúteis, perceberam que não são necessários. E, quanto mais velhos eles ficam, mais forte é a sensação de que não são necessários. As pessoas que precisavam deles desapareceram; os filhos cresceram, constituíram sua própria família. A esposa morreu ou o marido morreu. Agora o mundo não precisa deles, ninguém os visita, ninguém os respeita. Mesmo se forem dar uma caminhada, ninguém reconhece quem eles são. Eles podem ter sido grandes executivos, chefes de escritórios, presidentes de bancos, mas agora ninguém os reconhece, ninguém sente a falta deles. Não sendo necessários, eles se sentem inúteis e ficam apenas esperando a morte. E ninguém se importará... mesmo se morrerem, ninguém se importará. Até a morte se torna algo feio.

Se você puder pensar que, quando morrer, milhões de pessoas chorarão por você, você se sentirá feliz — quando você morrer, milhares e milhares de pessoas irão prestar-lhe homenagem.

Aconteceu uma vez. Um homem nos Estados Unidos planejou... e ele é a única pessoa em toda a história do mundo que fez isso. Ele queria saber como as pessoas reagiriam quando ele morresse. Assim, antes de sua morte, quando os médicos disseram que em doze horas ele morreria, ele declarou a sua morte. Ele era dono de muitos teatros, parques de exposições, agências publicitárias, portanto, sabia como anunciar o fato. Pela manhã, seu agente declarou a toda imprensa, de rádio e televisão, que ele tinha morrido. Assim, artigos foram escritos, editoriais foram escritos, telefonemas foram recebidos e houve muita comoção. E ele leu tudo e realmente se divertiu!

Quando uma pessoa morre, ela é sempre boa; imediatamente ela se torna um anjo, porque, quando alguém morre, ninguém acha que vale a pena dizer algo contra essa pessoa. Quando ela está viva, ninguém dirá algo a favor. Lembre-se, quando você morrer, as pessoas ficarão felizes — pelo menos você fez algo bom: você morreu!

Todos prestaram seus respeitos a esse homem, isso e aquilo, e fotos foram colocadas nos jornais — ele se divertiu muito. E, então, morreu, completamente confiante de que as coisas iriam transcorrer bem.

Você precisa dos outros não somente em vida — mas até na sua morte... Pense em sua morte: somente duas ou três pessoas, seus empregados e um cachorro seguindo você para a última despedida. Ninguém mais, nenhum jornal, nenhum fotógrafo, nada — mesmo seus amigos não estão lá. E todos estão muito felizes, porque o fardo se foi. Ao pensar nisso, você fica triste. Mesmo na morte, a necessidade de ser necessário continua. Que tipo de vida é essa? Apenas as opiniões dos outros são importantes, e não você? Sua existência nada significa?

Quando Jesus diz, *Bem-aventurado é o solitário*, ele quer dizer: uma pessoa que conseguiu ficar completamente feliz consigo mesma, que pode ficar sozinha sobre esta terra e o seu humor não mudará, o clima não mudará. Se todo o mundo desaparecer numa terceira guerra mundial — pode acontecer um dia — e você ficar sozinho, o que você fará? Tirando a idéia de se suicidar na mesma hora, o que você fará? Mas um solitário pode se sentar sob uma árvore e se tornar um buda sem o mundo. O solitário será feliz, ele cantará, dançará e se moverá — seu estado de ânimo não mudará. Não se pode mudar o estado de ânimo de um solitário, não se pode mudar seu clima interior.

Jesus diz, *Bem-aventurado é o solitário e o eleito...* E esses são os escolhidos, porque aqueles que precisam de uma multidão serão mandados de volta repetidamente para a multidão — essa é a necessidade, a exigência e o desejo deles. A existência satisfaz tudo o que você pede, e tudo o que você é, é apenas a satisfação de seus desejos passados. Não coloque a responsabilidade em ninguém mais — isso é o que você tem rezado para que aconteça. E lembre-se, esta é uma das coisas mais perigosas no mundo: tudo o que você deseja será satisfeito.

Pense antes de desejar algo. Existe toda a possibilidade de que isso seja satisfeito e, então, você sofrerá. É isso o que acontece com uma pessoa rica. Ela era pobre e desejou riquezas, desejou e desejou e agora isso é satisfeito. Agora ela está infeliz, está chorando e se lamentando, e diz: "Passei toda a minha vida acumulando coisas supérfluas e estou infeliz!" Mas esse era o desejo delas. Se você quer conhecimento, esse desejo será satisfeito. Sua cabeça se tornará uma grande biblioteca, muitas escrituras... Mas, no final, você se lamentará, chorará e gritará: "Somente palavras, palavras e palavras, e nada de substancial. Desperdicei toda a minha vida."

Deseje com plena consciência, porque todo desejo acabará sendo satisfeito um dia. Pode levar um pouco mais de tempo, porque você está sempre numa fila; muitos outros desejaram antes de você; portanto, pode levar algum tempo. Algumas vezes, seu desejo desta vida é satisfeito em outra vida, mas os desejos são sempre satisfeitos; essa é uma das leis mais perigosas. Assim, antes de desejar, pense! Antes de exigir, pense! Lembre-se bem de que um dia isso será satisfeito — e, então, você sofrerá.

O solitário se torna um eleito; ele é o escolhido, o escolhido da existência. Por quê? Porque um solitário nunca deseja algo deste mundo. Ele não precisa. Ele aprendeu tudo o que precisava ser aprendido neste mundo; a escola foi concluída, ele passou por ela, transcendeu-a. Ele se tornou como um alto pico que permanece sozinho no céu — ele se tornou o eleito, o Gourishankar, o Everest. Alguém como Buda, como Jesus, são picos elevados, solitários. Essa é a beleza deles; eles existem sozinhos.

O solitário é o eleito. O que o solitário escolheu? Ele escolheu somente seu próprio ser. E, quando você escolhe seu próprio ser, escolhe o ser de todo o Universo, porque seu ser e o ser universal não são duas coisas separadas. Quando você escolhe a si mesmo, escolhe Deus e, quando você escolhe Deus, Deus o escolhe — você se tornou o eleito.

Bem-aventurado é o solitário e o eleito, porque ele encontrará o reino. Por vir dele, lá irá novamente.

Um solitário, um *saniasin* — é isso o que significa *saniasin*, um ser solitário, um peregrino, inteiramente feliz em sua solitude. Se alguém caminha ao lado dele, tudo bem, isso é bom. Se alguém o deixa, também está bem, isso é bom. Ele nunca espera por alguém e nunca olha para trás. Sozinho, ele é inteiro. Esse estado de ser, essa inteireza, faz dele um círculo. E o princípio e o fim se encontram, o alfa e o ômega se encontram.

O solitário não é como uma linha. Você é como uma linha — seu princípio e seu fim nunca se encontrarão. O solitário é como um círculo, seu princípio e seu fim se encontram. Por isso, Jesus diz: *Por vir dele, lá irá novamente* — você se tornará uno com a fonte, tornou-se um círculo.

Há uma outra frase de Jesus: "Quando o princípio e o fim se tornarem um só, você se tornará Deus." Você pode ter visto uma imagem — é um dos mais antigos símbolos das sociedades secretas do Egito — de uma serpente comendo a própria cauda. Isso é o que significa o princípio e o fim se encontrando, o que significa o renascimento, o que significa se tornar criança: mover-se em círculo, voltando à fonte, chegando lá, de onde você veio.

CAPÍTULO DEZESSETE

O Leão e a Ovelha

A solitude é a realidade suprema. A pessoa chega sozinha e parte sozinha, e entre essas duas solitudes, criamos todos os tipos de relacionamento e luta, apenas para nos enganar — porque também na vida, permanecemos sozinhos. Mas a solitude não é algo com que nos entristecemos; ela é algo para nos deleitarmos. Existem duas palavras, e o dicionário dirá que elas têm o mesmo significado, mas a existência dá a elas significados totalmente opostos. Uma palavra é solidão e a outra é solitude. Elas não são sinônimas.

A solidão é um estado negativo, como a escuridão. Ela significa que você está sentindo falta de alguém, que você está vazio, está com medo neste vasto Universo. A solitude tem um sentido totalmente diferente: ela não significa que você está sentindo falta de alguém, ela significa que você encontrou a si mesmo. Ela é inteiramente positiva.

Ao encontrar a si mesma, a pessoa encontra o sentido da vida, o significado da vida, a alegria da vida, o esplendor da vida. Encontrar a si mesma é o maior achado na vida de uma pessoa, e esse encontro só é possível quando você está sozinho, quando sua consciência não está abarrotada com nada, com ninguém, quando sua consciência está completamente vazia — nesse vazio, nesse nada, um milagre acontece. E esse milagre é a base de toda a religiosidade.

Eis o milagre: quando não existe nada mais para a sua consciência ficar consciente, a consciência se volta para si mesma. Ela se torna um círculo. Não encontrando obstáculo, nenhum objeto, ela volta para a fonte. E, no momento em que o círculo está completo, você não é mais apenas um ser humano comum; você se tornou parte da divindade que circunda a existência. Você não é mais você mesmo, você se tornou parte de todo o Universo — o palpitar do seu coração é agora o palpitar do coração do próprio Universo.

Essa é a experiência que os místicos têm procurado por todas as vidas, através dos tempos. Não existe outra experiência mais arrebatadora, mais bem-aventurada. Essa experiência transforma toda a sua perspectiva: onde costumava haver escuridão, agora existe luz; onde costumava haver infelicidade, existe bem-aventurança; onde costumava haver raiva, ódio, possessividade, ciúme, existe somente uma bela flor do amor. Toda a energia que era gasta em emoções negativas não é mais desperdiçada; ela passa por uma reviravolta positiva e criativa.

Por um lado, você não é mais seu antigo eu e, por outro lado, você é, pela primeira vez, seu autêntico eu. O velho se foi, o novo chegou. O velho está morto, o novo pertence ao eterno, ao imortal.

Por causa dessa experiência, os videntes dos *Upanishades* declararam que o ser humano é *amritasya putrah* — "filhos e filhas da imortalidade".

A menos que você se conheça como ser eterno, como parte do todo, continuará com medo da morte. O medo da morte existe simplesmente porque você não está consciente da sua fonte eterna de vida. Uma vez constatada a eternidade de seu ser, a morte se torna a maior mentira da existência. A morte nunca aconteceu, nunca acontece, nunca acontecerá, porque aquilo que existe sempre existirá, em formas diferentes, em níveis diferentes; não existe descontinuidade. A eternidade no passado e no futuro, ambas lhe pertencem. E o momento presente se torna um ponto de encontro entre duas eternidades: uma indo em direção ao passado e a outra indo em direção ao futuro.

A lembrança de sua solitude não deve ser somente mental; cada fibra de seu ser, cada célula de seu corpo deveria se lembrar, e não como uma palavra, mas como uma profunda sensação. O esquecimento de si mesmo é o único pecado que existe, e a lembrança de si mesmo, a única virtude.

Gautama Buda enfatizou continuamente, de manhã e à noite, uma única palavra, durante quarenta e dois anos: a palavra *sammasati*, que significa "lembrança correta". Você se lembra de muitas coisas, pode se tornar uma Enciclopédia Britânica, sua mente é capaz de se lembrar de todas as bibliotecas do mundo, mas essa não é a lembrança correta. Existe somente uma lembrança correta, o momento em que você se lembra de si mesmo.

Gautama Buda costumava ilustrar seu ponto de vista com uma antiga história de uma leoa que estava saltando de uma pequena colina para outra. Entre as duas colinas, passava um grande rebanho de ovelhas. A leoa estava grávida e pariu enquanto saltava. Seu filhote caiu no meio do rebanho de ovelhas e foi criado por elas. Naturalmente, ele acreditava que também era uma ovelha. Era um pouco estranho, porque ele era muito grande, muito diferente, mas talvez fosse apenas um capricho da natureza. Ele foi criado como vegetariano.

Ele cresceu e, um dia, um velho leão, à procura de comida, aproximou-se do rebanho de ovelhas e não pôde acreditar em seus olhos. No meio das ovelhas, havia um jovem leão em plena glória, e as ovelhas não estavam com medo. Ele se esqueceu de sua comida e correu em direção ao rebanho de ovelhas... e estava ficando cada vez mais estranho, porque o jovem leão também fugia com as ovelhas. Finalmente ele apanhou o jovem leão, que chorava e soluçava, dizendo ao velho leão: "Por favor, deixe-me ir com meu povo!"

Mas o velho leão o arrastou para o lago mais próximo — um lago silencioso, sem ondulações, como um espelho — e o forçou a ver seu reflexo no lago e também o reflexo do velho leão. Houve uma súbita transformação. No momento em que o jovem viu quem ele era, deu um grande rugido — todo o vale ecoou o rugido do jovem leão. Ele nunca havia rugido antes, porque nunca imaginou que fosse mais do que uma ovelha.

O velho leão disse: "Meu trabalho está feito; agora depende de você. Você quer voltar para seu próprio rebanho?"

O jovem riu e disse: "Perdoe-me, eu havia me esquecido completamente de quem sou. E estou imensamente grato a você, que me ajudou a me lembrar."

Gautama Buda costumava dizer: "A função do mestre é a de ajudá-lo a se lembrar quem você é." Você não é parte deste mundo mundano; seu lar é o lar do divino. Você está perdido no esquecimento, esqueceu-se de que dentro de você Deus está oculto. Você nunca olha para dentro — porque todo mundo olha para fora, você também insiste em olhar para fora.

Ficar sozinho é uma grande oportunidade, uma bênção, porque em sua solitude fatalmente você se deparará com você mesmo e, pela primeira vez, se lembrará de quem você é. Saber que você é parte da existência divina é se livrar da morte, da infelicidade, da ansiedade, de tudo o que tem sido um pesadelo para você por muitas e muitas vidas.

Fique mais centrado em sua profunda solitude. Meditação é isto: ficar centrado na própria solitude. A solitude precisa ser tão pura que nem mesmo um pensamento, nem mesmo um sentimento a perturbe. No momento em que sua solitude for completa, sua experiência dela se tornará a sua iluminação. A iluminação não é algo que vem de fora, ela é algo que cresce dentro de você.

Esquecer-se do seu ser é o único pecado. E lembrar-se do seu ser, em sua completa beleza, é a única virtude, a única religião. Você não precisa ser hindu, muçulmano, cristão — para ser religioso, tudo o que você precisa é ser você mesmo.

E, na verdade, não estamos separados, mesmo agora — ninguém está separado, toda a existência é uma unidade orgânica. A idéia de separação se deve ao nosso esquecimento. É como se cada folha da árvore começasse a pensar que está separada, separada das outras folhas... mas, no fundo, elas são nutridas pelas mesmas raízes. Trata-se de uma árvore; as folhas podem ser muitas. Trata-se de uma existência; as manifestações podem ser muitas.

Ao conhecer a si mesmo, uma coisa fica clara: nenhuma pessoa é uma ilha — somos um continente, um vasto continente, uma infinita existência sem nenhuma fronteira. A mesma vida corre através de todos, o mesmo amor preenche cada coração, a mesma alegria dança em cada ser. Por causa do nosso mal-entendido apenas, achamos que estamos separados.

A idéia da separação é nossa ilusão. A idéia da unidade será nossa experiência da verdade suprema. É necessário apenas um pouco mais de inteligência, e você poderá sair do desalento, da infelicidade, do inferno em que toda a humanidade está vivendo. O segredo de sair desse inferno é lembrar-se de si mesmo. E essa lembrança será possível se você compreender a idéia de que você está sozinho.

Você pode ter vivido com sua esposa ou com seu marido durante cinqüenta anos; ainda assim, vocês são dois. Sua esposa está sozinha, você está sozinho. Vocês tentaram criar uma fachada de que "Não estamos sozinhos", "Somos uma família", "Somos uma sociedade", "Somos uma civilização", "Somos uma cultura", "Somos uma religião organizada", "Somos um partido político organizado". Mas todas essas ilusões não vão ajudar.

Você precisa perceber, não importa o quanto isso possa parecer doloroso no início, que está sozinho numa terra estranha. Na primeira vez, esse reconhecimento é doloroso. Ele elimina todas as nossas ilusões, que eram grandes consolos. Mas, quando você ousa aceitar a realidade, a dor desaparece. E, oculta atrás da dor, está a maior das bênçãos do mundo: você vem a conhecer a si mesmo.

Você é a inteligência da existência, a consciência da existência, a alma da existência. Você é parte dessa imensa divindade que se manifesta de milhares de formas: nas árvores, nos pássaros, nos animais, nos seres humanos... mas é a mesma consciência em diferentes estágios de evolução. E a pessoa que reconhece a si mesma, que sente que o deus que ela buscava e procurava por todo o mundo reside em seu próprio coração, atinge o mais elevado ponto da evolução. Não existe nada superior a isso.

Pela primeira vez, a sua vida se torna importante, significativa, religiosa. Mas você não será hindu, cristão, judeu; você será simplesmente religioso. Ao ser hindu, muçulmano, cristão, jainista ou budista, você está destruindo a pureza da religiosidade — ela não precisa de adjetivos.

Amor é amor — você já ouviu falar de amor hindu, amor muçulmano? Consciência é consciência — você já pensou sobre consciência indiana ou consciência chinesa? Iluminação é iluminação: se acontece no corpo branco ou no corpo preto, se acontece no jovem ou no velho, se acontece no homem ou na mulher, não faz a menor diferença. A experiência é a mesma, o sabor é o mesmo, a doçura é a mesma, a fragrância é a mesma.

A pessoa pouco inteligente é aquela que está correndo por todo o mundo à procura de algo, sem saber exatamente o quê. Algumas vezes achando que talvez seja o dinheiro, seja o poder, seja o prestígio, seja a respeitabilidade.

A pessoa inteligente primeiro procura seu próprio ser, antes de começar a jornada no mundo exterior. Isso parece ser simples e lógico... pelo menos, olhe primeiro em sua própria casa, antes de procurar pelo mundo inteiro. E aqueles que olharam dentro de si mesmos o encontraram, sem nenhuma exceção.

Gautama Buda não é budista. A palavra "buda" simplesmente significa o desperto, aquele que saiu do sono. Mahavira, o jainista, não é um jainista. A palavra "jainista" simplesmente significa aquele que conquistou, conquistou a si mesmo. O mundo precisa de uma grande revolução, na qual cada indivíduo encontre sua religião dentro de si mesmo. No momento em que as religiões se tornam organizadas, elas ficam perigosas; na realidade, elas se tornam política, com uma falsa face de religião. Por isso, todas as religiões do mundo tentam converter mais e mais pessoas à sua religião. É a política dos números; aquela que tiver um número maior será mais poderosa. Mas ninguém parece estar interessado em trazer milhões de indivíduos a seus próprios seres.

Meu trabalho aqui consiste em afastá-lo de qualquer tipo de esforço organizado, porque a verdade nunca pode ser organizada. Você precisa seguir sozinho na peregrinação, porque a peregrinação será interior. Você não pode levar ninguém com você. E você precisa deixar de lado tudo o que aprendeu com os outros, porque todos esses preconceitos distorcerão sua visão e você não será capaz de perceber a realidade nua de seu ser. A realidade nua de seu ser é a única esperança de encontrar Deus.

Deus é sua realidade nua, sem ornamentos, sem nenhum adjetivo. Ela não é confinada pelo seu corpo, pelo seu nascimento, pela sua cor, pelo seu sexo, pelo seu país. Ela simplesmente não é confinada por nada, e está ao seu alcance, muito próxima...

Apenas um passo para dentro de si mesmo e você chegou.

Durante milhares de anos lhe disseram que a jornada para Deus é muito longa. A jornada não é longa, Deus não está distante. Deus está em sua respiração, no palpitar de seu coração, em seu sangue, em seus ossos, em sua medula — basta um único passo: fechar os olhos e mergulhar em você mesmo.

Pode levar um pouco de tempo, porque velhos hábitos demoram para ser vencidos; mesmo que você feche os olhos, sua cabeça se encherá de pensamentos. Esses pensamentos são de fora, e o simples método, que foi seguido por todos os grandes videntes do mundo, é simplesmente observar os pensamentos, ser uma testemunha. Não os condene, não os justifique, não os racionalize. Permaneça à parte, permaneça indiferente, deixe-os passar — eles irão embora.

E, no dia em que sua mente estiver absolutamente silenciosa, sem nenhuma perturbação, você dará o primeiro passo que o leva ao templo de Deus.

O templo de Deus é feito da sua consciência. Você não pode ir lá com seus amigos, com seus filhos, com sua esposa, com seus pais.

Todos precisam ir lá sozinhos.

PERGUNTAS

• ***Nunca pertenci a nada, nunca fiz parte de nenhum grupo, nunca me senti totalmente integrada com outra pessoa. Por que tamanho isolamento durante toda a minha vida?***

A vida é um mistério, mas você pode reduzi-la a um problema. E uma vez transformado o mistério num problema, você ficará em dificuldade, porque pode não haver solução para ele. O mistério permanece um mistério, ele é insolúvel, e por isso é chamado de mistério.

A vida não é um problema, e esse é um dos enganos básicos que insistimos em cometer: imediatamente colocamos um ponto de interrogação. E, se você coloca um ponto de interrogação sobre um mistério, ficará procurando pela resposta por toda a sua vida e não a encontrará, e naturalmente isso traz grande frustração.

Minha observação é que a pessoa que fez a pergunta é uma meditadora nata. Em vez de fazer disso um problema, festeje! Não pertencer a nada é uma das mais notáveis experiências da vida. Ser uma completa forasteira, sem nunca sentir que é parte de algo, é uma grande experiência de transcendência.

Um turista norte-americano veio ver um mestre sufi. Havia muitos anos que ele ouvia falar desse mestre, apaixonara-se profundamente por suas palavras, pela sua mensagem. Por fim, ele decidiu vê-lo. Quando entrou em seu quarto, ficou surpreso, pois o quarto estava completamente vazio! O mestre estava sentado, e não havia mobília! O americano não podia conceber uma residência sem nenhum móvel, e imediatamente perguntou: "Onde estão seus móveis, senhor?"

E o velho sufi riu e disse: "E onde estão os seus?"

E o americano respondeu: "Eu evidentemente estou só de passagem aqui; não posso carregar minha mobília!"

E o velho disse: "Eu também só estou passando alguns dias aqui, depois irei embora, assim como você."

Este mundo é apenas uma peregrinação — de grande significado, mas não um lugar ao qual se pertencer, não um lugar do qual façamos parte. Continue sendo como uma folha de lótus.

Esta é uma das calamidades que aconteceram à mente humana: fazemos de tudo um problema. Ora, isso deveria ser algo de imensa alegria para você. Não se chame de "isolada". Você está usando uma palavra errada, porque a própria palavra dá a entender que existe alguma condenação. Você está sozinha, e a palavra "sozinha" tem grande beleza. Você nem está desacompanhada. Estar desacompanhada significa que você está precisando do outro; estar sozinha significa que você está completamente enraizada em si mesma, centrada em si mesma. Você é suficiente em si mesma.

Você ainda não aceitou essa dádiva da existência, por isso está sofrendo desnecessariamente. E é isso o que eu observo, milhões de pessoas insistem em sofrer desnecessariamente.

Olhe para isso a partir de uma outra perspectiva. Não estou lhe dando uma resposta, nunca dou nenhuma resposta. Simplesmente lhe dou novas perspectivas, novos ângulos.

Pense em você mesma como uma meditadora nata que é capaz de ficar sozinha, que é forte o suficiente para estar sozinha, que é tão centrada e enraizada que o outro não é necessário. Sim, você pode se relacionar com o outro, mas isso nunca se torna um relacionamento. Relacionar-se é ótimo. Duas pessoas sozinhas podem se relacionar, duas pessoas sozinhas não podem travar um relacionamento.

O relacionamento é uma necessidade daqueles que não conseguem ficar sozinhos. Duas pessoas desacompanhadas acabam num relacionamento. Duas pessoas sozinhas se relacionam, se comunicam, comungam entre si e, ainda assim, continuam sozinhas. Suas solitudes permanecem intactas, virgens, puras. Elas são como picos, picos do Himalaia, altos no céu sobre as nuvens. Dois picos nunca se encontram e, ainda assim, existe um tipo de comunhão que se dá por meio do vento, da chuva, dos rios, do sol e das estrelas. Sim, existe uma comunhão, muito diálogo acontece. Eles sussurram um para o outro, mas suas solitudes permanecem absolutas; eles nunca fazem concessões.

Seja como um pico solitário, alto no céu. Por que você deveria ansiar por pertencer a algo? Você não é uma coisa! Coisas pertencem!

Você diz: *"Nunca pertenci a nada, nunca fiz parte de nenhum grupo."*

Não há necessidade! Neste mundo, fazer parte é se perder. O mundano é que faz parte; um buda inevitavelmente permanece um forasteiro. Todos os budas são forasteiros. Mesmo se estiverem na multidão, estão sozinhos. Mesmo se estiverem no mundo dos negócios, eles não estarão lá. Mesmo se relacionando, permanecem separados. Existe um tipo de distância sutil que está sempre presente.

E essa distância é a liberdade, essa distância é uma grande alegria, essa distância é seu próprio espaço. E você se considera isolada? Você deve estar se comparando com os outros: "Eles têm tantos relacionamentos, têm casos de amor. Eles pertencem um ao outro, fazem parte de uma família — e estou isolada. Por quê?" Você deve estar criando angústia desnecessariamente.

Minha abordagem sempre é a seguinte: tudo o que a existência lhe deu deve ser uma necessidade sutil de sua alma; do contrário, não teria lhe sido dado.

Pense mais na solitude, celebre a solitude, celebre seu puro espaço, e uma grandiosa canção surgirá em seu coração. E será uma canção de consciência, uma canção de meditação. Será uma canção de um pássaro solitário chamando à distância — não chamando por alguém em particular, mas apenas chamando, porque o coração está repleto e quer chamar, porque a nuvem está repleta e quer chover, porque a flor está repleta e as pétalas se abrem e a fragrância se espalha... sem ter destino algum. Deixe sua solitude se tornar uma dança.

Estou muito feliz com você. Se você parar de criar problemas para você... Não vejo problemas reais. O único problema é: as pessoas insistem em criar problemas! Os problemas nunca são resolvidos, eles simplesmente se dissipam. Estou lhe dando uma perspectiva, uma visão. Faça com que o seu problema se dissipe! Aceite sua solitude como uma dádiva de Deus, com grande gratidão, e viva essa solitude. E você ficará surpresa: que dádiva preciosa, e você ainda nem a apreciou! Que dádiva preciosa, e ela está aí em seu coração, sem ser apreciada.

Dance sua solitude, cante sua solitude, viva sua solitude.

E não estou dizendo para não amar. Na verdade, somente uma pessoa capaz de ficar só é capaz de amar. Pessoas que sentem solidão não podem amar. A necessidade delas é tanta que elas se apegam — como elas podem amar? As pessoas que sentem solidão não podem amar, podem somente explorar, fingir amar; no fundo, elas querem amor. Elas não o têm para dar, elas nada têm para dar. Somente uma pessoa que sabe como ficar só *e* alegre está tão repleta de amor que pode compartilhá-lo. Ela pode compartilhá-lo com estranhos.

E todos são estranhos, lembre-se. Seu marido, sua esposa, seus filhos, todos são estranhos. Nunca se esqueça disso! Você não conhece seu marido, não conhece sua esposa, nem mesmo seu filho; o filho que você carregou durante nove meses no útero é um estranho.

Toda esta vida é uma terra estranha; viemos de alguma fonte desconhecida. De repente, estamos aqui e, um dia, de repente, vamos embora, de volta à fonte original. Essa é uma jornada de alguns dias; torne-a tão alegre quanto possível. Mas fazemos justamente o oposto — fazemos com que fique o mais infeliz possível, colocamos todas as nossas energias para torná-la mais e mais infeliz.

• ***Por que minha tristeza parece mais real do que minha felicidade? Quero tanto ser verdadeiro e autêntico, sem usar máscaras, mas isso parece significar muita rejeição dos outros. É possível ficar tão sozinho?***

É importante entender. Isso acontece com a maioria das pessoas. Sua tristeza certamente é mais real, porque ela é sua, é autêntica. Sua felicidade é superficial; ela não é sua, ela depende de algo, de alguém. E tudo que o torna dependente, não importa o quanto você possa se sentir feliz por alguns momentos, logo sairá da lua-de-mel — mais rápido do que você esperava.

Você está feliz por causa de sua namorada, de seu namorado. Mas eles são seres individuais, podem não concordar com você em todos os pontos. Na verdade, o que mais acontece é isto: tudo o que o marido gosta, a esposa não gosta, tudo o que a esposa gosta, o marido não gosta. Estranho... porque isso é praticamente universal. Isso existe por uma certa razão. No fundo, eles se odeiam, pela simples razão de dependerem um do outro para ter felicidade, e ninguém gosta da dependência. A escravidão não é o desejo intrínseco dos seres humanos. Se uma mulher ou um homem lhe dá alegria e você fica dependente, você está ao mesmo tempo cultivando um profundo ódio — por causa da dependência. Você não pode deixar a mulher porque ela o faz feliz, e não pode deixar de odiá-la, porque ela o torna dependente.

Assim, todos os supostos relacionamentos amorosos são muito estranhos, são um fenômeno complicado. Eles são relacionamentos de amor e ódio. De uma maneira ou de outra o ódio precisa ser expresso. Por isso, tudo o que sua esposa gosta, você não gosta; tudo o que seu marido gosta, você não gosta. Em cada pequeno detalhe, maridos e esposas estão brigando. Que filme assistir? E acontece uma imensa briga. Que restaurante ir? E imediatamente acontece uma briga. Esse é o ódio que existe sob a fachada da felicidade. A felicidade continua superficial, muito tênue; basta arranhar um pouco e você encontrará o seu oposto.

A tristeza é mais autêntica, porque ela não depende de ninguém. Ela é sua, absolutamente sua — isso deveria lhe dar um grande discernimento, fazê-lo perceber que a sua tristeza pode ajudá-lo mais do que a sua felicidade. Você nunca olhou a tristeza atentamente. De muitas maneiras você tenta evitar percebê-la. Se está triste, você vai ao cinema, liga a televisão, sai e vai jogar com os amigos, vai a um clube. Você começa a fazer algo, de tal modo que não precise perceber a tristeza. Essa não é a abordagem correta.

Quando você estiver triste, esse é um fenômeno solene, muito sagrado, algo especial. Familiarize-se com a tristeza, mergulhe fundo nela e você ficará surpreso. Sente-se em silêncio e fique triste. A tristeza tem suas próprias belezas.

A tristeza é silenciosa, ela é sua. Ela está brotando porque você está sozinho. Ela está lhe dando uma chance de mergulhar fundo em sua solitude. Em vez de pular de uma felicidade superficial para outra e desperdiçar sua vida, é melhor usar a tristeza como um meio para a meditação. Testemunhe-a. Ela é uma amiga! Ela abre a porta de sua eterna solitude.

Não há como não ficar sozinho. Você pode se iludir, mas não pode ser bem-sucedido. E estamos nos iludindo de muitas maneiras — no relacionamento, na ambição, na ânsia de ficar famoso, em fazer isso e aquilo. Estamos tentando nos convencer de que não estamos sós, de que não estamos tristes. Porém, mais cedo ou mais tarde sua máscara é tirada — ela é falsa, não pode permanecer para sempre. Então, você precisa usar outra máscara. Numa vida tão curta, quantas máscaras você usa? E quantas se desmancharam, mudaram? E você persiste no antigo hábito.

Se você quiser ser um indivíduo autêntico, aproveite a tristeza, não fuja dela. Ela é uma grande bênção. Sente-se em silêncio com ela, deleite-se com ela. Não há nada de errado em ficar triste. E quanto mais você se familiariza com ela e com suas nuanças sutis, mais você ficará surpreso — ela é um grande relaxamento, um grande descanso, e você sai dela rejuvenescido, revitalizado, mais jovem, mais vivo. E, depois que a tiver saboreado, você sempre buscará esses belos momentos de tristeza. Você esperará por eles, dará as boas-vindas a eles, e eles abrirão novas portas de sua solitude...

Você nasceu sozinho e morrerá sozinho. Entre essas duas solitudes, você pode se enganar, achando que não está sozinho, que tem uma esposa, um marido, filhos, dinheiro, poder. Mas, entre essas duas solitudes, você *está* sozinho. Tudo isso serve apenas para mantê-lo ocupado com uma coisa ou outra, para que você não fique consciente do fato.

Desde a minha mais tenra infância, nunca me associei com pessoas. Toda minha família ficava muito preocupada, pois eu não brincava com as outras crianças, nunca brinquei. Meus professores ficavam preocupados: "O que você fica fazendo, quando todas as crianças estão brincando? Fica sentado sob uma árvore sozinho!" Eles achavam que havia algo errado comigo.

E eu lhes dizia: "Vocês não precisam se preocupar. A realidade é que algo está errado com vocês e com todas as suas crianças. Estou perfeitamente feliz sozinho."

Lentamente eles aceitaram que era assim que eu era e que nada podia ser feito a respeito. Eles tentaram de todas as maneiras me ajudar a me misturar com as outras crianças da minha idade. Mas eu gostava tanto de ficar sozinho que jogar futebol parecia algo quase neurótico.

E eu dizia ao meu professor: "Não vejo sentido nisso. Para que ficar chutando a bola para lá e para cá, desnecessariamente? Não faz sentido. E mesmo se sair um gol, e daí? O que se ganha com isso? E, se essas pessoas gostam tanto de fazer gol, por que, em vez de jogar com uma bola só, não jogar com vinte e duas? Dê uma para cada um, e cada um colocará a bola na rede tanto quanto quiser, ninguém o impedirá. Deixem que marquem até não agüentarem mais! Do jeito que é, fica muito difícil — por que tornar o jogo desnecessariamente difícil?"

E meu professor dizia: "Você não entende que assim não seria um jogo, se vinte e duas bolas fossem dadas às crianças e todas marcassem gol tantas vezes quanto quisessem. Isso não adiantaria nada."

Eu replicava: "Não entendo, para que criar obstáculos e impedir as pessoas... Elas caem, sofrem fraturas e todos os tipos de tolice. E não somente isso, quando há jogos, milhares de pessoas se juntam para assistir. Parece que essas pessoas não sabem que a vida é curta — e ficam assistindo a um jogo de futebol! E elas ficam empolgadas, pulando e gritando — para mim, isso é neurótico. Prefiro sentar sob a minha árvore."

Eu tinha a minha árvore, uma árvore muito bonita, atrás do prédio da escola. Ela ficou conhecida como sendo a minha árvore, então ninguém ia lá. Eu costumava sentar sob ela sempre que havia tempo para brincar ou tempo para qualquer tipo de atividade neurótica, atividades "extracurriculares". E eu descobri tantas coisas embaixo daquela árvore que, sempre que eu voltava para minha cidade, nunca ia ver o diretor — a sala dele ficava perto da árvore, exatamente atrás da sala dele estava a árvore —, mas eu costumava ir até a árvore para agradecer a ela, para mostrar minha gratidão. Uma vez o diretor saiu e disse: "Que estranho. Você vem à cidade e nunca me procura, nunca vem à escola, mas sempre vem ver essa árvore."

Eu disse: "Vivi muito mais experiências sob essa árvore do que sob a sua orientação e sob a de todos os tipos de professores malucos que você tem. Eles nada me deram. Na verdade, tudo o que eles me deram, precisei jogar fora. Mas o que essa árvore me deu ainda está comigo."

E você ficará surpreso — aconteceu duas vezes, então não pode ser apenas coincidência... Em 1970, deixei de ir à cidade, porque prometi à minha avó: "Voltarei somente enquanto você estiver viva. Quando você se for, não terei mais motivo para vir para cá." Fui informado de que, quando deixei de ir à cidade, a árvore morreu. Achei que devia ser um acidente, apenas uma coincidência; isso poderia não ter relação comigo. Mas aconteceu duas vezes...

Quando eu era professor na universidade, havia uma fileira de belas árvores. Eu costumava estacionar meu carro sob uma delas. E, não sei por que motivo, isso sempre foi privilégio meu: sempre que eu me sentava na sala dos professores, ninguém se sentava na cadeira que eu usava, nem ao lado da cadeira. Eles me consideravam um pouco perigoso.

Um homem que não tem amigos, que tem estranhos pensamentos, que é contra todas as religiões, contra todas as tradições, que pode se opor sozinho a pessoas veneradas por todo o país, como Mahatma Gandhi. Eles pensavam: "É melhor manter distância desse homem. Ele pode colocar alguma idéia em nossa mente e a gente pode ficar em dificuldades."

Eu costumava estacionar meu carro sob aquela árvore. Ninguém mais estacionava o carro naquele lugar; mesmo quando eu não vinha, o lugar ficava vazio. Todas as outras árvores morreram, somente a minha árvore permaneceu deslumbrante — ela ficou conhecida como a minha árvore.

Depois que pedi demissão da universidade, um ano depois o vice-reitor me disse: "É estranho, aquela árvore morreu. Desde que você deixou de ir à universidade, algo aconteceu."

Eu entendi que havia alguma sincronicidade. Ao sentar-se silenciosamente com uma árvore... a árvore está silenciosa, você está silencioso... e dois silêncios não podem permanecer separados, não há como dividi-los.

Vocês estão todos sentados aqui. Se vocês estiverem pensando, estarão separados. Mas, se todos estiverem silenciosos, de repente existe algo como uma alma coletiva.

Talvez aquelas duas árvores tenham sentido a minha falta. Ninguém se aproximou delas de novo, ninguém com quem elas pudessem se comunicar. Elas morreram porque não conseguiram sentir o calor de ninguém. Eu tinha um imenso amor e respeito por aquelas árvores.

Sempre que você estiver triste, sente-se ao lado de uma árvore, ao lado de um rio, ao lado de uma rocha, e simplesmente relaxe em sua tristeza, sem receio. Quanto mais você relaxar, mais ficará familiarizado com as belezas da tristeza. Então, a tristeza começará a mudar suas formas, se tornará um silencioso deleite, não causado por alguém fora de você. Essa não será a felicidade superficial, que podem muito facilmente tomar de você.

E, ao se aprofundar em sua solitude, um dia você encontrará não somente deleite — o deleite está somente no meio do caminho. A felicidade é muito superficial, depende dos outros; o deleite está no meio, não depende de ninguém. Aprofundando-se, você chegará no estado de bem-aventurança — o que chamo de iluminação.

Use qualquer coisa e você atingirá a iluminação, mas use algo autêntico, que seja seu. E então você terá uma bem-aventurança que será sua vinte e quatro horas por dia. Ela estará simplesmente irradiando de você. Agora você pode compartilhá-la, pode dá-la a quem você ama. Mas ela é uma dádiva incondicional. E ninguém pode torná-lo infeliz.

Este é o meu empenho, torná-lo independentemente bem-aventurado. Isso não significa que você precise renunciar ao mundo, não significa que você precise deixar sua mulher, sua namorada, seu gosto pela comida — mesmo por sorvete; isso não tem nada a ver. Sua bem-aventurança estará com você, não importa o que você faça. Ela realçará cada atividade, enriquecerá cada ato que você faça. Seu amor terá um sabor totalmente diferente. Agora não haverá nenhum ódio oculto atrás dele; ele será simplesmente amor. Não haverá nem mesmo a expectativa de que você deveria receber algo em troca. Você não precisa de nada. Dar é uma bênção tão grande que não há necessidade. Você está tão rico por dentro que nada pode torná-lo mais rico.

E você pode seguir em frente, compartilhando a bem-aventurança. Quanto mais você compartilha, mais você tem; assim, nada pode torná-lo mais pobre. Esse é o único milagre que eu conheço.

• ***À medida que entro mais fundo em meditação e investigo quem realmente eu sou, tenho dificuldade em manter qualquer relacionamento. Isso é algo esperado ou me perdi em algum lugar?***

Quando você empreende uma peregrinação interior, as energias se voltam para dentro, as mesmas energias que estavam se movendo para fora. De repente, você se descobre sozinho como uma ilha. A dificuldade surge porque você não se sente realmente à vontade sendo você mesmo, e todos os relacionamentos parecem uma dependência, uma escravidão. Mas essa é uma fase transitória; não a torne uma atitude permanente. Mais cedo ou mais tarde, quando você estiver novamente centrado, transbordará de energia e desejará iniciar novamente um envolvimento afetivo.

Assim, quando a mente fica meditativa pela primeira vez, o amor parece uma escravidão. E, de certa maneira, isso é verdade, porque uma mente que não é meditativa não pode amar de verdade. Esse amor é falso, ilusório, mais uma fascinação do que amor. Mas você nada tem com que compará-lo, a menos que o amor verdadeiro aconteça; assim, quando a meditação começa, o amor ilusório aos poucos se dissipa, desaparece. A primeira coisa, não fique desanimado. E a segunda, não faça disso uma atitude permanente; essas são as duas possibilidades.

Se você ficar desanimado porque sua vida amorosa está desaparecendo e você se apegar a ela, isso se tornará uma barreira em sua jornada interior. Aceite o fato, agora a energia está procurando um novo caminho e, por alguns dias, ela não estará disponível para o movimento para fora, para as atividades.

Se alguém for um criador e meditar, toda a criatividade desaparecerá por um tempo. Se você for um pintor, de repente não se achará na pintura. Você pode continuar, mas aos poucos não terá energia e entusiasmo. Se você for um poeta, a poesia será interrompida. Se você for uma pessoa que estava amando, essa energia simplesmente desaparecerá. Se você tentar se forçar a entrar num envolvimento afetivo, a fim de ser seu antigo eu, essa pressão será muito, muito perigosa. Você estará fazendo algo contraditório: por um lado, está tentando entrar, e por outro, está tentando sair. É como se você estivesse dirigindo um carro, pisando no acelerador e ao mesmo tempo no freio. Isso pode provocar um desastre, porque você está fazendo duas coisas contrárias ao mesmo tempo.

A meditação só é contra o amor falso. O falso desaparecerá, e essa é a condição básica para que o verdadeiro apareça. O falso tem de ir embora, deve desocupá-lo completamente, e somente então você ficará disponível para o verdadeiro. Assim, por alguns dias, esqueça todos os relacionamentos.

O segundo ponto, que também é um grande perigo, é que você possa fazer disso um estilo de vida. Isso aconteceu com muitas pessoas. Elas estão em mosteiros — velhos monges, religiosos ortodoxos que fizeram do fato de não ter relações amorosas um estilo de vida. Eles acham que o amor é contra a meditação e que a meditação é contra o amor — isso não é verdade. A meditação é contra o falso amor, mas é totalmente a favor do amor verdadeiro.

Depois que você tiver assentado, quando não puder ir mais para dentro, você chega no âmago do seu ser, no alicerce; você está centrado. De repente, a energia fica disponível, mas agora não há para onde ir. A jornada exterior parou quando você começou a meditar, e agora a jornada interior também está completa. Você está resolvido, você chegou em casa. Essa energia começará a transbordar. Esse é um tipo de movimento totalmente diferente, sua qualidade é diferente, porque ele não tem motivação. Antes, você se movia em direção aos outros com uma motivação; agora, não existe motivação. Você simplesmente se volta para os outros porque tem muito a compartilhar.

Antes, você vivia como um mendigo; agora, você vive como um imperador. Não que você esteja buscando a felicidade de alguém — essa você já tem. Agora a felicidade é abundante, a nuvem está tão repleta que gostaria de chover, a flor está tão repleta que gostaria de voar com o vento na forma de perfume e ir às partes mais remotas deste mundo. É um compartilhar, um novo tipo de relacionamento passou a existir. Chamá-lo de relacionamento não está correto, porque não se trata mais de um relacionamento; trata-se, mais exatamente, de um estado de ser. Não que você ame, você é amor.

Assim, não fique desanimado nem torne isso um estilo de vida; essa é apenas uma fase transitória. A renúncia é uma fase transitória e a celebração é o objetivo da vida. A renúncia é apenas um meio. Existem momentos em que você precisa renunciar, como quando você está doente e o médico diz para você jejuar. O jejum não vai ser um estilo de vida. Renuncie à comida e, quando estiver saudável, volte a saboreá-la — e você será capaz de saboreá-la mais do que nunca. Não faça do jejum a sua vida; ele era uma fase transitória, era necessário.

Jejue um pouco com o amor e com os envolvimentos afetivos e logo você conseguirá mudar novamente, mais uma vez transbordando e vivendo sem motivação. Então, o amor será belo. E ele nunca é belo antes disso; antes, ele é sempre feio. Não importa o quanto você tente, ele sempre fica amargo. Ambas as pessoas podem estar tentando arduamente fazer algo belo a partir dele, mas isso não está na natureza das coisas; algo feio entra... Todo caso de amor está sempre indo por água abaixo. Simplesmente espere...

ADVERTÊNCIA

Duas Mulheres e um Monge

Uma história zen:

Havia uma senhora idosa na China que sustentou um monge durante mais de vinte anos. Ela construiu uma cabana para ele e o alimentava, enquanto ele meditava.

Um dia, ela resolveu investigar o progresso que ele obtivera em todo esse tempo.

Ela conseguiu a colaboração de uma moça cheia de "desejos", e disse a ela: "Vá e o abrace e depois pergunte de repente 'E agora?'"

A jovem foi até o monge e, imediatamente, começou a acariciá-lo e a perguntar o que ele iria fazer a respeito.

"Uma velha árvore cresce num penhasco no inverno", respondeu o monge poeticamente, "e em parte alguma existe calor."

A jovem voltou e relatou o que ele disse.

"E pensar que alimentei aquele sujeito por vinte anos!", exclamou a velha com indignação. "Ele não demonstrou consideração pela sua necessidade, nenhuma disposição para atenuar a sua condição. Ele não precisava ter respondido à paixão, mas pelo menos deveria ter sentido compaixão."

Imediatamente ela foi à cabana do monge e a queimou.

Um antigo provérbio diz: *Semeie um pensamento e colha uma atitude, semeie uma atitude e colha um hábito, semeie um hábito e colha um caráter, semeie um caráter e colha um destino.*

E eu lhe digo: não semeie nada e colha meditação ou amor.

Não semeie nada — meditação é isso. E sua conseqüência natural é o amor. Se, ao final da jornada da meditação, o amor não floresceu, toda a jornada foi inútil. Em algum lugar, algo saiu errado. Você começou, mas nunca alcançou.

O amor é o teste. Para o caminho da meditação, o amor é o teste. Eles são dois lados de uma moeda, dois aspectos de uma mesma energia. Quando um estiver presente, o outro precisará estar presente. Se o outro não estiver presente, o primeiro também não estará.

Meditação não é concentração. Uma pessoa de concentração pode não alcançar o amor; na verdade, ela não alcançará. Uma pessoa de concentração pode ficar mais violenta, porque a concentração é um treinamento para permanecer tenso, é um esforço para restringir a mente. Ela é uma profunda violência com a sua consciência. E, quando você é violento com sua própria consciência, não pode deixar de ser violento com os outros. Tudo o que você for com você mesmo, será com os outros.

Deixe que esta seja uma regra fundamental da vida, uma das mais fundamentais: tudo o que você for para você mesmo, você será para os outros. Se você se amar, amará os outros. Se estiver fluindo com o seu ser, estará também fluindo em envolvimentos afetivos. Se você estiver congelado por dentro, estará também congelado por fora. O interior tende a se tornar o exterior, insiste em se manifestar no exterior.

Concentração não é meditação; concentração é o método da ciência. Ela é uma metodologia científica. Um cientista precisa ter uma profunda disciplina da concentração, mas não se espera que ele seja compassivo. Não há necessidade. Na verdade, um cientista se torna mais e mais violento com a natureza — todo progresso científico está baseado na violência contra a natureza. Ele é destrutivo porque, em primeiro lugar, é destrutivo com relação a sua própria expansão da consciência. Em vez de expandir sua consciência, ele a restringe, a torna exclusivista, unidirecionada. Trata-se de uma coerção, de uma violência.

Lembre-se, meditação não é concentração. E meditação não é contemplação. Ela não é pensar. Talvez você esteja pensando sobre Deus e, mesmo então, trata-se de pensar. Se houver o "sobre", há o pensar. Você pode estar pensando sobre dinheiro ou pode estar pensando sobre Deus — basicamente não faz diferença. O pensar continua, somente os objetos mudam. Assim, se você estiver pensando sobre o mundo ou sobre sexo, ninguém chamará isso de contemplação. Se você estiver pensando sobre Deus, virtudes, se estiver pensando sobre Jesus, Krishna, Buda, as pessoas chamarão isso de contemplação. O Zen é muito rígido neste ponto: não é meditação, ainda é o pensar. Você ainda está preocupado com o outro.

Na contemplação, o outro está presente, embora, é claro, não tão restrito como na concentração. A contemplação tem mais fluidez do que a concentração. Na concentração, a mente está unidirecionada; na contemplação, a mente está orientada em direção a um sujeito, e não em direção a um ponto. Você pode continuar a pensar sobre ele, continuar a mudar e a fluir com o sujeito, mas ainda assim, no geral, o sujeito permanece o mesmo.

Então, o que é meditação? Meditação é simplesmente estar deleitado em sua própria presença, meditação é um deleite em seu próprio ser. Ela é muito simples, um estado de consciência totalmente relaxado, no qual você não está fazendo coisa alguma. No momento em que entra o fazer, você fica tenso, a ansiedade entra imediatamente. Como fazer? O que fazer? Como ser bem-sucedido? Como não falhar? Você já foi para o futuro.

Se você estiver contemplando, o que você pode contemplar? Como você pode contemplar o desconhecido, o incognoscível? Pode-se contemplar somente o conhecido. Você pode ruminá-lo repetidamente, mas ele é o conhecido. Se você sabe algo sobre Jesus, pode pensar repetidamente nisso; se sabe algo sobre Krishna, pode pensar repetidamente nisso. Você pode modificar, mudar, decorar, mas isso não vai levá-lo ao desconhecido. E Deus é o desconhecido.

Meditação é apenas ser, sem nada fazer, nenhuma ação, nenhum pensamento, nenhuma emoção. Você simplesmente é, e isso é um puro deleite. De onde vem esse deleite quando você não está fazendo coisa alguma? Ele não vem de algum lugar, ou vem de todos os lugares. Ele não é causado, porque a existência é feita da matéria chamada deleite. Ele não precisa de causa, de razão. Se você estiver infeliz, terá uma razão para estar infeliz; se você estiver feliz, estará simplesmente feliz — não existe razão para isso. Sua mente tenta encontrar uma razão, porque ela não pode acreditar na ausência de causa e não pode controlar a ausência de causa — com ela, a mente simplesmente se torna impotente. Assim, a mente encontra uma razão ou outra. Mas eu gostaria de lhe dizer que, sempre que você está feliz, está feliz por absolutamente nenhuma razão; e sempre que você está infeliz, tem alguma razão para estar infeliz — porque a felicidade é a matéria da qual você é feito. Ela é seu verdadeiro ser, seu âmago mais profundo. O deleite é seu âmago mais profundo.

Olhe para as árvores, para os pássaros, para as nuvens, para as estrelas... e, se você tiver olhos, será capaz de ver que o todo da existência está em deleite. Tudo é simplesmente feliz. As árvores são felizes por nenhuma razão; elas não se tornam primeiros-ministros ou presidentes, não ficam ricas e nunca terão uma conta bancária. Olhe para as flores — por nenhuma razão. É simplesmente inacreditável o quanto as flores são felizes.

Toda a existência é feita da matéria chamada deleite. Os hindus a chamam de *satchitanand, ananda*, deleite. Por isso, nenhuma razão, nenhuma causa é necessária. Se você puder simplesmente estar com você mesmo, sem nada fazer, simplesmente desfrutando de si mesmo, apenas estando com você mesmo, apenas sendo feliz por você existir, por você estar respirando, por você escutar os pássaros — sem nenhuma razão —, você estará em meditação. Meditação é estar aqui e agora. E, quando a pessoa está feliz por nenhuma razão, essa felicidade não pode ficar contida dentro de você. Ela se espalha para os outros, ela se torna um compartilhar. Você não pode contê-la, ela é imensa, é infinita. Você não pode segurá-la nas mãos e precisa deixar que ela se espalhe.

Compaixão é isso. Meditação é estar com você mesmo, e compaixão é deixar transbordar esse ser. A mesma energia que se movia para a paixão se torna compaixão. É a mesma energia que se restringia ao corpo e à mente. É a mesma energia que vazava por pequenos furos.

O que é o sexo? Apenas um vazamento de energia, que sai por um pequeno furo no corpo. Os hindus chamam isso exatamente de furos. Quando você está fluindo, transbordando, quando não está passando pelos furos, todas as paredes desaparecem. Você se torna o todo. Agora você se espalha, e nada pode fazer a respeito.

Não é que você precise ser compassivo, não. No estado de meditação, você *é* compaixão. A compaixão é tão ardente quanto a paixão; daí a palavra *compaixão*. Ela é muito apaixonada, mas sua paixão não é endereçada e não está em busca de qualquer gratificação. Todo o processo se tornou justamente o inverso. Primeiro você procurava felicidade em algum lugar; agora você a encontrou e a está expressando. A paixão é uma busca pela felicidade; a compaixão é uma expressão da felicidade. Mas ela é apaixonada, é calorosa, e você precisa entendê-la, porque existe um paradoxo aí.

Quanto mais notável for algo, mais paradoxal ele será. E a meditação e a compaixão são os mais elevados picos, os picos supremos. Assim, é inevitável que haja um paradoxo.

O paradoxo é que a pessoa de meditação é muito serena; não fria, não quente; serena e ainda calorosa. A paixão é quente, quase febril. Ela tem uma temperatura alta. A compaixão é serena e, ainda assim, calorosa, acolhedora, receptiva, feliz de compartilhar, disposta a compartilhar, esperando por compartilhar. Se uma pessoa de meditação fica fria, ela perdeu... Então, ela é apenas uma pessoa reprimida. Se você reprimir sua paixão, ficará frio. É assim que toda a humanidade ficou fria — a paixão foi reprimida em todos.

Desde a mais tenra infância, sua paixão foi mutilada e reprimida. Sempre que você começava a se tornar ardente, havia alguém — sua mãe, seu pai, seu professor, a polícia —, havia alguém que imediatamente suspeitava de você. Sua paixão era restringida, reprimida. "Não faça isso!" Imediatamente você se retraia. E aos poucos você aprendeu que, para sobreviver, é melhor escutar as pessoas que estão à sua volta. É mais seguro.

Então, o que fazer? O que se espera que uma criança faça quando ela está empolgada, quando ela se sente repleta de energia e deseja pular, correr e dançar, e o pai dela está lendo o jornal? O jornal é um lixo, mas o pai o está lendo e ele é muito importante, o senhor da casa. O que fazer? A criança está fazendo algo realmente fantástico — nela, é Deus que está disposto a dançar... Mas o pai está lendo o jornal e o silêncio precisa ser mantido. Ela não pode dançar, não pode correr, não pode gritar.

Ela reprimirá sua energia, tentará ser fria, contida, controlada. O controle se tornou um valor supremo, e ele não tem valor.

Uma pessoa controlada é uma pessoa morta. Uma pessoa controlada não é necessariamente uma pessoa disciplinada; disciplina é algo totalmente diferente. A disciplina vem da consciência; o controle vem do medo. As pessoas à sua volta são mais poderosas do que você, podem puni-lo, podem destruí-lo. Elas têm todo o poder para controlar, para corromper, para reprimir. E a criança precisa se tornar diplomática. Quando a energia sexual surge, a criança fica em dificuldade. A sociedade é contra e diz que ela precisa ser canalizada, precisa ser cortada — e ela está fluindo por toda parte na criança.

O que fazemos nas escolas? Na verdade, as escolas são mais instrumentos de controle do que instrumentos para transmitir conhecimentos. Por seis, sete horas, a criança fica sentada lá. Isso é para refrear a sua dança, o seu cantar, a sua alegria; isso é para controlá-la. Sentada por seis, sete horas, todos os dias, numa atmosfera praticamente igual a de uma prisão, aos poucos a energia enfraquece. A criança fica reprimida, congelada. Agora não existe fluxo, a energia não vem, ela vive no mínimo, e é a isso que chamamos de controle. Ela nunca vai ao máximo.

Os psicólogos investigaram e constataram um grande fator na desventura humana: as pessoas comuns vivem somente dez por cento. Elas vivem dez por cento, respiram dez por cento, amam dez por cento, desfrutam dez por cento... Noventa por cento de suas vidas simplesmente não é permitida. Isso é puro desperdício! Todo mundo deveria viver cem por cento de sua capacidade, e somente então o florescimento seria possível.

Assim, meditação não é controle, não é repressão. Se de alguma maneira você assimilou a idéia errada e está se reprimindo, então se tornará muito controlado. Mas então, você será frio, será mais e mais indiferente, preso. Indiferente, não carinhoso, não amoroso — você praticamente cometerá suicídio. Você ficará vivo no mínimo, podendo ser chamado de sofrivelmente vivo. Você não será chamejante; sua chama será muito fraca. Haverá muita fumaça, mas quase nenhuma luz.

Isso acontece com as pessoas que estão no caminho da falsa meditação — católicos, budistas, jainistas. Eles ficam frios, porque controlar é fácil. Ter consciência é muito árduo. O controle é muito fácil, porque o controle precisa somente do cultivo de hábitos. Você cultiva hábitos e esses hábitos o possuem e você não precisa se preocupar. Então, você segue em frente com os seus hábitos; eles se tornam mecânicos e você vive uma vida de robô. Você pode parecer um Buda, mas não será. Você será apenas uma estátua morta de pedra.

Se a compaixão não surgiu em você, a apatia surgirá. Apatia significa ausência de paixão; compaixão significa transformação da paixão. Vá e observe monges católicos, jainistas e budistas e perceberá figuras muito apáticas, obtusas, estúpidas, não irradiantes, fechadas, medrosas, continuamente ansiosas.

Pessoas controladas são sempre nervosas, porque, no fundo, o tumulto ainda está oculto. Se você não for controlado e estiver fluindo, vivo, não será nervoso. Não surge a questão de ser nervoso — seja lá o que acontecer, que aconteça. Você não tem expectativas para o futuro e não está representando. Assim, por que você deveria ficar nervoso? Se você observar monges católicos, jainistas e budistas, descobrirá que eles são muito nervosos — talvez não tão nervosos em seus mosteiros, mas, se você os trouxer para fora, para o mundo, descobrirá que eles são muito, muito nervosos, porque a cada passo existe uma tentação.

Uma pessoa de meditação chega a um ponto em que não existem mais tentações. Tente entender. A tentação nunca vem de fora; é o desejo reprimido, a energia reprimida, a raiva reprimida, o sexo reprimido, a cobiça reprimida que criam a tentação. A tentação vem de dentro de você e nada tem a ver com o exterior. Não é que o demônio venha e tente você; trata-se de sua própria mente reprimida que se torna demoníaca e quer se vingar. Para controlar essa mente, a pessoa precisa ficar tão fria e congelada que nenhuma energia de vida tem permissão de entrar em seus membros, em seu corpo. Se a energia tiver permissão de se mover, aquelas repressões emergirão.

Por isso, as pessoas aprenderam como ser frias, como tocar os outros e, ainda assim, não tocá-los, como ver as pessoas e, ainda assim, não vê-las. As pessoas vivem com chavões — "Como vai, tudo bem?" Ninguém quer dizer coisa alguma com isso; essas palavras são apenas para evitar o encontro real de duas pessoas. As pessoas não olham nos olhos umas das outras, não seguram as mãos, não tentam sentir a energia uma da outra, não permitem que a outra abra seu coração. Elas estão com muito medo, de algum modo se administrando... Frias e mortas, em camisas-de-força.

Uma pessoa de meditação aprendeu como estar repleta de energia, no máximo, no melhor possível. Ela vive no auge, faz sua morada no auge. Certamente ela é calorosa, mas não é febril; ela somente demonstra vida. Ela não é quente, ela é serena, porque não é arrebatada por desejos. Ela é tão feliz que não está mais procurando felicidade nenhuma. Ela está tão à vontade, tão em casa... Ela não está indo a lugar algum, não está correndo e caçando. Ela é muito serena.

Em latim, existe um ditado: *agere sequitur esse* — o fazer sucede o ser, a ação sucede o ser. Ele é imensamente belo. Não tente mudar sua ação, tente descobrir seu ser e a ação acompanhará essa mudança. A ação é secundária, o ser é primário. A ação é algo que você faz, o ser é algo que você é. A ação vem de você, mas ela é apenas um fragmento. Mesmo se todas as suas ações forem reunidas, elas não serão iguais a seu ser, porque todas as ações juntas serão o seu passado. E o seu futuro? Seu ser contém seu passado, seu futuro, seu presente; seu ser contém sua eternidade. Suas ações, mesmo se todas juntas, pertencerão apenas ao passado. O passado é limitado, o futuro é ilimitado. Aquilo que aconteceu é limitado, pode ser definido, já aconteceu. Aquilo que não aconteceu é ilimitado, indefinível. Seu ser contém a eternidade, suas ações contêm somente seu passado.

Assim, é possível que uma pessoa que foi pecadora até o momento possa se tornar uma santa no momento seguinte. Nunca julgue uma pessoa por suas ações, julgue pelo seu ser. Pecadores se tornaram santos e santos caíram e se tornaram pecadores. Cada santo tem um passado e cada pecador tem um futuro.

Nunca julgue uma pessoa pelas suas ações. Mas não há outra maneira, porque você não conheceu nem mesmo seu próprio ser — como você pode perceber o ser dos outros? Uma vez conhecido seu próprio ser, você aprenderá a linguagem, conhecerá a chave de como investigar um outro ser. Você só poderá perceber os outros na medida em que puder perceber a si mesmo. Se você percebeu a si mesmo completamente, tornou-se capaz de perceber os outros completamente.

Umas poucas coisas, antes de eu começar a falar sobre essa bela história.

Se devido às suas meditações você estiver ficando frio, cuidado. Se sua meditação estiver deixando você mais caloroso, mais amoroso, mais fluido, bom, você está no caminho certo. Se você estiver ficando menos amoroso, se sua compaixão estiver desaparecendo e a apatia estiver se estabelecendo dentro de você, então, quanto mais cedo você mudar de direção, melhor. Senão, você se tornará um muro.

Não se torne um muro. Permaneça vivo, pulsando, vertendo, fluindo, dissolvendo-se.

É claro, existem problemas. Por que as pessoas se tornaram muros? Porque os muros podem ser definidos. Eles lhe dão uma fronteira, um formato e uma forma definidos, o que os hindus chamam de *nam roop*, nome e forma. Se você estiver se dissolvendo e fluindo, você não tem fronteiras, não sabe onde está, onde você termina e onde o outro começa. Você fica tão junto com as pessoas que, aos poucos, todas as fronteiras se tornam etéreas. E um dia elas desaparecem.

A realidade é assim, ilimitada. Onde você acha que você termina? Em sua pele? Normalmente pensamos: "É claro, estamos dentro de nossa pele e a pele é nosso muro, a fronteira." Mas sua pele não poderia estar viva se o ar não a envolvesse. Se sua pele não estivesse constantemente recebendo o oxigênio que é suprido pelo ambiente, ela não poderia estar viva. Retire a atmosfera e, imediatamente, você morrerá. Mesmo se sua pele não for arranhada, você morrerá. Assim, essa não pode ser sua fronteira.

Existem aproximadamente trezentos e vinte quilômetros de atmosfera em volta de toda a terra — essa é sua fronteira? Essa também não pode ser sua fronteira. Esse oxigênio, essa atmosfera, o calor e a vida não podem existir sem o sol. Se o sol deixar de existir ou se apagar... Um dia vai acontecer. Os cientistas dizem que algum dia o sol esfriará e apagará. Então, de repente, essa atmosfera não será viva. Imediatamente você morrerá. O sol é a sua fronteira? Os físicos dizem que esse sol está conectado com alguma fonte central de energia, a qual ainda não fomos capazes de encontrar, mas que se suspeita existir — porque nada é desconexo.

Assim, onde decidimos que está a nossa fronteira? Uma maçã na árvore não é você. Então, você a come e ela se torna você. Ela estava apenas esperando para se tornar você. Potencialmente ela é você, é seu futuro você. Então, você defeca e joga fora muito lixo de seu corpo. Apenas um momento atrás, ele era você. Onde você decide? Estou respirando, a respiração dentro de mim sou eu, mas apenas um momento antes ela poderia ter sido a sua respiração. Ela deve ter sido, porque estamos respirando numa atmosfera comum. Todos estamos respirando um para o outro; somos membros um do outro. Você está respirando em mim, eu estou respirando em você.

E não é somente assim com a respiração, é exatamente assim com a vida. Você observou? Com certas pessoas você se sente muito vivo, elas vêm borbulhando de energia. E algo acontece em você, uma resposta, e você também fica borbulhando. E existem pessoas... basta olhar a cara delas e a gente se sente baqueado! A presença delas já é um veneno. Elas devem estar despejando algo venenoso em você. E, quando você se aproxima de uma pessoa e fica irradiante e feliz e, de repente, algo começa a pulsar em seu coração e ele bate mais rápido, essa pessoa deve ter vertido algo sobre você.

Estamos nos vertendo uns nos outros. Por isso, no Oriente, o *satsang* se tornou muito, muito importante. Estar com uma pessoa que sabe, simplesmente ficar em sua presença é suficiente, porque ela está constantemente despejando seu ser sobre você. Você pode ou não saber, pode perceber hoje ou não, mas um dia ou outro as sementes começarão a florescer.

Estamos nos despejando uns sobre os outros, não somos ilhas isoladas. Uma pessoa fria se torna como uma ilha, e isso é um infortúnio, um grande infortúnio, porque ela poderia ter se tornado um vasto continente, e decidiu se tornar uma ilha. Ela decidiu permanecer pobre, quando poderia ter se tornado tão rica quanto desejasse ser.

Não seja um muro e nunca tente reprimir; do contrário, você *se tornará* um muro. Pessoas reprimidas têm máscaras, faces feitas; elas fingem ser alguém diferente delas mesmas. Uma pessoa reprimida está carregando um mundo falso — basta uma oportunidade, uma provocação, e imediatamente o real se evidenciará. Por isso, os monges fogem do mundo — porque existem provocações demais, tentações demais. É difícil para eles continuar contidos, se segurarem. Assim, eles vão para o Himalaia ou para as cavernas, se retiram do mundo de tal maneira que, mesmo se surgirem idéias, tentações e desejos, não há como satisfazê-los.

Mas essa não é uma maneira de transformação.

As pessoas que se tornam frias são as que eram muito quentes. As pessoas que fazem o voto do celibato são as pessoas que eram extremamente sexuais. A mente muda muito facilmente de um extremo a outro. Minha observação é a de que muitas pessoas que são obcecadas por comida, um dia ou outro ficarão obcecadas pelo jejum. Isso precisa acontecer, porque não se pode permanecer por muito tempo num só extremo. Você está exagerando e logo ficará saturado, cansado. Então, não há outra maneira e você precisa ir para o outro extremo.

As pessoas que se tornaram monges são pessoas muito mundanas. O tumulto do dia-a-dia era demais para elas, elas ficaram tempo demais nesse tumulto e o pêndulo passou para o outro extremo. Pessoas avarentas renunciam ao mundo. Essa renúncia não é de entendimento, ela é apenas a avareza de ponta-cabeça. Primeiro, elas estavam segurando, segurando... e agora, de repente, percebem a falta de sentido e a futilidade disso e começam a largar. Primeiro, estavam com medo de perder um único centavo; agora, estão com medo de ficar com um único centavo, mas o medo continua. Primeiro, eram gananciosas demais com relação a este mundo; agora, são gananciosas demais com relação ao outro mundo, mas a cobiça está presente. Mais cedo ou mais tarde, essas pessoas fatalmente entrarão em mosteiros e se tornarão grandes celibatários, farão grandes renúncias. Mas isso não muda a natureza delas.

Exceto a consciência, nada muda uma pessoa, absolutamente nada. Assim, não tente fingir. Aquilo que não aconteceu, não aconteceu. Entenda isso e não tente fingir e fazer os outros acreditarem que aconteceu, porque ninguém vai perder com essa fraude, exceto você.

As pessoas que tentam se controlar escolheram um caminho muito tolo. O controle não vai acontecer, mas elas se tornarão frias. Essa é a única maneira que uma pessoa pode se controlar, tornar-se congelada, de tal modo que a energia não surja. As pessoas que fazem voto de celibato não comem muito; na verdade, fazem seus corpos passarem fome. Se mais energia for gerada no corpo, haverá mais energia sexual e elas não saberão o que fazer com ela. Dessa maneira, os monges budistas comem somente uma vez ao dia e, ainda assim, não o suficiente. Eles comem somente o suficiente para que as necessidades corporais sejam satisfeitas, necessidades mínimas, para não sobrar energia. Esse tipo de celibato não é celibato. Quando você está fluindo com energia e ela começa a se transformar em amor, acontece um celibato, uma *brahmacharya*, que é bela.

> A doce velhinha entrou na loja e comprou um pacote de naftalinas. No dia seguinte, estava de volta para comprar outros cinco pacotes. Após mais um dia, entrou para comprar mais doze.
>
> "Você deve ter muitas traças", disse a vendedora.
>
> "Sim", respondeu a amável velhinha, "e estou jogando essas coisas nelas há três dias e consegui acertar somente uma!"

Por meio do controle, você não será capaz de acertar nem mesmo uma! Essa não é a maneira. Você está brigando com folhas, galhos, cortando-os aqui e ali. Essa não é a maneira de destruir a árvore do desejo; a maneira é cortar as raízes. E as raízes podem ser cortadas somente quando você alcançar as raízes do desejo. Na superfície, elas são somente ramos — ciúme, raiva, inveja, ódio, cobiça. Elas estão na superfície. Quanto mais fundo você for, mais compreenderá: todas elas estão vindo de uma só raiz, e essa raiz é a da inconsciência.

Meditação significa consciência. Ela corta a própria raiz. Então, a árvore inteira desaparece espontaneamente. Então, a paixão se torna compaixão.

Ouvi falar de um grande mestre zen que ficou praticamente cego aos noventa e seis anos. Ele não tinha mais condições de ensinar e de trabalhar no monastério. Assim, o velho concluiu que era hora de morrer, porque ele não tinha mais utilidade para ninguém, ele não podia ser útil. Então, ele parou de comer.

Quando seus monges lhe perguntaram por que ele recusava a comida, ele respondeu que já não era mais útil e que se tornara apenas um incômodo para todos.

Eles lhe disseram: "Se você morrer agora, com todo esse frio," — era janeiro — "todos vão se sentir muito desconfortáveis no seu funeral e seria um inconveniente ainda maior. Por isso, por favor, coma."

Isso pode acontecer somente num mosteiro Zen, porque os discípulos amam muito profundamente os mestres, o respeito que têm por eles é tão profundo que não é preciso formalidades. Perceba o que eles disseram: "Se você morrer agora, que é janeiro e está muito frio, todos ficarão desconfortáveis no funeral e você será um inconveniente ainda maior. Por isso, por favor, coma."

Em razão disso, ele voltou a comer. Mas, quando o tempo esquentou de novo, ele parou de comer e, não muito tempo depois, silenciosamente morreu.

Que compaixão! A pessoa vive pela compaixão e morre pela compaixão. Ela está até mesmo disposta a escolher um tempo adequado, para que ninguém seja incomodado e ela não seja um inconveniente.

Ouvi falar de um outro mestre zen que estava para morrer.

Ele disse: "Onde estão meus sapatos? Traga-os."

Alguém perguntou: "Aonde você vai? Os médicos dizem que você está morrendo!"

Ele respondeu: "Vou ao cemitério."

"Mas, por quê?"

Ele disse: "Não quero importunar ninguém. Senão, vocês precisarão me carregar nos ombros."

Ele caminhou até o cemitério e morreu lá.

Imensa compaixão! Que tipo de homem é esse, que nem deseja dar esse trabalho a alguém? E essas pessoas ajudaram milhares. Milhares de pessoas foram gratas a elas, milhares ficaram repletas de luz e amor devido a elas. Mesmo assim, elas não gostariam de importunar ninguém. Se elas forem úteis, gostariam de viver e ajudar; se não forem úteis, é hora de partir.

Agora, a história.

Havia uma senhora idosa na China que sustentou um monge por mais de vinte anos. Ela construiu uma cabana para ele e o alimentava, enquanto ele meditava.

Esse milagre aconteceu no Oriente. O Ocidente ainda é incapaz de entendê-lo. Durante séculos, no Oriente, se alguém meditava, a sociedade alimentava essa pessoa. Era suficiente ela meditar. Ninguém a considerava um peso para a sociedade — "Por que deveríamos trabalhar para ela?" Era suficiente ela meditar, porque o Oriente descobriu que, se um dia uma pessoa se torna iluminada, sua energia é compartilhada por todos; se um dia uma pessoa chegar a florescer em meditação, sua fragrância se tornará parte de toda a sociedade. E o ganho é tão grande que o Oriente nunca disse: "Não medite. Quem irá alimentá-lo, vesti-lo e dar-lhe abrigo?" Milhares e milhares — Buda tinha dez mil *saniasins* andando com ele, mas as pessoas ficavam felizes de alimentá-los, dar-lhes abrigo, vesti-los, cuidar deles, porque eles estavam meditando.

É impossível pensar dessa maneira no Ocidente. Mesmo no Oriente está ficando difícil. Na China, mosteiros foram fechados, salões de meditação foram convertidos em hospitais e salas de aula. Grandes mestres desapareceram. Eles foram forçados a trabalhar nos campos ou nas fábricas. Ninguém tem permissão para meditar, porque um grande entendimento foi perdido — toda a mente está repleta de materialismo, como se a matéria fosse tudo o que existe.

Se alguém se iluminar numa cidade, toda ela será beneficiada. Não é um desperdício sustentar essa pessoa. Por nada, você irá receber um imenso tesouro! As pessoas ficavam felizes em ajudar.

Durante vinte anos essa mulher ajudou um monge que meditava e apenas meditava. Ele ficava sentado em *zazen*. Ela construiu uma cabana para ele e cuidava dele, tomava todo o cuidado com ele. Um dia, quando ela estava muito velha e se aproximava da morte, quis saber se a meditação floresceu ou se esse homem ficava simplesmente sentado. Vinte anos é tempo suficiente, a mulher estava envelhecendo e iria morrer, e quis saber se tinha servido a uma pessoa de real meditação ou a um embromador.

Um dia, ela resolveu investigar...

A mulher devia ter grande compreensão, porque o exame, o teste que ela experimentou, era cheio de entendimento.

Um dia, ela resolveu investigar o progresso que ele obtivera em todo esse tempo.

Se a meditação estiver progredindo, o *único* critério desse progresso é o amor, o *único* critério desse progresso é a compaixão.

Ela conseguiu a colaboração de uma moça cheia de "desejos", e disse a ela: "Vá e o abrace e depois pergunte de repente, 'E agora?'"

Existem três possibilidades. Uma: se durante vinte anos ele não tocou uma bela mulher, a primeira possibilidade é a de que ele ficaria tentado, seria uma vítima, se esqueceria de tudo sobre meditação e faria amor com aquela jovem. A outra possibilidade é que ele permaneceria frio, controlado e não mostraria compaixão para com a moça. Ele simplesmente se seguraria, ficaria rígido, de tal modo que não pudesse ser tentado. E a terceira possibilidade: se a meditação tivesse chegado a frutificar, ele estaria repleto de amor, de compreensão, de compaixão e tentaria entender essa moça, tentaria ajudá-la. Ela era apenas um teste para essas possibilidades.

Se acontecesse a primeira possibilidade, toda a sua meditação teria sido simplesmente uma perda de tempo. Se acontecesse a segunda, ele teria preenchido o critério comum de ser um monge, mas não preencheria o critério real de ser uma pessoa de meditação. Se acontecesse a segunda possibilidade, isso simplesmente demonstraria que ele era um behaviorista, que ele criou um hábito, que controlou seu comportamento.

Você deve ter ouvido falar de Pavlov, o russo behaviorista. Ele disse que não existe consciência no ser humano, nos animais ou em qualquer coisa — tudo é apenas um mecanismo mental. Você pode treinar o mecanismo mental, e ele começará a trabalhar daquela maneira — é uma questão de condicionamento. A mente funciona como um reflexo condicionado. Se você colocar comida diante de seu cachorro, ele começa a correr, sua língua fica pendurada para fora, pingando. Ele começa a salivar. Pavlov fez a experiência e sempre que dava comida ao cachorro, ele tocava um sino. Logo, o sino e a comida ficaram associados. E um dia ele simplesmente tocou o sino, e o cachorro veio correndo, com a língua de fora, pingando.

Ora, isso é absurdo, nunca se soube que um cachorro reagisse a um sino dessa maneira. O sino não é comida. Mas agora, a associação condicionou a mente. Pavlov diz que o ser humano pode ser mudado da mesma maneira. Sempre que o sexo surge em você, puna-se. Faça um jejum de sete dias, açoite seu corpo, fique no frio por toda a noite ou bata em si mesmo e, logo, o corpo aprenderá um truque. Sempre que o sexo surgir, isso o reprimirá automaticamente, devido ao medo da punição. Recompensa e punição, essa é a maneira de condicionar a mente, se você seguir Pavlov.

Esse monge devia estar fazendo isso — muitos estão fazendo isso. Quase noventa e nove por cento das pessoas nos mosteiros estão fazendo isso, apenas recondicionando suas mentes e corpos. Mas a consciência nada tem a ver com isso. A consciência não é um novo hábito, ela é viver uma vida com percepção, não confinada a qualquer hábito, sem ser possuída por qualquer mecanismo — está acima dos mecanismos.

E disse a ela: "Vá e o abrace e pergunte de repente, 'E agora?'"

De repente é a chave. Se você der um pouco de tempo, a mente poderá começar a funcionar da maneira condicionada para a qual foi preparada. Então, não dê tempo. Vá no meio da noite, quando ele estiver sozinho meditando. Entre na cabana — ele devia viver fora da cidade, sozinho — e simplesmente comece a acariciá-lo, a abraçá-lo, a beijá-lo. E, depois, imediatamente pergunte: "E agora?" Observe a sua reação, o que acontece com ele, o que ele diz, que cores passam em sua face, o que seus olhos indicam, como ele reage e responde a você.

A jovem foi ao monge e, imediatamente, começou a acariciá-lo e a perguntar o que ele iria fazer a respeito.

"Uma velha árvore cresce num penhasco no inverno", respondeu o monge poeticamente, "e em parte alguma existe calor."

Ele condicionou seu cachorro, condicionou seu corpo-mente. Vinte anos é tempo suficiente para se condicionar. Mesmo esse ataque repentino não pôde quebrar seu padrão habitual. Ele permaneceu controlado. Ele devia ser uma pessoa com um tremendo controle. Ele ficou frio, sem mesmo uma oscilação da energia, e disse: *"Uma velha árvore cresce num penhasco no inverno."* Ele não só era controlado e frio — ele era tão controlado, permaneceu tão frio, que numa situação perigosa, provocadora e sedutora como aquela, pôde usar palavras poéticas para responder. O condicionamento deve ter ido muito, muito fundo, até as raízes.

"Uma velha árvore cresce num penhasco no inverno", respondeu o monge poeticamente, "e em parte alguma existe calor."

Isso foi tudo o que ele disse.

A jovem voltou e relatou o que ele disse.

"E pensar que alimentei aquele sujeito por vinte anos!", exclamou a velha com indignação.

Sua meditação não floresceu. Ele se tornou frio e morto, como um cadáver; ele não se tornou iluminado ou um buda.

"Ele não demonstrou consideração pela sua necessidade..."

Uma pessoa de compaixão sempre pensa em você, em sua necessidade. E ele permaneceu friamente centrado em si mesmo, simplesmente disse algo sobre si mesmo — *"Uma velha árvore cresce num penhasco no inverno, e em parte alguma existe calor."* Ele não pronunciou uma única palavra sobre a mulher. Ele nem mesmo perguntou: "Por que você veio? Por quê? O que você precisa? E por que me escolheu, entre tantas outras pessoas? Sente-se." Ele deveria tê-la escutado. Ela devia estar com uma profunda necessidade. Ninguém chega no meio da noite a um monge em retiro, que está sentado em meditação por vinte anos. Por que ela veio? Ele não prestou atenção a ela.

O amor sempre pensa no outro, o ego somente pensa em si mesmo. O amor é sempre atencioso, o ego é absolutamente não atencioso. O ego tem somente uma língua, a do eu. O ego sempre usa o outro; o amor está disposto a ser usado, está disposto a servir.

"Ele não demonstrou consideração pela sua necessidade, nenhuma disposição para atenuar a sua condição."

Quando você procura uma pessoa de compaixão, ela olha para você, olha profundamente o seu coração. Ela tenta descobrir qual é o seu problema, por que você está em tal situação, por que você está fazendo as coisas que está fazendo. Ela se esquece de si mesma e simplesmente fica focada na pessoa que veio até ela — a necessidade, o problema e a preocupação da pessoa são suas considerações. Ela tenta ajudar. Tudo o que ela puder fazer, ela fará.

"Ele não precisava ter respondido à paixão..."

Isso é verdade. Uma pessoa de compaixão não pode responder de uma maneira ardente. Ele não é frio, mas é sereno. Ele pode lhe dar seu calor, seu calor nutritivo, mas não pode lhe dar nenhuma agitação. Ele não tem nenhuma. Lembre-se da diferença entre um corpo febril e um corpo caloroso. Um corpo febril não é saudável, um corpo caloroso é simplesmente saudável. Na paixão, as pessoas ficam febris. Você já se observou em paixão profunda? Você se torna um maníaco frenético, louco, selvagem, fazendo algo que você nem sabe por que está fazendo — em grande agitação, com todo o corpo tremendo, um ciclone sem centro.

Uma pessoa calorosa é simplesmente saudável. Como quando uma mãe leva o filho ao seio e ele sente o calor — circundado pelo calor, nutrido por ele, bem-vindo por ele. Da mesma maneira, quando você entra na aura de uma pessoa compassiva, você entra num calor materno, num campo de energia muito nutritivo. Na verdade, se você procurar uma pessoa compassiva, sua paixão simplesmente desaparecerá. Sua compaixão será tão poderosa, sua calidez será tão grande, seu amor estará banhando tanto você que você ficará sereno, ficará centrado.

"Ele não precisava ter respondido à paixão, mas pelo menos deveria ter sentido compaixão."

Imediatamente ela foi à cabana do monge e a queimou.

Esse foi apenas um gesto simbólico de que os vinte anos em que ele ali meditou — durante os quais, contava-se que ele estaria progredindo — foram um desperdício.

Não é suficiente ser um monge superficialmente, ser um monge reprimido e frio — a frieza é um indício da repressão, uma repressão muito profunda.

É isto o que venho dizendo: se você penetrar na meditação, a compaixão e o amor virão naturalmente, por si mesmos. Eles seguem a meditação como uma sombra. Então, você não precisa se preocupar com qualquer síntese — a síntese virá. Ela vem por si, você não precisa trazê-la. Você escolheu um caminho. Ou você segue o caminho do amor, da devoção, do dançar, do dissolver-se completamente em seu amor para com o divino... Esse caminho é o da dissolução, e nenhuma consciência é necessária. Você precisa se embriagar, se embriagar completamente de Deus; você precisa se tornar um ébrio. Ou escolha o caminho da meditação. Nele, você não precisa se dissolver em nada. Você precisa se tornar muito cristalizado, muito integrado, alerta, consciente.

Siga o caminho do amor e, um dia, de repente, perceberá que a meditação floresceu em você — milhares de lótus brancos. E você nada fez por eles, você estava fazendo algo diferente e eles floresceram. Quando o amor ou a devoção atinge seu clímax, a meditação floresce. E o mesmo acontece no caminho da meditação. Esqueça-se de tudo sobre o amor, sobre a devoção. Simplesmente fique consciente, sente-se em silêncio, desfrute seu ser, e isso é tudo. Esteja com você mesmo, isso é tudo. Aprenda como ficar sozinho, isso é tudo. E, lembre-se, uma pessoa que sabe como ficar sozinha nunca sente solidão. As pessoas que não sabem como ficar sozinhas, essas sentem a solidão.

No caminho da meditação, a solitude é procurada, desejada, esperada, solicitada. Fique sozinho. Tanto que nem mesmo em sua consciência qualquer sombra do outro se movimente. No caminho do amor, fique tão dissolvido que somente o outro se torne real e você se torne uma sombra e, aos poucos, você desaparece completamente. No caminho do amor, Deus permanece, você desaparece; no caminho da meditação, Deus desaparece, você aparece. Mas o resultado total e final é o mesmo. Acontece uma grande síntese.

No começo, nunca tente sintetizar esses dois caminhos. Eles se encontram no final, no auge, no templo.

Um dos discípulos do rabino Moshe era muito pobre. Ele reclamou que sua desventurada condição era um obstáculo à aprendizagem e à oração.

"Neste dia e nesta era", disse o rabino Moshe, "a maior devoção, maior do que a aprendizagem e a oração, consiste em aceitar o mundo exatamente como ele é."

A pessoa que está penetrando na meditação, ou que está se movendo no caminho do amor, será auxiliada se ela aceitar o mundo como ele é. Pessoas mundanas nunca aceitam o mundo como ele é — elas estão sempre tentando mudá-lo, estão sempre tentando fazer alguma outra coisa, estão sempre tentando fixar as coisas numa ordem diferente, estão sempre tentando fazer algo fora. A pessoa religiosa aceita tudo o que estiver fora como ele é. Ela não fica perturbada, não deixa que o exterior a distraia. Todo o seu trabalho consiste em se voltar para dentro. Uma pessoa avança por meio do amor, outra avança por meio da meditação, mas ambas se voltam para dentro. O mundo religioso é o mundo de dentro. E o dentro é o além.

Em latim, *pecado* tem dois significados: um é "errar o alvo", e o outro, ainda mais belo, é "fora". Pecado significa estar fora, estar fora de você mesmo. Virtude significa estar dentro, dentro de você mesmo.

Logo depois da morte do rabino Moshe, o rabino Mendel, de Kotyk, perguntou a um de seus discípulos: "O que era mais importante para seu professor?"

O discípulo pensou e respondeu: "Tudo o que acontecia de ele estar fazendo no momento."

O momento é o mais importante.

EPÍLOGO

A Aceitação do Paradoxo

É belo estar só e também é belo amar, estar com pessoas. E essas dimensões são complementares, e não contraditórias. Quando você estiver na companhia de outras pessoas, aproveite, e aproveite ao máximo; não há necessidade de se preocupar com a solitude. E, quando estiver saturado dos outros, mergulhe na solitude e a aproveite ao máximo.

Não tente escolher — se você tentar escolher, ficará em dificuldade. Cada escolha irá criar uma divisão em você, um tipo de cisão em você. Por que escolher? Quando se pode ter os dois, por que ter um só?

Todo meu ensinamento consiste em duas palavras, "meditação" e "amor". Medite, de tal modo que você possa sentir um imenso silêncio, e ame, de tal modo que sua vida possa se tornar uma canção, uma dança, uma celebração. Você precisará transitar entre os dois, e se puder transitar facilmente, se puder transitar sem nenhum esforço, você aprendeu o maior feito na vida.

Através dos tempos, este tem sido um dos maiores problemas: meditação e amor, solitude e relacionamento, sexo e silêncio. Somente os nomes são diferentes, o problema é um só. E, através dos tempos, o ser humano sofreu muito porque o problema não foi entendido corretamente — as pessoas escolheram.

Aquelas que escolheram as relações humanas são chamadas de mundanas e aquelas que escolheram a solitude são chamados de monges, de pessoas espirituais. Por permanecerem na metade, ambas sofrem; ser a metade é ser infeliz. Ser inteiro é ser saudável, feliz; é ser perfeito. Permanecer na metade é infelicidade, porque a outra metade fica sabotando, se preparando para se vingar. A outra metade nunca pode ser destruída, porque ela é *sua* outra metade! Ela é uma parte essencial de você; ela não é algo acidental que você possa descartar.

É como uma montanha decidindo: "Não terei vales à minha volta." Ora, sem os vales, a montanha não poderá existir. Os vales são parte do ser da montanha; a montanha não pode existir sem os vales, eles são complementares. Se a montanha escolher ficar sem vales, não haverá mais montanha. Se o vale escolher ficar sem a montanha, também não haverá vale. Ou você se tornará um embusteiro — a montanha fingirá que não existe vale. Mas o vale existe — você pode escondê-lo, pode mergulhá-lo fundo em seu inconsciente, mas ele permanece, persiste; ele é existencial e não há como destruí-lo. Na verdade, a montanha e o vale são uma só coisa, e assim é o amor e a meditação, e assim é o envolvimento afetivo e a solitude. A montanha da solitude se ergue somente nos vales das relações humanas.

De fato, você poderá apreciar a solitude somente se puder apreciar as relações humanas. São elas que criam a necessidade da solitude; trata-se de um ritmo. Quando você entra num profundo envolvimento com alguém, surge uma grande necessidade de ficar só. Você começa a se sentir esgotado, exausto, cansado — alegremente cansado, afortunadamente cansado, mas toda excitação é exaustiva. Foi imensamente belo se relacionar, mas agora você desejaria mergulhar na solitude, de modo que possa novamente se recobrar, possa se tornar transbordante, possa se enraizar em seu próprio ser.

No amor, você mergulhou no ser do outro e perdeu contato consigo mesmo; ficou submerso, inebriado. Agora precisará se encontrar novamente. Mas, quando você está só, novamente cria uma necessidade de amor. Logo você estará tão repleto que gostará de compartilhar, estará tão transbordante que gostará de se despejar em alguém, alguém a quem dar a si mesmo.

O amor surge a partir da solitude. A solitude o deixa repleto e o amor recebe as suas dádivas. O amor o esvazia, para que você possa ficar novamente repleto. Sempre que você se esvaziar pelo amor, a solitude estará presente para nutri-lo, para integrá-lo. E esse é um ritmo.

Pensar nessas duas coisas como se estivessem separadas tem sido a estupidez mais perigosa que tem feito o ser humano sofrer. Algumas pessoas se tornam mundanas — elas estão esgotadas, simplesmente exaustas, vazias. Elas não têm espaço próprio, não sabem quem elas são, nunca se deparam consigo mesmas. Elas vivem com os outros, para os outros. Elas são parte de uma multidão, elas não são indivíduos. E, lembre-se, a vida delas de amor não será de satisfação — elas serão a metade e nenhuma metade pode ser uma satisfação. Somente o todo preenche.

E existem os monges que escolheram a outra metade. Eles vivem em mosteiros. A palavra *monge* significa aquele que vive sozinho; ela vem da mesma raiz de *monogamia, monotonia, monastério, monopólio.* Ela significa um, sozinho.

O monge é aquele que escolheu ficar sozinho. Mas logo ele estará repleto, "no ponto", e não saberá onde se derramar. Onde se derramar? Ele não pode permitir o amor, não pode permitir o envolvimento afetivo, não pode se encontrar e se misturar com pessoas. Sua energia começa a ficar amarga. Qualquer energia que pára de fluir se torna amarga. Mesmo o néctar, estagnado, se torna veneno — e vice-versa, mesmo o veneno, fluindo, se torna néctar.

Para saber o que é néctar, basta fluir; para saber o que é veneno, basta se estagnar. Veneno e néctar não são duas coisas, mas dois estados da mesma energia. Ao fluir, ela é néctar; congelada, é veneno. Sempre que houver alguma energia e não existir uma saída para ela, ela azeda, fica amarga, triste, feia. Em vez de lhe dar totalidade e saúde, ela o deixa doente. Todos os monges estão doentes, todos os monges fatalmente se tornam patológicos.

As pessoas mundanas estão vazias, entediadas, exaustas, de alguma maneira se arrastando, em nome da obrigação, em nome da família, em nome da nação — tudo isso são vacas sagradas. De alguma maneira se arrastando em direção à morte, esperando a morte vir e as libertar. Elas terão descanso somente na cova. Elas não terão repouso na vida — e uma vida que não conhece repouso não é realmente uma vida. É como uma música que não tem silêncio — ela é apenas ruído, nauseante; ela o deixará doente.

Uma excelente música é uma síntese entre som e silêncio. E quanto maior a síntese, mais fundo a música vai. O som cria o silêncio, e o silêncio cria a receptividade para receber o som, e assim por diante. O som cria mais amor pela música e mais capacidade de ficar em silêncio. Ao escutar uma excelente música, você sempre se sentirá em prece, inteiro. Algo se integra em você, você fica centrado, enraizado. A terra e o céu se encontram, não ficam mais separados. O corpo e a alma se encontram e se fundem, perdem suas definições.

E esse é o grande momento, o momento da união mística.

Essa é uma batalha antiga, tola, completamente tola; portanto, por favor, tome cuidado: não crie uma batalha entre sexo e silêncio. Se você criar uma batalha, seu sexo ficará feio, doente, e o seu silêncio ficará insípido e morto. Deixe que o sexo e o silêncio se encontrem e se fundam. Na verdade, os maiores momentos de silêncio são seguidos pelo amor, grande amor, picos de amor. E os picos de amor são sempre seguidos por grandes momentos de silêncio e solitude. A meditação leva ao amor; o amor leva à meditação. Eles são parceiros; é impossível separá-los. Não é uma questão de criar uma síntese — é impossível separá-los. É uma questão de entendimento, perceber que eles são inseparáveis. A síntese já está presente, já acontece. Eles são um só! Dois aspectos da mesma moeda. Você não precisa sintetizá-los, eles nunca existiram separadamente. E o ser humano tentou, e tentou arduamente, mas sempre fracassou.

A religiosidade ainda não se tornou a atmosfera do mundo, ainda não se tornou uma força muito vital e poderosa no mundo. E qual é a razão? Essa divisão! Ou você precisa ser mundano ou ser espiritual, escolha! E no momento em que você escolhe, você perde algo. Não importa o que você escolha, você vai ser um perdedor.

Digo, não escolha. Digo, viva ambos em sua união. É claro, é preciso habilidade para viver ambos. É simples escolher e se apegar a um. Qualquer idiota pode fazer isso; na verdade, somente idiotas fazem isso. Alguns idiotas escolheram ser mundanos e alguns idiotas escolheram ser espirituais. A pessoa de inteligência gostaria de ambos. *Sanias* é isso. Você pode ter o bolo e comê-lo também — isso é inteligência.

Seja alerta, consciente, inteligente. Perceba o ritmo e se mova com ele, sem nenhuma escolha. Permaneça consciente sem escolher. Perceba ambos os extremos. Na superfície, eles parecem opostos, contraditórios, mas não são. No fundo, existe uma complementariedade. Trata-se do mesmo pêndulo que vai para a esquerda e para a direita. Não tente fixá-lo na esquerda ou na direita; se você fixá-lo, destruirá todo o relógio. E até agora, é isso o que tem sido feito.

Aceite a vida em todas as suas dimensões.

E eu entendo o problema; o problema é simples, bem conhecido. O problema é: quando você começa a se relacionar, não sabe como ficar sozinho — isso simplesmente demonstra falta de inteligência. Não é que se relacionar esteja errado; isso simplesmente mostra que você ainda não é inteligente o suficiente, de tal modo que a relação se torna excessiva e você não encontra espaço para ficar sozinho, e você fica cansado e exausto. Então, um dia você conclui que a união amorosa é ruim, que ela não tem sentido: "Quero me tornar monge. Vou para uma caverna no Himalaia e viver sozinho lá." E você terá grandes sonhos de ficar sozinho. O quanto será belo... ninguém transgredindo a sua liberdade, ninguém tentando manipulá-lo e você não precisa pensar no outro.

Jean Paul Sartre diz: "O inferno são os outros." Isso simplesmente mostra que ele não foi capaz de entender a complementariedade do amor e da meditação. "O inferno são os outros" — sim, os outros se tornam o inferno se você não souber como ficar sozinho de vez em quando. Em meio a todos os tipos de relações humanas, os outros se tornam o inferno. É tedioso, cansativo, exaustivo, maçante. O outro perde toda a beleza, porque ele se tornou conhecido. Vocês estão bem familiarizados; agora não existe mais surpresa. Você conheceu perfeitamente bem o território, viajou tanto no território que não existe mais surpresa. Você está simplesmente saturado de tudo isso.

Mas você se apegou e o outro se apegou a você. O outro também está infeliz, porque você é o inferno dele ou dela, assim como ele ou ela é o seu inferno. Ambos estão criando inferno um para o outro e ambos estão se apegando um ao outro, com medo de perder, porque... qualquer coisa é melhor do que nada. Pelo menos alguma coisa está ali para se segurar, e pode-se ainda esperar que amanhã as coisas sejam melhores. Hoje elas não são boas, mas amanhã serão melhores. A pessoa ainda pode ter esperança e continuar esperando... A pessoa vive em desespero e segue em frente, esperando.

Mais cedo ou mais tarde, a pessoa começa a sentir que seria melhor ficar sozinha. E, se você mergulhar na solitude, por alguns dias será imensamente belo, como é belo com o outro, por alguns dias. Assim como existe uma lua-de-mel no relacionamento, existe também uma lua-de-mel na meditação. Por alguns dias você se sentirá tão livre, sendo você mesmo, ninguém para pedir, ninguém para esperar algo de você. Se você quiser levantar cedo pela manhã, você pode; se não quiser levantar cedo, você pode continuar a dormir. Se você quiser fazer algo, tudo bem; se você não quiser fazer algo, não tem ninguém para forçá-lo. Por alguns dias você vai se sentir imensamente feliz, mas somente por alguns dias. Logo você ficará cansado disso. Você estará transbordando e ninguém para receber o seu amor... Você estará "no ponto" e a energia precisa ser compartilhada. Você ficará pesado, oprimido por sua própria energia. Você gostaria de ter alguém para dar boas-vindas à sua energia, para receber a sua energia. Você gostaria de se descarregar. Agora a solitude não parecerá mais com solitude, e sim, com solidão. Agora haverá uma mudança — a lua-de-mel terminou. A solitude começará a virar solidão. Você terá um grande desejo de encontrar o outro. Em seus sonhos, o outro começará a aparecer.

Pergunte aos monges o que eles sonham. Eles sonham somente com mulheres e não podem sonhar com mais nada. Eles sonham com alguém que possa descarregá-los. Pergunte às freiras. Elas sonham somente com homens. E a coisa pode ficar patológica. Você deve conhecer a história cristã. Freiras e monges começam a sonhar mesmo com os olhos abertos. O sonho se torna uma realidade tão substancial que eles não precisam esperar pela noite. Mesmo durante o dia, a freira está sentada e vê o demônio se aproximando, e ele tenta fazer amor com ela. Você ficará surpreso: na Idade Média, muitas vezes aconteceu de freiras serem queimadas na fogueira porque confessaram que fizeram amor com o demônio. Elas próprias confessaram, e não somente fizeram amor com o demônio, mas também engravidaram dele... uma falsa gravidez, apenas ar quente na barriga, mas suas barrigas começavam a se avolumar. Era uma gravidez psicológica. E elas descreviam o demônio em tantos detalhes — esse demônio era criação delas mesmas. E o demônio as seguia dia e noite... E o mesmo acontecia com os monges.

Essa escolha de ficar sozinho criou uma humanidade muito doente. E as pessoas que vivem no mundo não estão felizes, e os monges não estão felizes — ninguém parece estar feliz. O mundo inteiro é uma constante infelicidade, e você pode escolher — passando de uma infelicidade a outra, você pode escolher essa infelicidade mundana ou aquela infelicidade não-mundana, mas trata-se igualmente de infelicidade. Por alguns dias você se sentirá bem.

Estou lhe trazendo uma nova mensagem. A mensagem não é mais para escolher. Em sua vida, permaneça alerta sem escolher e se torne inteligente. Em vez de mudar as circunstâncias, mude a sua psicologia, torne-se mais inteligente. Mais inteligência é necessária para ser bem-aventurado! E então, você poderá ter solitude junto com envolvimento afetivo.

Deixe sua mulher ou seu homem também alerta para o ritmo. Deviam ensinar às pessoas que ninguém pode amar vinte e quatro horas por dia; períodos de descanso são necessários. E ninguém pode amar em função de uma ordem. O amor é um fenômeno espontâneo: sempre que ele acontece, ele acontece, e sempre que ele não acontece, ele não acontece. Nada pode ser feito a respeito. Se você *fizer* algo, criará um fenômeno falso, uma representação.

Os enamorados de verdade, os enamorados inteligentes, deixarão o parceiro alerta para o fenômeno: "Quando eu quiser estar só, isso não significa que estou rejeitando você. Na verdade, é por causa do seu amor que você tornou possível para mim estar só." E se sua mulher quiser ficar sozinha por uma noite ou por alguns dias, você não se sentirá ofendido. Você não dirá que foi rejeitado, que seu amor não foi recebido e acolhido. Você respeitará a decisão dela de ficar sozinha por alguns dias. Na verdade, você ficará feliz! Seu amor foi tanto que ela está se sentindo vazia; agora ela precisa descansar para ficar novamente repleta.

Isso é inteligência.

Normalmente, você acha que foi rejeitado. Você procura a sua mulher e se ela não estiver disposta a ficar com você ou não estiver muito amorosa com você, você se sente extremamente rejeitado. Seu ego fica ferido. Esse ego não é algo muito inteligente — todos os egos são idiotas. A inteligência não conhece egos; ela simplesmente percebe o fenômeno, tenta entender por que a mulher não quer ficar com você. Não que ela o esteja rejeitando — você sabe que ela o amou, que ela o ama muito, mas esse é um momento em que ela deseja ficar sozinha. E, se você a amar, você a deixará sozinha e não a torturará, não a forçará a fazer amor com você. E, se o homem quiser ficar sozinho, a mulher não pensará: "Ele não está mais interessado em mim, talvez esteja interessado em alguma outra..." Uma mulher inteligente deixará o homem sozinho, para que ele possa recompor o seu ser, para que novamente ele tenha energia para compartilhar. E esse ritmo é como o dia e a noite, o verão e o inverno; ele está sempre mudando.

Se duas pessoas forem realmente respeitosas — e o amor é sempre respeitoso, ele reverencia o outro, ele é um estado de prece, de adoração —, lentamente compreenderão mais e mais uma à outra e ficarão conscientes do ritmo da outra e de seu próprio ritmo. E logo descobrirão que o amor e o respeito fazem com que seus ritmos se aproximem. Quando você sente amor, a outra pessoa sente amor; isso se ajusta por si mesmo; trata-se de uma sincronicidade.

Você já observou? Se você se deparar com duas pessoas que realmente se amam, perceberá muitas coisas semelhantes nelas. Elas se tornam como irmãos e irmãs. Você ficará surpreso — mesmo irmãos e irmãs não são tão parecidos. Suas expressões, suas maneiras de caminhar, de falar, de gesticular — duas pessoas que se amam se tornam parecidas e, ainda assim, muito diferentes. Isso naturalmente começa a acontecer. Apenas por estarem juntas, lentamente se sintonizam uma com a outra. Uma não precisa dizer nada à outra — a outra imediatamente entende, intuitivamente entende.

Se a mulher estiver triste, ela pode não dizer, mas o homem entende e a deixa sozinha. Se o homem estiver triste, a mulher entende e o deixa sozinho, encontra alguma desculpa para deixá-lo sozinho. Pessoas estúpidas fazem exatamente o oposto. Elas nunca deixam a outra sozinha, estão constantemente uma com a outra, cansando e entediando uma à outra, nunca deixando espaço para a outra ser.

O amor dá liberdade e ajuda o outro a ser ele mesmo. O amor é um fenômeno muito paradoxal. De uma maneira, ele os torna uma alma em dois corpos, e de outra maneira, lhes dá individualidade, singularidade. Ele os ajuda a abandonar seus pequenos eus, mas também ajuda a atingir o eu supremo. Então, não existe problema: o amor e a meditação são duas asas, e elas se equilibram. E entre as duas, você cresce, entre as duas, você se torna inteiro.

Sobre Osho

Osho desafia categorizações. Suas milhares de palestras abrangem desde a busca individual por significado até os problemas sociais e políticos mais urgentes que a sociedade enfrenta hoje. Seus livros não são escritos, mas transcrições de gravações em áudio e vídeo de palestras proferidas de improviso a plateias de várias partes do mundo. Em suas próprias palavras, "Lembrem-se: nada do que eu digo é só para você... Falo também para as gerações futuras".

Osho foi descrito pelo *Sunday Times*, de Londres, como um dos "mil criadores do século XX", e pelo autor americano Tom Robbins como "o homem mais perigoso desde Jesus Cristo". O jornal *Sunday Mid-Day*, da Índia, elegeu Osho – ao lado de Buda, Gandhi e o primeiro-ministro Nehru – como uma das dez pessoas que mudaram o destino da Índia.

Sobre sua própria obra, Osho afirmou que está ajudando a criar as condições para o nascimento de um novo tipo de ser humano. Muitas vezes, ele caracterizou esse novo ser humano como "Zorba, o Buda" – capaz tanto de desfrutar os prazeres da terra, como Zorba, o Grego, como de desfrutar a silenciosa serenidade, como Gautama, o Buda.

Como um fio de ligação percorrendo todos os aspectos das palestras e meditações de Osho, há uma visão que engloba tanto a sabedoria perene de todas as eras passadas quanto o enorme potencial da ciência e da tecnologia de hoje (e de amanhã).

Osho é conhecido pela sua revolucionária contribuição à ciência da transformação interior, com uma abordagem de meditação que leva em conta o ritmo acelerado da vida contemporânea. Suas singulares meditações ativas **OSHO** têm por objetivo, antes de tudo, aliviar as tensões acumuladas no corpo e na mente, o que facilita a experiência da serenidade e do relaxamento, livre de pensamentos, na vida diária.

Dois trabalhos autobiográficos do autor estão disponíveis:
Autobiografia de um Místico Espiritualmente Incorreto, publicado por esta mesma Editora.
Glimpses of a Golden Childhood (Vislumbres de uma Infância Dourada).

OSHO International Meditation Resort

Localização

Localizado a cerca de 160 quilômetros a sudeste de Mumbai, na florescente e moderna cidade de Puna, Índia, o **OSHO** International Meditation Resort é um destino de férias diferente. Estende-se por 28 acres de jardins espetaculares numa bela área residencial cercada de árvores.

OSHO Meditações

Uma agenda completa de meditações diárias para todo tipo de pessoa, segundo métodos tanto tradicionais quanto revolucionários, particularmente as Meditações Ativas **OSHO**®. As meditações acontecem no Auditório **OSHO**, sem dúvida o maior espaço de meditação do mundo.

OSHO Multiversity

Sessões individuais, cursos e *workshops* que abrangem desde artes criativas até tratamentos holísticos de saúde, transformação pessoal, relacionamentos e mudança de vida, meditação transformadora do cotidiano e do trabalho, ciências esotéricas e abordagem "Zen" aos esportes e à recreação. O segredo do sucesso da **OSHO** Multiversity reside no fato de que todos os seus programas se combinam com a meditação, amparando o conceito de que nós, como seres humanos, somos muito mais que a soma de nossas partes.

OSHO Basho Spa

O luxuoso Basho Spa oferece, para o lazer, piscina ao ar livre rodeada de árvores e plantas tropicais. Jacuzzi elegante e espaçosa, saunas, academia, quadras de tênis... tudo isso enriquecido por uma paisagem maravilhosa.

Cozinha

Vários restaurantes com deliciosos pratos ocidentais, asiáticos e indianos (vegetarianos) – a maioria com itens orgânicos produzidos especialmente para o Resort **OSHO** de Meditação. Pães e bolos são assados na própria padaria do centro.

Vida noturna

Há inúmeros eventos à escolha – com a dança no topo da lista! Outras atividades: meditação ao luar, sob as estrelas, shows variados, música ao vivo e meditações para a vida diária. Você pode também frequentar o Plaza Café ou gozar a tranquilidade da noite passeando pelos jardins desse ambiente de contos de fadas.

Lojas

Você pode adquirir seus produtos de primeira necessidade e toalete na Galeria. A **OSHO** Multimedia Gallery vende uma ampla variedade de produtos de mídia **OSHO**. Há também um banco, uma agência de viagens e um Cyber Café no campus. Para quem gosta de compras, Puna atende a todos os gostos, desde produtos tradicionais e étnicos da Índia até redes de lojas internacionais.

Acomodações

Você pode se hospedar nos quartos elegantes da **OSHO** Guesthouse ou, para estadias mais longas, no próprio *campus*, escolhendo um dos pacotes do programa **OSHO** Living-in. Há além disso, nas imediações, inúmeros hotéis e *flats*.

http://www.osho.com/meditationresort
http://www.osho.com/guesthouse
Http://www.osho.com/livingin

Para maiores informações: http://www.**OSHO**.com

Um site abrangente, disponível em vários idiomas, que disponibiliza uma revista, os livros de Osho, palestras em áudio e vídeo, **OSHO** biblioteca *on-line* e informações extensivas sobre o **OSHO** Meditação. Você também encontrará o calendário de programas da **OSHO** Multiversity e informações sobre o **OSHO** International Meditation Resort.

Websites:

http://**OSHO**.com/allabout**OSHO**
http://**OSHO**.com/resort
Http://**OSHO**.com/shop
http://www.youtube.com/**OSHO**international
http://www.twitter.com/**OSHO**
http://www.facebook.com/pages/**OSHO**.international

Para entrar em contato com a **OSHO** International Foundation:

http://www.osho.com/oshointernational
E-mail: oshointernational@oshointernational.com

Impresso por :

Graphium
gráfica e editora

Tel.:11 2769-9056